W9-CYZ-457

[illegible]

Une page du Rituel cathare

*(manuscrit de Lyon)*

# *ÉCRITURES*
# CATHARES

## DU MÊME AUTEUR

### *POÉSIE*

*Présence,* « Chantiers », 1929.
*Entre l'esper e l'absencia,* Institut d'études occitanes, 1941.
*Epigramas,* Institut d'études occitanes, 1941.
*Arma de vertat,* Institut d'études occitanes, 1952.

### *ESSAIS*

*Le Tiers-amour,* Denoël, 1938.
*Poésie ouverte, poésie fermée,* Cahiers du Sud, 1947.
*L'amour et les mythes du cœur,* Hachette, 1952.
*Spiritualité de l'Hérésie : le Catharisme,* Privat-P.U.F., 1953.
*Fiction et langage,* Courrier du centre international d'études poétiques, n° 2, Bruxelles, 1953.
*Le Languedoc et le Comté de Foix; le Roussillon,* Gallimard, 1958.
*Les troubadours,* sous presse. Desclée de Brouwer.
*Essai sur les théories provençales de l'amour, au moyen âge,* en préparation.

### *TRADUCTIONS*

*Les troubadours des pays d'Aude,* Ire série, *Revue Pyrénées,* Privat, 1941.
*Sept troubadours des pays d'Aude,* Société d'études scientifiques de l'Aude, 1948.
*Cinq poèmes d'amour de Jordi de Sant Jordi,* Institut d'études occitanes, 1945.
*Le roman spirituel de Barlaam et Josaphat,* La Tour Saint-Jacques, nos 15-16, 1959.

# *ÉCRITURES*
# CATHARES

LA CÈNE SECRÈTE
LE LIVRE DES DEUX PRINCIPES
LE RITUEL LATIN
LE RITUEL OCCITAN

*TEXTES PRÉCATHARES ET CATHARES*
*présentés, traduits et commentés*
*avec une introduction sur les origines*
*et l'Esprit du Catharisme, par*
*RENÉ NELLI*

ÉDITIONS DENOËL
19, rue Amélie, Paris-7e

A Ferdinand Alquié
ce livre est dédié
depuis toujours.

R. N.

# Introduction

A l'exception du Nouveau Testament, traduit en langue d'oc au XIIIe siècle, et des documents provenant des archives des tribunaux d'Inquisition (publiés en grande partie par Doellinger), on trouvera ici la totalité des écrits cathares qui nous ont été conservés. Il se réduisent aux sept petits traités groupés dans le *Livre des deux principes,* au *Rituel roman* dit de Lyon et au *Fragment de rituel latin,* édité par A. Dondaine.

Il ne pouvait être question d'y ajouter les divers ouvrages des XIIe et XIIIe siècles qui se ressentent d'une influence cathare : le *Poème de Boèce,* le *Roman de Barlaam et Josaphat,* le *Voyage au Purgatoire de saint Patrice,* les *Visions de Tindal et de saint Paul,* et les poèmes de quelques troubadours qui ont sûrement été catharisants ou anti-romains [1]. Mais nous ne pouvions pas ne pas donner la traduction de la *Cène secrète.* Cet apocryphe a exercé une

---

1. Adémar Jordan, Adémar de Roquefixade, Arnaut de Comminges, Faidit de Belestar, Guilhem de Durfort, Peire Rogier de Mirepoix, Bernat de Rovenac, Raimon Jordan, Mir Bernat, Aimeric de Péguilhan, Guilhem Figueira, Peire Cardenal, Guilhem Montanhagol.

influence certaine sur la formation de la pensée cathare, et il faisait partie des livres mystiques sur lesquels les Cathares de France et d'Italie appuyaient leur foi. Nous regrettons de n'avoir pu, faute de place, donner aussi la *Vision d'Isaïe*, mais l'influence de ce dernier texte a été beaucoup moins importante que celle de la *Cène secrète*.

Nous avons toujours essayé de traduire ces textes le plus exactement possible. Cependant nous avons cru devoir paraphraser légèrement les traités philosophiques du *Liber* dans tous les passages où une traduction trop littérale eût risqué d'aboutir à autant de contresens.

C'est dans le même esprit que nous tâcherons, en peu de mots, de dégager la pensée philosophique et religieuse du Catharisme des interprétations trop étroitement historicistes — ou sociologiques — auxquelles elle est périodiquement soumise.

Nous n'avons à proposer ici aucune interprétation sociologique nouvelle de l'hérésie cathare : nous renvoyons à celle de Pierre Bru[2], qui est excellente. Nous restons persuadé que l'explication sociologique est valable lorsqu'il s'agit d'établir les conditions de diffusion sociale d'un mouvement spirituel, les modalités mêmes de sa socialisation, et somme toute, son degré de *possibilité* historique. Il est hors de doute que le Catharisme a eu partie liée, avant 1209, avec la féodalité, anticléricale par intérêt; et, après la Croisade, pour d'autres raisons toutes différentes et plus générales, avec la bourgeoisie marchande, qui pressentait en lui le garant d'un ordre économique nouveau fondé sur le premier capitalisme mobilier.

Mais nous croyons aussi que des hommes capables de vivre en ascètes, et de se précipiter allégrement dans les flammes des bûchers, devaient être

2. In *Spiritualité de l'Hérésie : le Catharisme*, P.U.F., Paris, 1953, pp. 23-59. Cf. également J.-P. Faure, *Réflexions sur l'Albigéisme*, *Europe*, n° 59, novembre 1950.

au moins aussi libérés des conditionnements économiques et sociaux, qu'ils l'étaient de la faim, de la soif et de la crainte de la mort. Leur « pessimisme » — d'ailleurs mêlé de beaucoup d'espoir — nous incline à penser qu'ils s'étaient courageusement installés dans l'existence humaine authentique et non point dans l'optimisme absurde de tous les « divertissements », y compris ceux des matérialistes.

## 1. Les origines du catharisme

C'est au début du XIe siècle que le mouvement spirituel connu sous le nom de Catharisme a fait son apparition en France et en Italie. Il se répandit avec plus ou moins d'ampleur en Catalogne, en Allemagne de l'ouest, et jusqu'en Angleterre, au cours du XIIe siècle. A la veille de la Croisade contre les Albigeois, il se présentait comme un ensemble doctrinal très complexe, reflétant des influences gnostiques autres que manichéennes[3], des éléments gnostiques spécifiquement manichéens, et des conceptions judéo-chrétiennes. De sorte que, si l'on ne tenait compte que des ressemblances qu'il présente avec les religions ou philosophies antérieures, il faudrait voir dans le Catharisme une sorte d' « évangélisme » rénové, interprétant la Bible, et même la pensée de saint Paul, dans le sens d'une tradition plus ancienne, à la fois gnostique et manichéenne. Mais autre chose est de souligner des similitudes idéologiques — peut-être fortuites — entre ces diverses doctrines; autre chose d'établir entre elles une filiation réelle ou possible.

On admet généralement aujourd'hui que le Catharisme est un néo-manichéisme, c'est-à-dire qu'il est

---

3. « Car le manichéisme était un courant gnostique, bien que sa conception dualiste soit différente » (Söderberg, *La religion des Cathares*, Uppsala, 1949; p. 7).

issu — directement ou indirectement — du manichéisme ancien. Il n'est pas impossible, certes, que les Cathares d'Occident aient connu des traditions dualistes provenant de l'Afrique romaine, où les Manichéens étaient nombreux à l'époque de saint Augustin. Les Cathares champenois qui, entre 1042 et 1048, et encore en 1144, se réunissaient à Mont-Wimer, — et y furent brûlés, au nombre de 180 environ, en 1239, — passaient aux yeux de leurs contemporains pour les disciples attardés de Fortunat, l'évêque manichéen d'Hippone, qui exilé en Champagne, aurait converti leurs ancêtres. On lit, en effet, dans la *Chronique* d'Albéric des Trois Fontaines[4] que Fortunat, chassé d'Afrique par saint Augustin, vint s'établir en Champagne « où il fit son disciple d'un chef de brigands nommé Wimer ». L'auteur anonyme d'un poème français du XIII^e siècle : *Le Dict de la jument au Deable*[5], nous apprend, de son côté, que ce Wimer aurait été chassé de Lombardie par saint Augustin (qui se trouvait alors à Milan) ;

> Mons moïmer (pour *Woïmer*) a droit se nomme
> du nom Imer, c'en est la some,
> un « bougre » que seins Augustins
> chaça par soir et par matin
> de la terre de Lombardie
> por sa très grand papelardie (hypocrisie) (vv. 25-30).

Le troubadour Raimon Féraut, dans *La Vie de saint Honorat* — écrite vers 1300, mais dont l'action se passe au temps de Charlemagne — semble persuadé que les « Manichéens » de Toulouse, ceux du XIII^e siècle, étaient les descendants de ceux qui furent chassés d'Arles au IX^e siècle (?) :

---

4. Pertz, *Mon. Germ. script.*, t. XXIII, 944-945.
5. *Des avocas, de la Jument au deable, de Luque la maudite,* trois dicts tirés d'un nouveau manuscrit de Fabliaux, par Gaston Raynaud, Romania, t. XII, n^os 46-47, avril-juillet 1883, pp. 209-229.

Ils s'en allèrent à Toulouse, honteux et pleins de rage,
et ont de leur hérésie infesté la cité[6].

Ces témoignages, reposant sur des traditions orales, peut-être fabriquées après coup, sont évidemment bien fragiles : le poète du *Dict de la Jument* semble faire la preuve, en appelant Wimer « un bougre » (un Bulgare), que l'hérésie venait de Bulgarie et non d'Afrique; et Raimon Féraut pouvait d'autant plus facilement assimiler les Cathares aux Manichéens que les clercs de son époque appelaient Manichéens presque tous les hérétiques. Même si les Cathares de France et d'Italie ont connu les *Capitula* de Fauste de Milève — comme c'est probable — et d'autres livres du manichéisme romain, tout porte à croire qu'ils n'ont pas retrouvé le Dualisme à partir de ces seules sources directes : ils l'ont sûrement emprunté aux églises dualistes *bogomiles* de Macédoine et de Bulgarie, c'est-à-dire à un manichéisme déjà fort éloigné de ses origines premières.

Le bogomilisme semble s'être constitué en Bulgarie au début du X^e^ siècle, peut-être plus tard. Il ne serait passé en Italie et en France qu'au cours du XI^e^ siècle. Il ne paraît pas douteux qu'il y ait un rapport de filiation entre le bogomilisme et le catharisme. Cette filiation était communément admise, au XIII^e^ siècle, par les clercs romains[7] et par les Cathares eux-mêmes. On sait que l'évêque bogomile Nicetas, de Constantinople, avait assisté au concile cathare de saint Félix de Caraman, en 1167; que l'église dualiste mitigée de Concorezzo (Italie) avait été fondée par l'évêque Garattus, « de l'ordre

6. *La vie de saint Honorat,* publiée d'après tous les manuscrits par Ingegärd Suwe, Uppsala, 1943, t. I, vv. 3518-3521.

7. « C'est un fait important que Raynier Sacconi (*Summa de Catharis*) fasse venir les Eglises cathares des deux Eglises des Balkans » (Söderberg, *op. cit.*, p. 36).

de Bulgarie » ; que Nazaire, évêque patarin d'Italie, avait fait le voyage de Bulgarie pour s'assurer de la véritable orthodoxie cathare [8]... La *Cène secrète* ou *Interrogatio Ioannis* (apocryphe bogomile) circulait dans les milieux hérétiques italiens et occitans. Et à en juger par le contenu de cet apocryphe il y avait peu de différences entre le bogomilisme et le catharisme latin. A vrai dire, c'est surtout le dualisme mitigé qui paraît s'inspirer des idées contenues dans la *Cène secrète,* mais comme l'a bien montré Söderberg, il y avait aussi un courant absolutiste chez les Bogomiles (Nicetas était dualiste absolu), et, au demeurant, il ne faut pas exagérer les divergences qui séparaient *mitigés* et *absolutistes*...

La doctrine des Bogomiles remonterait à l'ancien manichéisme par l'intermédiaire de l'hérésie paulicienne. Ce n'est là qu'une hypothèse : on ignore en effet dans quelle mesure exacte les Bogomiles ont été en rapport avec les Pauliciens, mais c'est une hypothèse très vraisemblable. « Les parallèles doctrinaux entre Cathares et Pauliciens vont très loin » (Dondaine, *op. cit.*, p. 52) et, d'autre part, « les Pauliciens sont les seuls Manichéens que l'on connaisse dans l'empire byzantin [9] ». Combattus avec acharnement par les empereurs d'Orient, ils furent chassés d'Arménie, déportés dans diverses contrées et notamment en Thrace et en Macédoine, au VIIIe siècle, et à nouveau entre 970 et 978. Moins d'un siècle après, le bogomilisme se manifestait dans les provinces mêmes qu'ils avaient occupées. On peut donc penser que c'est aux Pauliciens que les Bogomiles ont emprunté tous les éléments d'allure nettement manichéenne [10] que l'on rencontre

8. A. Dondaine, *Le Liber de duobus principiis*, Rome, 1939; p. 16.

9. Cf. Puech et Vaillant, *Le Traité contre les Bogomiles de Cosmas le Prêtre,* Paris, 1945, pp. 340-435.

10. Les Pauliciens avaient été influencés par le Marcionisme, et peut-être aussi par les Messaliens. Ils se

chez eux, ainsi que diverses autres conceptions gnostiques (marcionites ou messaliennes ?). Selon M. D. Roché, les Pauliciens — établis avant le VIIIe siècle dans l'Albanie d'Asie (sud du Caucase), auraient apporté en Macédoine et en Thrace un dualisme plus accentué que celui des Bogomiles (courant « mitigé ») et issu directement de l'ancien manichéisme; celui-là même qui sera adopté aux XIIe et XIIIe siècles par les Dualistes absolus d'Occitanie et les *Albanenses* italiens[11].

Ainsi, tout le catharisme occidental se relierait au manichéisme par les chaînons intermédiaires du paulicianisme et du bogomilisme. Sans doute, le rapport de filiation entre Pauliciens et Manichéens n'est-il pas absolument certain. Il ne l'est pas non plus entre Pauliciens et Bogomiles; mais il ne paraît pas niable entre Bogomiles et Cathares (surtout : dualistes mitigés). Et, somme toute, ce système de filiations est la seule hypothèse capable de rendre compte de la résurrection du manichéisme dans l'Occident chrétien. Il explique parfaitement aussi toutes les nuances de la pensée cathare : appartiendraient au manichéisme (en tant qu'il est une gnose dualiste) la doctrine même des deux principes, l'idée que *le vrai Dieu n'a pas de mal à opposer au Mal,* et que, par conséquent, il est toujours vaincu dans le temps et toujours vainqueur dans l'éternité; le thème du *Combat* dans le ciel, où l'homme primordial lutte contre le Mal et est vaincu par lui; le récit de la chute des anges, eux aussi vaincus par le Mal, sans avoir péché par libre arbitre, etc.

Mais sembleraient plutôt appartenir à la Gnose (au sens large) le caractère général du Catharisme : le fait qu'il apporte le salut par la connaissance, par

---

défendaient d'être *manichéens.* Cependant Pierre de Sicile et d'autres auteurs grecs les ont considérés comme tels. Il est à peu près certain qu'ils étaient *dualistes.*

11. Déodat Roché, *Etudes manichéennes et cathares,* pp. 285-286.

l'initiation; la théorie essentielle de l'*émanation*, assez peu marquée, il est vrai, dans le catharisme absolu, mais nette, cependant, dans le dualisme *mitigé*, où le Christ et Lucifer « émanent » tous deux du Dieu Bon; le mythe de l'organisation du monde par un principe malin, ou tout au moins usurpateur, et à partir d'une matière, éternelle ou créée mais toujours « mauvaise »; la croyance que l'âme est tombée par libre arbitre (dualisme mitigé) et qu'elle sera sauvée par un libre effort de connaissance et de purification; l'idée que l'homme est triple (esprit, âme, corps) et que son esprit est sauvé, et Sauveur, dans la mesure où il est en Dieu et se confond avec l'Esprit, etc.

Il suffit de passer en revue toutes ces conceptions, tous ces thèmes, pour voir clairement que si le *dualisme absolu* ressemble beaucoup à l'ancien manichéisme, le *dualisme mitigé* paraît, lui, beaucoup plus « gnostique » que manichéen. D'autre part, il ne faut pas méconnaître l'importance des éléments purement chrétiens que le catharisme a assimilés. C'est dans une atmosphère de haute spiritualité chrétienne que le catharisme s'est développé; et il s'inscrit dans un mouvement plus large de rénovation religieuse d'esprit évangélique. Il est de fait que les Cathares n'ont jamais parlé de Mani, ni de Sophia, ni des Eons : ils ne citent que les Evangiles et les paroles mêmes de Jésus-Christ.

## 2. L'esprit du catharisme

Nous ne pouvons, dans cette brève introduction, rendre compte de toute la mythologie cathare — si poétique et si contradictoire — ni faire état des nombreuses « dépositions », relevant d'ailleurs, parfois, de la fantaisie individuelle, enregistrées par les Inquisiteurs; encore moins, retracer dans tous ses détails l'évolution de la pensée cathare, qui a beaucoup varié, semble-t-il, entre 1180 et 1280, en France et en Italie. Nous nous bornerons à donner un rapide aperçu des tendances philosophiques essentielles du catharisme.

## *1.* De Dieu.

Il est possible que le catharisme ait emprunté aux Manichéens anciens l'idée que Dieu *n'a aucun mal à opposer au Mal.* Alexandre de Lycopolis, citant un ouvrage attribué à un disciple de Mani (ou, parfois, à Mani lui-même), écrit, en effet : « Un jour la Matière, s'étant élevée, découvrit de loin la Lumière divine et voulut s'en emparer. Dieu délibéra sur les moyens de la repousser. Et *comme il n'avait aucun mal à lui opposer,* il envoya à ses devants une Ame qui devait se mêler à elle, puis, *en s'en détachant, causer sa mort*[12]. » Ces quelques lignes expriment l'essence même du manichéisme et du catharisme, et soulignent tous les points importants de leur métaphysique commune : l'opposition des deux principes, la « vanité » du mauvais principe qui n'a d'existence que dans la mesure où il envahit l'Etre, l'apparition du *Mélange,* la réduction finale du Mal à son néant, après que toute âme captive lui a échappé. Comme les Manichéens, les Cathares ont proclamé que Dieu était la Bonté suprême, c'est-à-dire la plénitude absolue de l'être, l'Etre par soi excluant le transitoire et le relatif, et de ce fait, ne voulant ni ne pouvant — puissance et volonté coïncident en Dieu — se prêter à un amoindrissement, à une « raréfaction » de son essence. Car, s'il eût consenti un seul instant à se retirer de lui-même en lui-même, comme l'enseignent, par exemple, les Cabbalistes, ce « retrait » — n'eût-il été que provisoire, relatif et « destiné à produire un bien plus grand » — aurait éternisé le *moindre-être* : ce Dieu serait le Dieu du Mal.

Aucune théorie ne paraissait aux Cathares plus

---

12. P. Alfaric, *Les écritures manichéennes,* t. II, p. 22.

entachée d'anthropomorphisme moral que celle qui soutient la relativité du Bien et du Mal. C'est seulement dans le monde du Mélange — et dans l'esprit de l'homme — qu'un mal peut amener un bien. En Dieu, il ne saurait en être ainsi : tout est en lui éternel et immuable : il ne peut « utiliser » le Mal. Aussi, faut-il que sa création procède éternellement de lui, qu'elle soit inséparable de lui, comme la lumière est inséparable du soleil qui la crée (dans le dualisme absolu). Sous sa forme philosophique, cette idée est apparue assez tardivement (chez Jean de Lugio, vers 1260), mais elle s'était déjà manifestée chez les Albanenses de façon mythique : elle est inhérente, semble-t-il, à l'esprit du catharisme. Puisque la création est co-éternelle à Dieu, et que Dieu ne peut, en aucune manière, vouloir le mal sans l'éterniser, il est évident qu'il ne peut agir « mal » dans le temps.

**2. Du Mal.**

Si dans le monde du Mélange le mal et le bien nous sont toujours donnés comme relatifs l'un à l'autre, comment concevoir un Mal en soi et un Bien en soi ? Les Cathares ont résolu la difficulté qu'il y a à définir un Bien absolu et un Mal absolu en traduisant cette opposition morale en opposition ontologique. Le Bien, c'est l'Etre à la suprême puissance; le Mal, c'est ce qui pousse vers le non-être tout ce qu'il frappe. Saint Augustin avait dit : « Toute cause qui le produit ne peut être que le néant. » Mais les Cathares croyaient qu'il existait un principe de la négation — ou de la corruption — *non créé et non voulu par Dieu.* Ce principe, les Manichéens avaient cru le trouver dans un existant infiniment anéanti : la matière. Nous avons vu, dans le texte précédemment cité d'Alexandre de Lycopolis, que « la matière s'élève contre la Lumière ». Le Manichéen Fortunat disait, de son côté : « Quant à l'autre principe, nous l'appelons matière, ou, en un terme plus connu et plus usité, démon. »

### 3. Le Principe du Mal.

Les Cathares, eux, ont eu une opinion très différente sur l'essence de la matière. Ils ne l'ont pas toujours considérée comme éternelle. Mutable, transitoire et condamnée à être finalement anéantie, comment aurait-elle pu être le principe éternel du Mal, comme le croyaient Fortunat et Fauste de Milève, héritiers sur ce point de la philosophie antique ? Tantôt ils admettaient que Dieu était le créateur des quatre éléments (en réalité : des fondements spirituels de la Matière), tantôt que c'était le Diable qui les avait créés *de rien,* tantôt, que le démon avait seulement organisé une matière préexistante — éternelle ou créée par le Dieu Bon. Mais, de toute façon, s'ils ont répugné, dans l'ensemble, à concevoir la matière comme éternelle, ils l'ont toujours considérée soit comme une sorte de substance « neutre », soit comme une substance déjà pénétrée de néant et promise de toute éternité au Démon pour être son bien propre. La matière est, en effet, le plus bas degré de l'Emanation : au-delà, il n'y a plus que le rien. Et l'on conçoit aisément que l'entité mauvaise, Satan ou Lucifer, dont le caractère essentiel est d'être précisément *attiré, tenté* par l'abîme du moins-être, se soit appuyé sur ces éléments corrompus — représentant de toute éternité un *prope nihil* — pour fonder le monde visible, négation du monde spirituel, et subissant dans son entier l'attirance du néant. Mais la matière, expansion objective et chaotique, ne saurait être, en elle-même, *absolument* mauvaise. Elle ne pouvait donc, pour les Cathares, coïncider avec le principe absolu du mal.

Beaucoup d'historiens du catharisme ont affirmé que ce principe n'était autre que Satan. Rien n'est moins exact. Satan n'est qu'une manifestation du mauvais principe, comme les ténèbres, la corruption, les vices de l'homme, etc... Si l'on voulait voir un principe du mal dans toutes les entités mauvaises du catharisme, il faudrait admettre qu'il en a connu au moins quatre ou cinq — on reprochait déjà à Marcion d'en avoir imaginé trois — la matière (en tant que corrompue), le monstre du chaos (à la fois homme, poisson, oiseau et « bête »), le mal sous son aspect luciférien, le mal sous son aspect satanique, les ténèbres, etc... De toute évidence, Satan n'a jamais été conçu par les Cathares comme un être absolument mauvais : il existe et il pense, il organise le monde, il y joue même, dans une certaine mesure, un rôle providentiel, il poursuit un but, etc. Il n'est pas le mal absolu, *bien qu'il y tende*. Il faut plutôt voir en lui l'expression la plus maligne du *mélange*. L'argument que brandissait Alain de Lille contre les Cathares, à savoir : « Que l'existence est un bien, une perfection; que le mal n'étant que la négation de tout bien, est aussi la négation de l'être; que, par conséquent, dès que le mal aurait une existence pour lui-même, il aurait une perfection, il ne serait plus le mal suprême » — est donc absolument sans portée : il s'attaque à ce que les Cathares n'ont jamais pris pour le principe du mal.

### 4. Les deux principes.

Les Cathares n'ont jamais déclaré que les deux principes étaient « égaux » : le mauvais principe ne manifeste que son imperfection. D'abord, en lui-même, il n'est pas : il n'est que pour ceux qui croient qu'il est quelque chose, c'est-à-dire pour les êtres partiellement anéantis. *Est et non*, disait saint Paul. Mais même dans son expression, dans ses « effets » — pour parler comme Jean de Lugio — effets qui appartiennent au domaine de l'existant (corrompu), il est mutable, ennemi de lui-même, incapable de persévérer dans son être d'emprunt, puisque cet être, il le nie. Il est l'absurdité même et le mensonge. Il ne peut apparaître que *temporellement* : en tant que manifesté, il doit finir un jour. Dans sa lutte contre le vrai Dieu, il ne peut être victorieux que provisoirement, dans le présent toujours recommencé; ou bien, selon les dualistes absolus : il ne peut que traduire en termes de temps, illusoires comme lui, ce qui, en réalité, a eu lieu de toute éternité. Les êtres dont il croit provoquer la chute, sont tombés depuis l'origine et sont sauvés depuis toujours. Car, soit par un effort de leur propre liberté (dans le dualisme mitigé), soit par la toute-puissance de Dieu, qui doit les libérer à la fin du temps (dualisme absolu), toutes les âmes feront retour à Dieu. De sorte que, selon le système absolutiste, la création, éternellement perdue et rachetée, résulte de la défaite du Démon autant que de sa victoire. La seule différence vraiment importante qu'il y ait entre le catholicisme romain et le catharisme, c'est que, pour les Romains, Dieu est la cause du mal *dont il punit les pécheurs*, tandis que, pour les Cathares, il *subit* le mal *pour lequel il ne punit personne*; et il doit attendre que le mal vienne expirer — de conséquences en conséquences — au bord de son éternité. Le vrai Dieu est, comme le disaient avec profondeur les Pauliciens, le *Seigneur du Futur*.

## 5. Dualisme absolu et dualisme mitigé.

Les historiens distinguent deux courants dans le catharisme : celui des dualistes « absolus », celui des dualistes « mitigés » (ou *monarchiens*). Si l'on néglige les différences, plus ou moins marquées, qui les séparent selon les époques et les régions, on peut définir ainsi leurs doctrines respectives : les dualistes mitigés croyaient que Satan — ou plutôt Lucifer — avait été d'abord créé bon par le vrai Dieu, mais qu'il s'était corrompu par la suite et qu'il était devenu un démon. Lui-même et les anges qu'il a séduits, auraient péché par libre arbitre. Pour les dualistes absolus, au contraire, Satan a toujours été mauvais. C'est par la force qu'il a asservi les bons anges — lesquels n'avaient point de libre arbitre — et qu'il les a emprisonnés dans la matière. Ces anges — les âmes actuelles — n'ont pas été matérialisées parce qu'elles ont péché : elles pèchent parce qu'elles sont soumises à un corps matériel. Pour les dualistes mitigés il n'y a donc qu'un seul principe : le Dieu bon. Pour les dualistes absolus, il y en a deux : Dieu et le Mal (c'est-à-dire : le néant).

A première vue, on serait tenté de considérer comme irréductible la divergence des deux catharismes. Mais quand on y réfléchit mieux on voit qu'ils ne situent pas le problème sur le même plan métaphysique et, par conséquent, qu'ils ne diffèrent guère que dans la mesure où l'un — le dualisme absolu — se veut plus ésotérique que l'autre. Les dualistes absolus trouvent l'origine du mal là où les « mitigés » semblent renoncer à l'aller chercher. Ces derniers n'expliquaient nullement — les Cathares de Concorezzo disaient même qu'il y avait là un « mystère » — *pourquoi Lucifer s'était changé en démon*. Mais tout porte à croire que les initiés mitigés partageaient l'opinion des absolutistes. Pour eux — l'on s'en souvient — c'est au début même de la manifestation que Satan avait été tenté, absorbé par le néant, l'invasion du ciel par le mal n'étant que la représentation mythique de la contamination de l'être par le non-être, qui a toujours eu lieu dans la création co-éternelle au Créateur. Mais le Lucifer des dualistes mitigés a été, lui aussi, corrompu par le monde d'en-bas, par le monstre du chaos, c'est-à-dire par une entité mauvaise qui, elle-même, représentait le principe *infiniment anéanti* ou, si l'on préfère : la négation pure. Autrement dit : si, dans le dualisme absolu, le principe du mal intervient pour expliquer l'*apparition de Satan* dans le monde du Dieu bon, dans le dualisme mitigé il est nécessaire qu'il intervienne aussi pour rendre compte de la corruption de Lucifer qui resterait, sinon, inconcevable. C'est la même cause qui a suscité Satan et perverti Lucifer.

**6. La liberté.**

Il ne faut pas exagérer non plus les différences que présentent les systèmes absolutistes et mitigés en ce qui concerne le problème de la liberté. Nous avons vu que Dieu n'avait pu introduire dans sa création des êtres qui eussent la possibilité de faire le mal. S'ils font le mal, c'est qu'ils subissent une contrainte de la part du mauvais principe : c'est qu'à leur nature bonne le Démon a ajouté une nature maligne. Pour les dualistes absolus, être bon, c'est donc suivre sa nature, et les bons sont « libres » quand ils ne peuvent faire que le bien. Il est clair que, de même que le Démon a pu rendre les âmes nécessairement mauvaises, en mettant un obstacle matériel à leur liberté ainsi entendue, de même, il n'y a que la grâce divine qui puisse lever cet obstacle, et leur permettre ainsi de rentrer dans leur voie. La théorie de la création du deuxième degré, de Jean de Lugio, était sans nul doute en germe dans les opinions plus confuses des premiers dualistes absolus. Elle sous-entend que la liberté de l'homme est garantie : 1° par le fait que son esprit est toujours libre (de la liberté que nous disons), et toujours sauvé en Dieu; 2° par la toute-puissance dont dispose Dieu pour le bien, toute-puissance qui lui permet d'accroître infiniment les effets de la bonne volonté humaine, quand une fois elle s'est déclarée; 3° par la débilité même du Principe du Mal qui ne peut pas perdurer sans transformer en victime l'âme qu'il a séduite, son plaisir malin en malheur, ses souffrances en expérience libératrice; 4° par l'existence, enfin, de l'Eglise cathare qui, en donnant le *Consolamentum* au croyant, réunit, sur cette terre même, son âme à son esprit, et le libère ainsi de l'implantation du Mal. Une fois *consolé,* le croyant devenait libre d'une liberté infiniment supérieure à celle que lui assurait le prétendu libre arbitre.

Pour se rapprocher, vraisemblablement, du catholicisme romain, le dualisme mitigé avait fini par admettre l'existence du libre arbitre, mais il ne l'a jamais considéré que comme une sorte de piège satanique. Il ne pouvait pas ne pas voir que, dans le monde du Mélange, le libre arbitre penchait toujours vers la matière. Si l'on en juge par le contenu d'une prière cathare[13] rapportée par Doellinger, c'est Lucifer qui aurait inventé le libre arbitre *en même temps que le Mal.* Car, dans un monde où le principe, *la cause du Mal* n'existait pas, le Mal ne pouvait naître, dans l'âme, que de la tentation de faire le contraire de ce qu'elle était obligée de faire par nature (c'est-à-dire le Bien), et cela, dans le seul but *de se sentir libre.* C'est la liberté qui est première, et le Mal second. Le Mal, dans l'esprit de Lucifer, était lié à l'invention d'une liberté d'un type nouveau, en même temps qu'à une façon — pas nécessairement maligne, dans son essence — de séduire les âmes. Mal et libre arbitre coïncidant, le Mal n'était que la condition de cette pseudo-liberté[14].

Ce qui montre bien que les dualistes mitigés eux-mêmes ne se faisaient point trop d'illusions sur la valeur du libre arbitre, c'est que, d'une part, ils croyaient que les anges qui n'avaient point péché n'avaient pas acquis ce don funeste — puisque le libre arbitre était une conséquence du péché; et

---

13. « Tous ceux qui lui seraient soumis (à Satan) descendraient en bas et auraient le pouvoir d'y faire le mal et le bien comme Dieu en haut; il leur valait beaucoup mieux, disait le diable, être en bas où ils pourraient faire le mal et le bien, qu'en haut où Dieu ne leur permettait que le Bien... » (Doellinger, II, pp. 177-178).

14. La « chute des anges » pourra un jour recommencer. Dans une société où la science réussirait à rendre tous les hommes nécessairement vertueux, par des « piqûres », par exemple, sans trop les abêtir, on peut imaginer que certains d'entre eux seraient amenés à faire le mal — sans goût pour le mal —, à commettre un crime gratuit, pour recouvrer le libre arbitre des générations passées, dont ils auraient gardé la nostalgie.

d'autre part, que les élus — devenant impeccables — abandonnaient aussitôt le libre arbitre — expression morale du Mélange — pour reprendre leur ancienne liberté, celle que les dualistes absolus reconnaissaient comme seule compatible avec le salut, parce qu'elle équivalait à la nécessité de faire le Bien.

Les dualistes mitigés admettaient que le libre arbitre était un leurre, si l'âme du croyant n'était point, par ailleurs, nécessitée au Bien, par sa réunion avec l'Esprit, et par la grâce que lui conférait le *Consolamentum*. Une fois *consolés*, le dualiste mitigé et le dualiste absolu jouissaient exactement de la même liberté, qui consistait dans le pouvoir de résister au mal, et était tout le contraire du libre arbitre.

## 7. Le salut.

Pour les dualistes absolus *toutes* les créatures du Dieu bon devaient être sauvées nécessairement[15], et sans doute, Satan lui-même en tant qu'esprit. Il était impossible, selon eux, que l'être fût anéanti. Les entités créées en partie dans le néant étaient destinées à remonter, purifiées, à la source de l'être. Car, comme nous l'avons déjà dit, il était absolument nécessaire que de conséquences en conséquences (inéluctables) le mal se vidât lui-même de toute la substance qui ne lui appartenait pas. Les âmes devaient se libérer progressivement au cours des vies successives où elles faisaient l'expérience du malheur. Par conséquent, tout homme qui se trouvait un jour en disposition d'adhérer au catharisme, et à plus forte raison, celui qui recevait le *Consolamentum* et menait l'existence d'un parfait chrétien, faisait la preuve, par là, qu'il n'était pas loin d'être sauvé. Les autres, les simples croyants ou les

15. Sur ce point les Cathares étaient moins « pessimistes » que les catholiques.

infidèles, enfoncés encore dans l'ignorance et dans le mal, et ne disposant pas de la liberté, devaient attendre que le temps et les épreuves les eussent, pour ainsi dire, transformés *malgré eux*.

Les dualistes mitigés pensaient à peu près la même chose, sauf qu'ils croyaient à l'existence d'un libre arbitre. En suite de quoi, à l'imitation des catholiques, ils semblent avoir enseigné que toutes les âmes ne seraient point sauvées, mais que certaines d'entre elles, devenues mauvaises, subiraient, comme Lucifer lui-même, un châtiment éternel.

## 8. Rôle de Jésus-Christ.

La personne de Jésus-Christ joue dans le catharisme un rôle beaucoup moins important que dans le catholicisme. Le Christ n'était, pour la plupart des Cathares, que le premier des anges émanés du Père, ou créés par lui. Certains d'entre eux admettaient qu'il n'avait subi à aucun degré l'implantation du Mal, et qu'ayant lutté victorieusement contre le Démon, il méritait le nom de Fils de Dieu. Et ils l'appelaient souvent ainsi. Une tendance nettement docétiste a toujours poussé les deux grandes sectes cathares à se représenter l'Incarnation comme ayant eu, seulement, une valeur symbolique : elle n'aurait eu lieu, sur la terre, qu'en image. C'est qu'en réalité la mission véritable du Christ aurait été accomplie dans les mondes supérieurs. Les Albanenses — et surtout les disciples de Jean de Lugio, croyaient que le Christ avait souffert la Passion, à l'origine de la Manifestation, lorsque le Mal avait, pour la première fois, fait irruption dans l'être. Il se confondrait, en ce cas, avec les entités à la fois sacrifiées et sauvées, à la fois sauvées et libératrices, qui, selon les traditions manichéennes, avaient eu pouvoir de préserver leur essence du Mal, et de lui faire échec. Il est possible même que les Cathares l'aient parfois identifié avec l'*Homme primordial* du manichéisme.

Mais tandis que saint Michel symbolisait surtout, pour les Cathares, la résistance victorieuse de l'être à la corruption du néant, le Christ manifestait plutôt, semble-t-il, la possibilité toujours offerte à l'âme de surmonter le Mal par le sacrifice et la souffrance.

Quoi qu'il en soit, sa mission proprement terrestre a surtout été d'enseignement. Le Christ a été envoyé ici-bas par le Père pour révéler aux hommes que le Dieu qu'ils adoraient, n'était autre que le Démon. Dans le monde du Mélange, il était nécessaire *que la Vérité fût manifestée,* réellement ou en apparence.

Les dualistes mitigés ne s'écartaient pas beaucoup sur ce point de la foi des *Albanenses.* Le Christ, d'après eux, serait venu sur la terre avec le corps glorieux que toutes les âmes possèdent, mais qu'elles ont dû laisser au ciel, après la Chute. Son Incarnation aurait donc été *humaine,* mais *célestielle.* Quelques dualistes mitigés ont professé que le Christ, sauveur des âmes, n'avait point d'âme lui-même, ou plutôt que son âme était la *déité.* Mais la plupart ont cru que l'unité substantielle : « esprit, âme, corps », n'avait jamais été brisée en Lui et que, pour cette raison, il était impeccable. Ce qu'il importe surtout de remarquer, c'est qu'en tant que Sauveur des âmes — lesquelles sont les essences les plus fragiles du ternaire humain, les plus sensibles aux vibrations « sentimentales », les plus « pitoyables » — le Christ ne pouvait remplir sa tâche qu'en se *sacrifiant,* réellement ou en image, pour incarner et faire rayonner, surtout, la *Bonté* et l'*Amour* de Dieu.

## *9.* L'eschatologie.

Il y aura une fin des temps, qui marquera l'abolition du règne du Mal dans le Mélange et manifestera la victoire définitive du Dieu bon sur le mauvais principe. Le Mal n'aura plus de malice « communicable » et rentrera en lui-même (dans son néant), tandis que la création ne fera plus qu'un avec le créateur. Les dualistes mitigés, adoptant le point de vue catholique, pensaient que Lucifer, toujours mauvais, mais devenu inoffensif, serait enfermé dans les enfers avec les âmes pécheresses; les dualistes absolus, que Lucifer-Satan serait détruit —, ou pardonné ? — en tant qu'être du Mélange —, mais que la *Négation* subsisterait toujours comme possibilité de corruption. Il est difficile de savoir si le dualisme absolu concevait l'être corrompu comme devant être purifié à la fin des temps, ou la totalité de l'être créé comme se trouvant, de toute éternité, *corrompue et sauvée* tout à la fois. Comme le dit une prière orphique, « l'éternité retire l'être du néant, *et le néant de l'être*, simultanément ».

## 3. La morale cathare

La morale du catharisme reflète les caractères généraux de sa philosophie : elle consiste à donner à l'homme égaré dans le domaine du Mélange les moyens de s'isoler — dans une certaine mesure — du Mal et de se libérer de son emprise. Les Cathares devaient préserver leurs âmes de tout ce qui relève de la matière et de l'illusoire, et principalement des forces dissolvantes issues de la chair qui tendent à les « néantiser » : le mensonge — dont ils avaient horreur —, le sommeil, l'oubli[16], l'évanouissement paresseux, lâche ou voluptueux, dans l'inconscience du corps, etc... Le plaisir érotique — l'une des causes de la chute des anges (pour le dualisme mitigé) — constituait la tentation satanique par excellence. Le parfait chrétien devait s'abstenir de tout acte de

16. Pour les gnostiques, l'état terrestre était caractérisé par l'oubli, le sommeil et la douleur (en tant qu'elle « égare » l'âme).

chair, ou plutôt, parvenir à un tel degré de spiritualité qu'il n'eût plus le désir de l'accomplir.

Meilleurs logiciens, en cela, que les Catholiques, les Cathares ne voyaient aucune différence (essentielle) entre l'état de mariage et la luxure. Marié ou non, l'homme qui ne vivait pas chastement prouvait qu'il était en proie à des désirs que seul le corps peut satisfaire. Il était impossible, par conséquent, qu'il eût accès à la vie purement spirituelle : il devait, après sa mort, se réincarner. C'est pour refréner, surtout, la violence des impulsions sataniques que les Cathares s'abstenaient généralement de toute nourriture carnée, qu'ils se mortifiaient et jeûnaient, et pratiquaient l'ascétisme le plus rigoureux.

On peut déduire de leur système philosophique, et de leur attitude devant la mort, qu'ils mettaient le courage au-dessus de toutes les vertus. C'est par le courage, en effet, que l'homme surmonte les plus terribles limitations que lui impose le Mal, *jusque sur le plan surnaturel* : le courage est en lui-même une vertu surnaturelle, « métaphysique ». La pire des défaillances animiques était pour eux la lâcheté, la fuite devant la mort, car elle témoignait de la débilité de l'âme. Et ils croyaient que nul ne pouvait accéder à l'immortalité, tant qu'il n'avait pas appris à entrer sans effroi dans la mort. Il ne semble pas que les « Parfaits » aient pratiqué systématiquement l'*Endura* (sorte de suicide mystique), mais il est hors de doute qu'elle était dans la logique de leur système moral. Pourvu qu'il fût parvenu à la libération sur cette terre même, le Cathare devait évidemment souhaiter que la mort vînt le libérer, mieux encore, de tout contact avec le Mal.

Les « bons-hommes » n'avaient pas seulement le devoir de sauver leurs âmes, ils devaient refuser aussi de servir le Prince des Ténèbres dans sa lutte contre le Dieu bon, c'est-à-dire contre l'Existant. C'est pourquoi ils respectaient infiniment la vie, s'interdisaient absolument l'homicide.

Enfin, les Cathares étaient des hommes qui « pouvaient » servir Dieu. Ce « service », expression même de leur liberté reconquise, après le *Consolamentum,* se résumait pour eux dans le devoir d'aimer Dieu et le prochain (en Dieu). Cet amour devait être absolu (c'est-à-dire : impliquant le mépris total du monde et l'oubli parfait du Moi), et *actif* : « La foi sans œuvres est morte », se plaisaient-ils à répéter.

Une telle morale ne pouvait être pratiquée que par des initiés, des mystiques; et ceux-ci, les bons-hommes, ne furent jamais très nombreux en Occident. Ils n'exigeaient pas des simples croyants — cela va sans dire — une vertu aussi parfaite. Ils considéraient, en effet, que n'ayant point reçu la grâce — laquelle ne pouvait être acquise qu'à l'issue de plusieurs réincarnations — les « croyants » n'étaient pas assez « libres » pour pouvoir servir Dieu avec constance. Ils cherchaient simplement à développer en eux la vertu de *repentir,* sachant bien que Dieu pardonne toutes les fautes, mais non pas l'endurcissement [17]. Leur théorie était que, si le pécheur n'est point libre avant de pécher, il reçoit, cependant, pour un temps, quand le péché a été commis et que la tentation se trouve émoussée par sa satisfaction même, l'illumination de son propre esprit. Le remords correspond toujours à une suspension momentanée des influences malignes. Les bons-hommes la mettaient à profit : au cours des confessions, qui avaient lieu en public, ils endoctrinaient du mieux qu'ils pouvaient ces pécheurs repentants. Et ces confessions publiques, les allocutions ou exhortations de ministres à l'occasion des grandes cérémonies rituelles, la surveillance morale que l'Eglise exerçait sur les mœurs, sans jamais les contraindre, tout cela suffisait, sans doute, à maintenir la masse des croyants dans une médiocre honnêteté.

---

17. L'âme n'est pas punie, disaient les Manichéens, parce qu'elle a péché, mais parce qu'elle ne s'est pas repentie.

# LA CÈNE SECRÈTE

# LA « CÈNE SECRÈTE »
# ou
# « Questions posées par Jean à Jésus-Christ »

La *Cène secrète* (ou *Interrogatio Iohannis*) est antérieure au catharisme latin et n'est donc pas à proprement parler un texte « cathare ». Mais elle fut de bonne heure entre les mains des « bons-hommes », en France et en Italie[1], et elle a exercé sur l'évolution du dualisme mitigé une influence profonde.

C'est un « faux évangile » où saint Jean est censé interroger Jésus-Christ — d'où son titre : *Interrogatio Iohannis* — sur l'organisation du monde par le Diable, la création de l'homme, la fin des temps, etc., au cours d'une « Cène secrète (Cena secreta) du royaume des cieux », dont la Cène historique n'aurait été, au dire de certains Cathares, que l'image temporelle.

La version latine date du XIII$^{e}$ siècle; le texte en

---

1. « Nazaire (1150-1235), évêque patarin d'Italie, qui avait fait le voyage de Bulgarie pour s'assurer de la véritable orthodoxie cathare » (Dondaine, *Liber de duobus principiis,* Rome, 1939, p. 16), possédait un certain écrit qu'il appelait le *secret.* Ce « secret » était, sans nul doute, la *Cène secrète* : la version de Carcassonne porte cette subscription : « Ceci est le secret des hérétiques de Concorezzo, apporté de Bulgarie à leur évêque Nazarius. »

ancien bulgare[2] paraît remonter au moins au XII^e^ siècle. Mais il doit procéder lui-même d'un livre grec aujourd'hui perdu, qui, selon l'hypothèse de M. D. Roché, reproduisait un fragment de la *Mémoire des apôtres,* ouvrage mystique connu des premiers Manichéens, et qui s'inspirait peut-être aussi, pour ce qui est de la cosmogonie, des livres d'Henoch manichéens[3].

Quoi qu'il en soit, la *Cène secrète,* telle qu'elle nous a été conservée, résulte bien d'une refaçon bogomile. MM. Puech et Vaillant ont souligné, naguère[4], les nombreuses similitudes doctrinales qu'elle présente avec l'exposé que nous a laissé Euthyme Zigabène, du bogomilisme primitif; et tout récemment M. Tardeanu l'a rangée — non sans quelques hésitations, il est vrai — parmi les apocryphes authentiquement bogomiles[5].

Il existe deux versions latines de la *Cène secrète* : l'une, provenant des archives de l'Inquisition de Carcassonne, figure dans le fonds Doat; l'autre est actuellement conservée à la Bibliothèque Nationale de Vienne[6]. La *Version de Carcassonne* avait déjà été publiée en 1691 par le P. Benoist[7], d'une façon très inexacte et incomplète. Elle le fut à nou-

---

2. On trouvera des extraits de ce texte dans J. Ivanof, *Légendes et écrits bogomiles,* Sofia, 1925, pp. 77-87.
3. D. Roché, *Etudes manichéennes et cathares,* Paris, 1952, p. 28.
4. H. C. Puech et A. Vaillant, *Le Traité contre les Bogomiles de Cosmas le prêtre,* Paris, 1945 (travaux publiés par l'Institut d'Etudes slaves, 21), p. 130, n. 1. — Euthyme Zigabène, *Panopl. dogm.*, XXVII, 6; P. G., CXXX, col. 1293, 1296; cité par Söderberg, *La religion des Cathares,* pp. 100-101.
5. E. Tardeanu, *Apocryphes bogomiles et apocryphes pseudo-bogomiles,* dans *Revue de l'histoire des religions,* n° 1-2, 1950.
6. Ms. 1137 de Vienne (Autriche).
7. P. P. Jean Benoist, *Histoire des Albigeois et des Vaudois, ou Barbets,* Paris, 1691, t. I, p. 283 (*La Cène secrète,* sous le titre : faux évangile).

veau, en 1890, par Doellinger[8], et en 1925, par J. Ivanof (d'après Doellinger[9]). Le texte que nous traduisons est — sauf corrections — celui de l'original, c'est-à-dire celui du Ms. Doat, 36. Comme beaucoup d'érudits — surtout dans le midi de la France — possèdent l'ouvrage de Benoist, nous avons toujours signalé ses variantes par rapport au Ms. Doat.

La *Version de Vienne* a été éditée par Doellinger et plus récemment par Reitzenstein[10]. Nous avons suivi le plus souvent le texte de Doellinger, en adoptant toutefois, pour certains passages corrompus ou obscurs, les excellentes corrections proposées par Reitzenstein.

Les deux versions procèdent, sans nul doute, d'une même copie. La *Version de Vienne* est parfois plus développée que celle de Carcassonne, mais parfois aussi, beaucoup plus altérée. Au lieu de les fondre en une seule pour reconstituer, hypothétiquement, leur « archétype », nous avons préféré les donner toutes deux *in extenso*. Pour faciliter la comparaison, nous avons souligné dans la *Version de Vienne* tous les passages qui diffèrent sensiblement de ceux qui leur correspondent dans la *Version de Carcassonne*.

L'une et l'autre traitent dans le même ordre des questions suivantes : 1) Satan avant la chute; 2) séduction des anges par Satan; 3) chute de Satan; 4) la création du monde; 5) la création de l'homme; 6) le péché commis par Adam et Eve; 7) la génération des âmes (traducianisme); 8) le règne de Satan sur la terre; 9) la Descente de Jésus-Christ; 10) le baptême par l'eau et le baptême par l'Esprit; 11) signification des paroles : « Manger la chair et boire le sang du Christ; » 12) le Jugement dernier; 13) punition de Satan.

---

8. I. von Doellinger, *Beitrage zur Sektengeschichte des Mittelalters*, 1890, II, pp. 60-65.

9. J. Ivanof, *op. cit.*, pp. 87-90.

10. Reitzenstein, *Die Vorgeschichte der christlichen Taufe*, Leipzig et Berlin, 1929, p. 293.

# I

## Version de Carcassonne[1]

(collection Doat)

**1.** Moi, Jean, qui suis votre frère et qui ai part à la tribulation pour avoir part aussi au royaume des cieux[2], alors que je reposais sur la poitrine[3] de Notre-Seigneur Jésus-Christ, je lui dis : « Seigneur, quel est celui qui te trahira ? Et il me répondit : « Celui qui met [fol. 26, verso] la main avec moi au plat[4]. Alors Satan entra en lui (Judas)[5] et il (Judas) cherchait déjà à me livrer[6]. »

**2.** Et je dis : « Seigneur, avant que Satan ne tombât, dans quelle gloire était-il établi auprès

---

1. Elle porte en titre dans le ms. *Doat* 36 : « Discours plein d'erreurs et de passages falsifiés de l'Apocalipse (*sic*) dit : le secret des hérétiques de Concorez » (Concorezo, Italie). Les Cathares de Concorezo étaient « dualistes mitigés ».
2. Apoc., I, 9.
3. Cf. Jean, XIII, 23. — Doat : *super pectus; B : supra p.*
4. Marc, XIV, 20.
5. Jean, XIII, 27.
6. Texte corrompu. La version de Vienne est préférable sur ce point : « ... Et le Seigneur me dit : Celui qui mettra la main avec moi au plat. Alors Satan *entrera* en lui et il me *livrera.* »

de ton Père ? » Et il me répondit : « Il était en telle gloire qu'il régissait les vertus des cieux[7]. Quant à moi, je siégeais auprès de mon Père. Il était, lui (Sathanas) l'ordonnateur de tous ceux qui imitent[8] le Père, et (sa puissance) descendait du ciel jusqu'aux enfers[9] et remontait[10] des enfers[11] jusqu'au trône du Père invisible[12]. Et il observait la gloire de Celui qui meut les cieux[13]. Et il songea à placer son siège sur les nuées des cieux, car il voulait être semblable au Très-Haut[14]. Et étant descendu dans l'Air, il dit à l'ange de l'Air[15] : « Ouvre-moi les portes de l'Air. » Et l'ange lui ouvrit les portes de l'Air. Et continuant sa route[16] vers le bas, il trouva l'ange qui tenait les eaux[17], et il lui dit : « Ouvre-moi les portes des eaux »; et l'ange les lui ouvrit. Passant outre, il trouva toute la face de la terre [fol. 27, recto] couverte par les eaux. Il parvint sous[18] la terre et vit deux poissons qui étaient

---

7. *Virtutes coelorum* : Matth., XXIV, 29; Marc, XIII, 25; Luc, XXI, 26.
8. Doat : *omnium imitatorum patris. B : omnem imitatorem.*
9. Doat : *in infernum. B : infimum.*
10. Corr. : *ascendebat.* Doat : *descendebat. B : ascendebat.*
11. Doat : *ab inferis. B : infimis.*
12. *Deum nemo vidit unquam,* Jean, I, 18.
13. Doat : *Quae erat in omnes coelos. B : Moventis coelos.*
14. Isaïe, XIV, 13-14.
15. Cf. *Ascension d'Isaïe*. X, 30 : les anges de l'air, et Eph., II, 2 : le Prince de la puissance de l'air (Söderberg, *La religion des Cathares,* p. 96, note 7).
16. Doat : *praeteriens. B : petens.*
17. A propos de l'ange de l'eau, cf. *Ascension d'Isaïe,* X, 24 : des anges qui gardent la porte du ciel, l'*Apocalypse de Jean*, XVI, 5; de l'ange des eaux, I Hénoch, LXVI, 1-2. A propos des portes du ciel, cf. pour l'Ancien Testament, Isaïe, XXIV, 18; pour l'époque hellénistique, Reitzenstein, *Die hellenistischen Mysterien-religionen,* p. 310 (Söderberg, *op. cit.,* p. 97, note 1).
18. Doat : *subter. B : subtus.*

allongés au-dessus[19] des eaux : ils étaient comme deux bœufs joints ensemble pour labourer et, sur l'ordre du Père invisible, ils tenaient toute la terre, du couchant au levant[20]. Etant descendu plus bas encore, il se trouva en présence des nuages qui pèsent sur les flots de la mer pour les retenir. Descendant toujours, il arriva jusqu'à son « ossop »[21] qui est le principe[22] du feu. Après quoi, il ne put pas descendre plus bas à cause de la flamme du feu ardent. Sathanas revint alors en arrière et remplit (son cœur) de malice[23], et abordant l'ange de l'Air et celui qui était au-dessus des eaux, il leur dit : « Toutes ces choses m'appartiennent. Si vous m'écoutez, je placerai mon siège sur les nuées et je serai semblable au Très-Haut; je retirerai les eaux de ce firmament supérieur et je rassemblerai (en un seul ?) tous les autres lieux occupés par la mer[24] : cela fait[25], il n'y aura plus d'eau sur la face[26] de toute la terre et je régnerai avec vous dans les siècles des siècles. » [fol. 27, verso]. Et ce disant, l'ange (Sathanas)[27] monta vers les autres anges jus-

---

19. Doat : *super aquis. B : super aquas.*
20. Depuis le coucher du soleil jusqu'à son lever. Ces deux poissons, Béhémoth et Léviathan, apparaissent dans Job, XL, 10 ss. On les trouve aussi dans l'*Apocalypse d'Esra,* III, 2, 11-12, et dans I Hénoch, LXI, 9.
21. Cf. *Version de Vienne : suum infernum :* faut-il entendre : l'*ossop* qui fait partie de son domaine ou qui lui est destiné comme lieu de châtiment ? — Une note marginale de la version de Vienne précise que *Oseph* (= ossop) est la même chose que la *Vallée de Josaphat,* le Tartare et *Generatio ignis* (le principe créateur du feu).
22. *Genus ignis.* Version de Vienne : *geenna ignis.*
23. Doat : *replevit se malis. B : semitas.*
24. Peu clair. Le version de Vienne dit : « Je soulèverai les eaux au-dessus de ce firmament-ci et je rassemblerai toutes les autres eaux dans de larges mers. »
25. Doat : *post haec. B : P. hoc.*
26. Doat : *Super facie. B :* (*Super*) *haec.*
27. Doat : *Et hoc dicens angelus...* Peut-être faut-il corriger en *angelis :* disant cela aux anges, il...

qu'au cinquième ciel[28], et à chacun d'eux il parlait ainsi : « Combien dois-tu à ton maître ? — Cent mesures de blé », lui répondit l'un. « Prends une plume et de l'encre, lui dit-il, et écris : quarante[29]. » Il disait aux autres[30] : « Et toi, combien dois-tu à ton Seigneur ? — Cent jarres d'huile », lui fut-il répondu. « Assieds-toi, lui disait Sathanas, et écris cinquante[31]. » Il monta dans tous les cieux et, avec de telles paroles, il séduisait les anges du Père invisible jusque dans le cinquième ciel.

**3.** Mais une voix sortit du trône du Père, disant : « Que fais-tu, négateur du Père, toi qui séduis les anges ? Créateur du péché, fais vite[32] ce que tu as imaginé de faire! » Alors le Père ordonna à ses anges : « Enlevez-leur leurs vêtements! » Et les anges dépouillèrent de leurs vêtements, de leurs trônes et de leurs couronnes tous les anges qui avaient écouté[33] Sathanas. »

Et j'interrogeai encore le Seigneur : « Quand Sathanas tomba [fol. 28, recto], en quel lieu eut-il son habitation ? » Et il me répondit : « Mon Père le transforma à cause de son orgueil et la lumière fut retirée de lui; sa face devint comme du fer rouge[34] et[35] elle fut toute semblable à celle d'un homme. Et il entraîna avec sa queue la troisième

---

28. Cf. *Vision d'Isaïe,* II, 22. Rappelons qu'il y a sept cieux.
29. Doat : *Quadraginta. B : sexaginta.*
30. Doat : *Et alii dixerunt. B : Et aliis dixit* : il faut adopter cette correction.
31. Cf. Luc, XVI, 5-7.
32. Cf. Jean, XIII, 27.
33. Doat : *quod eum audierunt. B : Qui eum audierunt.* V : *Audientibus eum.*
34. Le dieu créateur est désigné comme le dieu du feu dans le gnosticisme (Söderberg, *op. cit.,* p. 98, note 2).
35. Doat : *fuit quae.* Corr. de *B : fuitque.*

partie[36] des anges de Dieu, et il fut précipité du siège de Dieu et du domaine[37] des cieux. Et descendant jusqu'à ce firmament-ci[38], il ne put trouver un lieu de repos ni pour lui ni pour ceux[39] qui étaient avec lui. Et il invoqua le Père, disant : « Use de patience envers moi et je te rendrai tout[40] ! » Et le Père eut pitié de lui et lui donna le repos, ainsi qu'à ceux qui étaient avec lui, et (la permission) de faire ce[41] qu'il voudrait jusqu'au septième jour[42].

**4.** Et ainsi il s'installa dans le firmament et il donna ses ordres à l'ange qui était au-dessus de l'Air et à celui qui était au-dessus des eaux : ils soulevèrent deux parts des eaux[43], de bas en haut, dans l'air[44], et de la troisième partie ils firent la mer, qui devint la maîtresse [fol. 28 verso] des eaux, mais, selon le commandement du Père, il prescrivit aussi à l'ange qui était au-dessus des eaux de se tenir sur les deux poissons; et ils soulevèrent la terre de bas en haut et le sol sec apparut[45]. Et il prit la couronne de l'ange qui comman-

36. *Le tiers des anges* ou, comme l'entendaient certains Cathares : *la troisième partie* des anges qui étaient composés d'un esprit, d'une âme et d'un corps subtil. C'est l'*âme* que le Démon aurait ravie aux essences angéliques.
37. *Villicatio,* domaine (agricole).
38. Dans la *Vision d'Isaïe* le firmament est le lieu des anges déchus.
39. Doat : *eis. B : his.*
40. Cf. Matth., XVIII, 26-27.
41. Doat : *quidquid. B : quodcumque.*
42. Il s'agit ici de jours *mondiaux,* qui sont des siècles.
43. Doat : *duas partes aquarum. B : et elevaverunt terram sursum.*
44. Doat : *sursum aerem.* Corr. : *in aerem.* V : *et elevaverunt duas partes aquarum sursum in aerem.*
45. *B* a raccourci le texte de Doat à partir de *aquarum sursum* jusqu'à *et apparuit arida.* Il dit simplement : *et elevaverunt terram sursum et apparuit arida.*

dait aux eaux : d'une moitié il fit la lumière de la lune[46]; de l'autre la lumière des étoiles. Avec les pierres précieuses il fit toutes les milices des étoiles. Ensuite[47], il prit ses anges pour ministres suivant l'ordre (des hiérarchies célestes) institué par le Très-Haut[48]. Et sur le commandement du Père invisible[49], il fit le tonnerre, les pluies, les grêles et les neiges. Et il plaça ses anges comme ministres au-dessus d'eux (pour les gouverner). Et il ordonna à la terre de produire toute grosse bête[50], tout reptile, et les arbres et les herbes; et il ordonna[51] à la mer de produire les poissons et les oiseaux du ciel[52].

**5.** Après quoi[53], il réfléchit, et il fit l'homme pour que celui-ci fût son esclave ou l'esclave de lui-même[54]. Et il ordonna à l'ange du troisième ciel d'entrer dans ce corps de boue, duquel il prit ensuite une partie pour faire un autre corps en forme de femme; et il ordonna à l'ange du second ciel[55] d'en-

---

46. On remarquera que Satan, ici, ne crée pas le soleil (réceptacle du Christ cosmique ?). Au contraire, dans la version de Vienne, il fait son trône d'une moitié de la couronne de l'ange de l'air, et de l'autre moitié, la lumière du soleil.

47. Doat : *de hoc. B : dehinc.*

48. *Secundum ordinem formae Altissimi :* selon l'ordre de la figure du très haut ? — Ms. de Vienne : *secundum formam ordinatoris altissimi.*

49. Dualisme mitigé : l'action de Satan s'insère dans le dessein providentiel.

50. *Altile* (ce mot est peu lisible dans Doat). *B : altile.*

51. Doat : *et mari praecepit. B : et praecepit mari.*

52. Il faut sans doute corriger : *et aeri, aves coelorum :* et à l'air, les oiseaux du ciel.

53. Doat : *postea. B : praeterea.*

54. C'est-à-dire : l'esclave de sa propre nature (diabolique et surajoutée). Doat : *ad serviendum ei vel sibi. B : ad similitudinem ejus vel sui.* La version de Vienne est plus claire et plus complète sur ce point : le diable fait l'homme à sa ressemblance et pour qu'il soit son esclave.

55. La femme est donc inférieure à l'homme.

trer dans le corps de la femme [fol. 29, recto]. Mais ces anges pleurèrent quand ils virent qu'ils avaient sur eux une forme mortelle et qu'ils étaient devenus dissemblables par cette forme (extérieure). Et Sathanas leur enjoignit de faire l'acte de chair dans leurs corps de boue [56]; et ils ne comprirent pas qu'ils commettaient ainsi le péché [57]. L'annonciateur [58] des maux (à venir) médita dans son esprit sur la façon dont il ferait le Paradis; et il y fit entrer les hommes et ordonna (à ses anges) de les y amener [59]. Alors le Diable [60] planta un roseau au milieu du Paradis; et, d'un crachat [61], il fit le serpent, auquel il ordonna de se loger dans le roseau. C'est ainsi que le Diable dissimula [62] son mauvais dessein, afin qu'ils ne connussent point sa tromperie. Et il entrait dans le Paradis et parlait avec eux : il leur [63] disait : « Mangez de tout fruit qui se trouve au Paradis, mais gardez-vous bien de manger du fruit de la science du Bien et du Mal. » Cependant [64] le Diable s'introduisit [65] dans le corps du mauvais ser-

---

56. Pour que le plaisir leur fît « oublier » leur origine céleste. Les anges ne consentent pas absolument au Mal : ils croient, par l'acte de chair, abolir leur « différence ».

57. Dans la version de Vienne, il semble qu'il faille comprendre : Et ils *ne savaient pas faire le péché.* La suite expliquerait comment Satan s'y prit pour le leur apprendre.

58. Doat : *Nunciator : B : Sententiator. V : Initiator peccati :* celui qui initie au péché, qui « invente » le Mal.

59. Texte sans doute altéré : voir la version de Vienne, § 5.

60. *B* ajoute *Diabolus.*

61. *Et de sputo* (fecit) *serpentem et praecepit ei habitare in arundine.* Cette phrase ne figure pas dans *B.* Il faut rétabli *fecit* omis par Doat.

62. Doat : *celebrat. B : celavit :* nous adoptons cette correction.

63. Doat : *eis. B : ad eos.*

64. Doat : *iterum. B : verumtamen.*

65. Doat : *intravit. B : Introïvit.*

pent et séduisit l'ange qui était en forme de femme, il répandit sur sa tête[66] la concupiscence du péché[67], et il assouvit sa concupiscence avec Eve [fol. 29, verso] en se servant de la queue[68] du serpent. C'est pourquoi (les hommes) sont appelés fils du Diable et fils du serpent, car ils servent la concupiscence du Diable, leur père (et la serviront) jusqu'à la consommation de ce siècle. »

**6.** Et ensuite, moi, Jean, j'interrogeai ainsi le Seigneur : « Comment peut-on dire qu'Adam et Eve ont été créés par Dieu et placés dans le Paradis pour obéir aux ordres du Père, et qu'ils ont été, ensuite, livrés à la mort ? » Et le Seigneur me répondit : « Ecoute, Jean, chéri de mon Père, ce sont les ignorants qui disent, dans leur erreur, que mon Père a fabriqué ces corps de boue. En réalité, il créa toutes les Vertus du ciel par le Saint-Esprit : c'est donc à cause de leur péché que ceux-ci[69] se trouvèrent avoir des corps de boue mortels et qu'ils furent, par conséquent, livrés à la mort.

Et à nouveau [fol. 30, recto], moi, Jean, j'interrogeai le Seigneur : « De quelle manière un homme peut-il prendre naissance en esprit dans un corps de chair ? » Et le Seigneur me répondit : « Issus des anges tombés du ciel, les hommes entrent dans le corps de la femme et ils reçoivent la chair de la concupiscence de la chair. L'esprit naît donc de l'esprit et la chair de la chair[70]. Et ainsi s'accom-

---

66. Doat : *effudit frater ejus concupiscentiam peccatorum* (texte qui paraît corrompu). Version de Vienne : *et effundit super caput ejus concupiscentiam peccati.*

67. Doat : *peccatorum.*

68. Doat : *in cauda. B : in cantu. V : cum cauda.*

69. Doat : *isti. B : et sancti.*

70. De façon générale, pour les Cathares, « l'esprit, que l'homme reçoit d'en-haut, est une semence de nature angélique. L'idée de *semen angelicum* doit être gnostique » (Söderberg, *op. cit.*, p. 154).

Les dualistes mitigés enseignaient — comme la *Cène*

plit le règne de Satan en ce monde et dans toutes les nations. » Et il me dit encore : « Mon Père lui a permis [71] de régner sept jours qui sont sept siècles. »

**7.** Et j'interrogeai à nouveau le Seigneur, je lui dis : « Qu'y aura-t-il en ce temps-là [72] ? » Et il me dit : « Dès l'instant que le Diable fut déchu de la gloire du Père et qu'il eut refusé d'y prendre part, il siégea sur les nuées et envoya ses ministres, les anges brûlants de feu (?) [73], en bas, vers les hommes, depuis (le temps d')Adam jusqu'à (celui d')Enoch. Et il éleva Enoch, son ministre, au-dessus du firmament [74] et lui révéla [75] sa divinité. Il lui fit donner une plume et de l'encre; et, s'étant assis, il (Enoch) écrivit soixante-sept livres (sous sa dictée). Il lui ordonna [fol. 30, verso] de les apporter

---

*secrète bogomile* — le traducianisme. Les âmes des hommes proviennent *ex traduce* de l'âme des anges déchus; leurs corps, des corps créés par Satan pour leur servir de prison.

Beaucoup de Cathares — notamment ceux de l'Eglise de Concorezo, en Lombardie — croyaient que l'âme humaine était un ange déchu enfermé par le diable en un corps; « mais ils ne le croyaient que de celle d'Adam, les âmes s'engendrant après elle, les unes les autres, en se transmettant par la naissance le caractère de la première » (Guiraud, *Histoire de l'Inquisition au Moyen Age,* t. I, p. 52). Cf. : « Item (credunt) quod omnes animae sunt ex traduce ab ipso angelo » (*Summa de catharis,* éd. Dondaine (*Liber de duobus principiis*), p. 76).

71. Doat : *promisit. B : permisit.*

72. Doat : *Quid erit in tempore hoc.* — V : *Quale erit hoc saeculum.* En réalité, le Seigneur dévoile à Jean ce qui s'est passé depuis la chute de Satan jusqu'au baptême du Christ. La fin des temps sera racontée plus loin.

73. Doat : *angelos ignis urentes homines :* les anges du feu brûlant les hommes. *B : ad homines.*

74. Jude, VI, 9.

75. *B : et ostendit.*

sur la terre[76]. Enoch les garda en dépôt sur la terre, puis il les transmit à ses fils, et il se mit à leur enseigner la façon de célébrer les sacrifices et d'iniques mystères[77]. Et ainsi, il cachait aux hommes le royaume des cieux. Et il (Satan) leur disait : « Voyez que[78] je suis votre Dieu et qu'il n'y a pas d'autre Dieu que moi[79]. » C'est pour cette raison que mon Père m'envoya dans le monde afin que je découvrisse aux hommes — et qu'ils apprissent ainsi à connaître — l'esprit méchant du Démon. Mais alors[80] Sathanas[81], ayant su que[82] j'étais descendu du ciel en ce monde, envoya (son) ange et celui-ci prit du bois de trois arbres[83] et le donna à Moïse pour que je sois crucifié (sur une croix faite) avec ce bois[84], lequel, en effet, est présentement conservé pour moi (pour mon crucifiement). Et celui-ci faisait connaître sa divinité à son peuple[85], et il ordonna que la loi soit donnée aux fils d'Israël, et il

---

76. *B : et tradidit eos filiis suis.* Version Doat : le copiste a reproduit deux fois la même ligne.
77. Doat : *ministeria* (services religieux). *B : Mysteria.*
78. Doat : *quia. B : Quod.*
79. Deut., IV, 35; XXXII, 39; Jean, XVII, 3, etc.
80. Doat : *et ut. B : tunc.*
81. *Sathanas* omis dans *B*.
82. Doat : *quia. B : quod.*
83. Doat : *lingnis. B : Linguis.* V. : *accepit de tribus arboribus.*
84. La croix du crucifiement fut faite avec le bois, préservé miraculeusement d'âge en âge, d'un arbre qui contenait en lui trois essences. Voir notre traduction de la *Légende du bois de la croix,* in *Folklore,* 20e année, n° 4, hiver 1957.
85. « Satan faisait connaître sa divinité à son peuple » ? ou bien : « Moïse faisait connaître à son peuple la divinité de Satan » ? De toute façon *hic* ne désigne pas le vrai Dieu. Pour la plupart des Cathares, le Dieu de l'*Ancien Testament* ne pouvait être que le Démon. Et Moïse, s'il n'est pas, à proprement parler, un personnage diabolique, est le serviteur de Satan ou sa dupe.

(Moïse) les fit passer à sec au milieu de la mer (Rouge).

**8.** Quand mon Père eut pensé à m'envoyer sur la terre, il envoya avant moi son ange, nommé Marie[86], pour qu'il me reçût. Alors [fol. 31, recto] je descendis, entrai en lui par l'oreille et en ressortis par l'oreille[87]. Et Sathanas, prince de ce monde, sut que j'étais descendu ici-bas pour rechercher et sauver les êtres qui[88] avaient péri, et il envoya (sur la terre), pour baptiser dans l'eau, son ange, le prophète Elie[89], lequel est appelé Jean-Baptiste. Mais Elie demanda au prince de ce monde : « Comment pourrai-je le[90] reconnaître ? » Et le Seigneur lui-même[91] lui répondit : « Celui sur qui tu verras le Saint-Esprit descendre comme une

---

86. L'évêque cathare Nazarius croyait que la Vierge Marie était un ange et que le Christ n'avait point pris une nature humaine, mais angélique : c'est-à-dire un corps céleste. Nazarius avait sans doute emprunté ces idées aux Bogomiles (cf. *Summa de catharis,* éd. Dondaine, p. 76). Sur le « docétisme » des Cathares, voir : *Vision d'Isaïe,* introd., note 12 (édition : E. Tisserant).

87. Cf. *Vision d'Isaïe,* introd., note 14.

88. Doat : *quae. B : qui.*

89. Matth., XVII, 12-13; Luc, IX, 8-19. Dans l'*Evangile de Jean,* I, 21, 25, Jean-Baptiste déclare ne pas être Elie.

Beaucoup de Cathares « croyaient que Jean-Baptiste avait été envoyé en ce monde par le Démon pour opposer son œuvre à celle de Jésus et au baptême en esprit et en vérité, le baptême matériel de l'eau » (Guiraud, *Histoire de l'Inquisition au Moyen Age,* I, p. 65). Mais d'autres « le considéraient comme un serviteur du Dieu bon, ainsi que les patriarches de l'Ancienne Loi. Sur ce point l'Eglise cathare italienne de Concorezo semble avoir été assez hésitante » (Guiraud, p. 61), et notre texte paraît traduire cette hésitation; Elie-Jean-Baptiste est un envoyé du Démon, mais c'est le Seigneur vrai Dieu qui lui révèle directement comment il pourra reconnaître le Christ.

90. *B* supprime *Cum* et ajoute *tunc.*

91. Doat : *ipse dixit ei. B : ipse Dominus.*

colombe et demeurer[92], celui-là baptise dans le Saint-Esprit pour la rémission des péchés : il a seul le pouvoir de perdre et de sauver[93]. »

**9.** Et à nouveau, moi, Jean, je demandai au Seigneur : « Peut-on être sauvé par le baptême de Jean sans ton baptême[94] ? » Et le Seigneur me[95] répondit : « Si je ne l'ai baptisé (par l'esprit) pour la rémission de ses péchés, nul homme, par le seul baptême de l'eau, ne peut voir le royaume des cieux, car c'est moi qui suis le pain de Vie descendant du septième ciel[96] [fol. 31, verso]. Et ceux[97] qui mangent ma chair et boivent mon sang, ceux-là (seuls) sont appelés fils de Dieu. »

Et je demandai au Seigneur : « Que faut-il entendre par tes paroles : « mangent ma chair et boivent mon sang[98] ?... »

---

92. Marc, I, 10.

93. *B : ipse poteris eum perdere et salvare :* tu pourras toi-même le perdre et (ou) le sauver (?); cette correction ne paraît pas défendable.

94. Actes, XIX, 1-6.

95. Doat : *ei. B* supprime *ei,* qu'il faut, en effet, supprimer ou corriger en *mihi.*

96. Jean, VI, 33-35. Noter l'addition : *septième* (ciel).

97. Doat : *ut qui manducant. B* corrige avec raison en *et qui.*

98. Il y a ici une lacune. Le paragraphe suivant ne répond pas à la question posée, mais à une autre qui devait être — approximativement — celle-ci : Pourquoi ne peut-on plus dire le *Pater* sans avoir d'abord reçu une sorte d'initiation ? Les simples croyants, en effet, ne devaient pas dire le *Pater Noster* (item audivit a dicto haeretico quod nullus debebat dicere *Pater noster,* quae est sancta oratio, nisi esset haereticus vestitus, quia, ut dicit ille qui dictam orationem dixerat, ex tunc non debebat mentiri, nec facere aliquod peccatum vel malum... *Döllinger,* II, p. 199).

« Les anges priaient et louaient Dieu avant leur chute. Ce n'est pas avant qu'ils soient revenus au ciel

Et le Seigneur[99] me dit : « Avant que le Diable n'eût été chassé avec toute sa milice, de la Gloire du Père, lorsqu'ils priaient, ils glorifiaient, en effet, le Père en disant dans leurs prières : « Notre Père qui êtes aux cieux », et ainsi tous leurs cantiques montaient devant le trône du Père. Mais depuis leur chute, ils ne peuvent plus glorifier Dieu au moyen de cette prière. »

Et je demandai au Seigneur : « Comment se fait-il que tous reçoivent le baptême de Jean et que tous ne reçoivent pas le tien ? » Et le Seigneur me fit cette réponse[100] : « Parce que leurs œuvres sont mauvaises et qu'ils ne parviennent pas à la lumière. Les disciples de Jean prennent maris et prennent femmes[101], mais mes disciples ne se marient pas et ils sont comme les anges [fol. 32, recto] de Dieu dans le ciel[102]. »

Je dis alors (moi, Jean) : « Si c'est donc[103] un péché de connaître la femme[104], il ne faut pas que l'homme se marie[105]. » Le Seigneur me répondit : « Tous ne comprennent pas le sens de cette parole, à moins qu'il leur ait été donné (en grâce) de la comprendre : il y a des eunuques qui sont sortis tels du ventre de leur mère, il y en a que les hom-

---

qu'ils obtiendront le droit de dire le *Pater Noster* » (Söderberg, *op. cit.*, p. 219).

Le paragraphe qui manque devait interpréter les paroles divines : « *Manger ma chair et boire mon sang* » dans un sens purement *spirituel* pour qu'elles ne pussent point être prises dans le sens eucharistique romain.

99. Doat : *Diabolus;* c'est une erreur du copiste. *B : Dominus.*

100. Doat : *et respondens dixit quia. B : respondens Dominus.*

101. Doat : *traduntur ad nuptias. B : ducuntur.*

102. Doat : *in coelis. B : coelo.*

103. Doat : *jam. B : enim.*

104. Doat : *muliere. B : cum muliere* (si telle est la condition de l'homme à l'égard de la femme).

105. Doat : non expedit *hominem* nubere. *B : homini.*

mes ont faits eunuques[106] et il y en a qui se sont faits eunuques eux-mêmes (en renonçant au mariage), pour le royaume des cieux. Qui peut comprendre ceci le comprenne[107] ! »

**10.** Et j'interrogeai alors le Seigneur sur le jour du Jugement : « Quel sera le signe de ta venue ? » Il me répondit : « Ce sera lorsque le nombre des Justes sera consommé (rempli) selon[108] (en rapport avec ?) le nombre des Justes couronnés tombés du ciel[109]. Alors Satan sera délivré et sortira de sa prison[110], en proie à une grande colère, et il fera la guerre aux Justes, et ceux-ci crieront vers le Seigneur Dieu[111] d'une grande voix. Et aussitôt le Seigneur ordonnera[112] à son ange de sonner de la trompette. La voix de l'archange, dans la trompette, sera entendue depuis le ciel [fol. 32, verso] jusqu'aux enfers[113]. Et alors le soleil s'obscurcira et la lune[114] ne donnera plus sa lumière; les étoiles tomberont et les quatre vents seront arrachés à leurs fondements[115], et ils feront trembler la terre et la mer et, en même temps[116], les montagnes et les collines. Aussitôt le ciel tremblera et le soleil s'obscurcira qui (ne) luira que jusqu'à[117] la quatrième heure[118]. Alors apparaîtra le signe du Fils de

106. *Enuchi* (sic) *quos enuchisaverunt.*
107. Matth., XIX, 10.
108. Doat : *secundum. B : scilicet.*
109. Cf. Apoc., VI, 11.
110. Apoc., XX, 7.
111. Doat : *Dominum Deum. B : dominum.*
112. Doat : *praecipiet. B : praecepit.*
113. Doat : *usque. B : versus.*
114. Doat : *lumen. B. luna.*
115. « Solventur de fundamentis suis » (libérés de leurs fondements), cf. Matth., XXIV, 29 et 31.
116. Doat : *similiter. B : simul.*
117. Doat : *usque. B : versus.*
118. « Il était alors environ la sixième heure du jour, et toute la terre fut couverte de ténèbres jusqu'à la neuvième heure » (Luc, XXIII, 44-45).

l'Homme[119], et avec lui tous les saints anges, et il placera son siège sur les nuées et il siégera sur le trône de sa majesté[120], avec les douze apôtres assis sur les douze sièges de sa gloire. Et les livres seront ouverts et il jugera tout l'univers (selon) la foi qu'il avait prêchée[121]. Et alors le Fils de l'Homme enverra ses anges pour qu'ils rassemblent ses élus, des quatre vents[122] et du sommet des cieux jusqu'à leurs extrémités, et pour qu'ils les fassent venir[123] (devant lui). Alors aussi le Fils de l'Homme enverra les mauvais démons pour qu'ils amènent toutes les nations devant lui, et il leur dira : « Venez ici, vous qui [fol. 33, recto] disiez : « Nous avons bien mangé et bu et nous avons joui des biens de ce monde-ci[124]. » Après quoi, on les reconduira[125], et aussitôt toutes les nations se tiendront devant le tribunal, pleines d'effroi. Et les livres de Vie seront ouverts et ils découvriront (les pensées ? de) toutes les nations[126] et leur impiété[127]. Et (le Seigneur) glorifiera les Justes dans leur patience et leurs bonnes œuvres : à ceux qui auront suivi les

---

119. Matth., XXIV, 30.
120. Matth., XXV, 31.
121. *Et fidem quam praedicaverat.*
122. Des quatre coins du monde. Cf. Matth., XXIV, 31.
123. *Et deducent eos quaerere.*
124. Doat : *quae sunt hic. B : recepimus quaestum hujus modi* (hujus mundi ?) : nous avons reçu une récompense, un gain, *du même genre* ou : la récompense méritée *par ce monde-ci* ?
125. Doat : *Et post haec iterum vidimus* (?), sens peu satisfaisant, lacune ? — *B* corrige en *inducuntur.* « Après qu'ils sont à nouveau conduits » (vers Dieu ?).
126. Doat : *gratis. B : gentes.*
127. Doat : *in praedicatione sua. B : et manifestabunt omnes gentes impietatem suam.* On peut comprendre, en suivant Doat, « et ils (les livres) découvriront (la foi) de toutes les nations et la publieront ». M. D. Roché traduit : « Les livres de vie seront ouverts et leur proclamation dévoilera tous les peuples » (*Etudes manichéennes et cathares*, p. 222).

prescriptions angéliques appartiendront la gloire, l'honneur et l'incorruptibilité; ceux qui auront obéi injustement (au démon), la colère, l'indignation, les tourments et l'angoisse, s'empareront d'eux[128]. Le Fils de l'Homme retirera alors ses élus du milieu des pécheurs et il leur dira : « Venez, vous qui êtes les bénis de mon Père; possédez le royaume qui a été préparé pour vous depuis l'organisation du monde[129]. » Aux pécheurs il dira ensuite : « Allez loin de moi, maudits, au feu éternel qui a été préparé pour le Diable et pour ses anges[130]. » Et tous les autres, voyant que le temps est arrivé de la Séparation ultime[131], précipiteront les pécheurs dans l'enfer, sur l'ordre du Père invisible. Alors les âmes (*spiritus*) sortiront[132] de la prison des non-croyants[133] et alors aussi [fol. 33, verso] ma voix sera entendue et il n'y aura plus qu'un seul bercail et un seul pasteur. Et il sortira[134] des profondeurs de la terre une obscurité ténébreuse[135] qui est la ténèbre[136] de la géhenne du feu, et elle consumera tout l'univers depuis les abîmes de la terre jusqu'à l'air du firmament. Et le Seigneur sera (régnera) du firmament aux enfers de la terre[137].

---

128. Texte douteux et traduction approximative.
129. Matth., xxv, 34.
130. Matth., xxv, 41.
131. Celle qui isolera, pour l'éternité, le monde du bien du monde du mal. Doat : *videntes novissima abscissione*. Il faut sans doute corriger : *novissimam abscissionem* (« voyant (assistant à) la dernière séparation »). Le texte de la version de Vienne est plus clair : *videbunt novissimam abscissionem* : « tous verront alors l'ultime séparation ».
132. Doat : *exibunt*. *B* : *exient*.
133. Matth., xxvii, 52, 53. S'agit-il ici des *justes* qui sont morts avant la venue de Jésus-Christ ?
134. Doat : *exibit*. *B* : *exiet*.
135. Doat : *tenebrosumque*. *B* : *tenebrosum quod*.
136. Doat : *tenebra*. *B* : *tenebrosum*.
137. Doat : *ab inferioribus terrae*. *B* supprime *terrae*.

Si profond est le lac de feu où habiteront les pécheurs que la pierre que soulèverait un homme de trente ans et qu'il laisserait tomber en bas, en atteindrait à peine le fond au bout de trois ans[138].

**11.** Alors Sathanas sera lié avec toute sa milice[139] et il sera mis dans ce lac de feu. Et le Fils de Dieu se promènera, avec ses élus, sur le firmament, et il enfermera le Diable en le liant de fortes chaînes indestructibles. Les pécheurs[140], pleurant et se lamentant, diront : « Absorbe-nous, terre, et cache-nous en toi[141] ! » Et alors les Justes brilleront comme un soleil dans le royaume de leur Père[142]. Et (le Fils de Dieu) les conduira[143] devant le trône du Père [fol. 34, recto] invisible et lui dira[144] : « Me voici avec les enfants que tu m'as donnés[145]; Père juste, le monde ne t'a point connu, mais moi, je t'ai connu en vérité, car c'est toi qui

---

138. M. à m. : Comme un homme de trente ans soulèverait une pierre et la laisserait tomber vers le bas, à peine au bout de trois ans atteindrait-elle le fond : aussi grande est la profondeur du lac de feu où habitent les pécheurs. Cette comparaison figure dans une Apocalypse apocryphe dont Tischendorf a publié le texte grec : *oson dunatai aner triakonta etès*, etc. (C. Tischendorf, *Apocalypses apocryphae*, Lipsiae, 1866, pp. 87, 88). Et également dans une version bulgare (d'origine bogomile), publiée par J. Ivanov, *Ecrits et légendes bogomiles*, Sofia, 1925, p. 71. L'homme de trente ans, dans ce « cliché », désigne l'homme « dans la force de l'âge ». Peut-être symbolise-t-il aussi Jésus-Christ.

139. Doat : *malitia. B : militia.*

140. Doat : *cum peccatoribus. B : tunc peccatores.*

141. Doat : *et operi nos in te. B : morte : cache-nous en nous faisant mourir :* les pécheurs souhaitent l'impossible anéantissement.

142. Matth., XIII, 43.

143. Doat : *educet. B : deducet.*

144. Il faut ajouter : *dicens.*

145. Doat : *dedit.* Corr : *dedisti. D : quos dedit mihi Pater. B : q. d. m. Deus.*

m'as envoyé[146]. » Et alors le Père répondra à son Fils par ces mots : « Mon Fils bien aimé, assieds-toi à ma droite jusqu'à ce que je mette à tes pieds, comme un escabeau[147], tes ennemis qui m'ont nié et ont dit : « Nous sommes les dieux et hormis nous il n'y a pas d'autres dieux; qui ont mis à mort tes prophètes et persécuté tes Justes. C'est toi maintenant qui les as persécutés[148] dans les ténèbres extérieures, là où il y aura des pleurs et des grincements de dents[149]. »

Et alors le Fils de Dieu s'assiéra à la droite du Père et le Père gouvernera ses anges et régira (ses élus). Il les placera dans les chœurs des anges, les vêtira[150] de vêtements incorruptibles, leur donnera des couronnes immarcescibles et des sièges immuables. Et Dieu sera au milieu[151] d'eux. Ils n'auront plus ni[152] faim ni soif; le soleil ne les frappera pas, ni aucune brûlante chaleur. Et Dieu bannira [fol. 34, verso] toute larme de leurs yeux. Et (le Fils) règnera avec son Père saint et son règne n'aura pas de fin dans les siècles des siècles.

C'est là le « Secret » des hérétiques de Concorezo[153] apporté de Bulgarie[154] à[155] Nazaire, leur évêque. Il est plein d'erreurs[156] [fol. 35, recto].

---

146. Jean, XVII, 25.
147. Matth., XXII, 44; Marc, XII, 36; Luc, XX, 43. Psaume CIX, 1-2.
148. On attendrait plutôt : *qui les persécuteras*.
149. Matth., XIII, 42 et XXII, 13.
150. Doat : *et induet eos. B : ut induat eos.*
151. Doat : *in medio eorum. B* supprime *eorum.*
152. Doat : *nec. B : neque.*
153. *Concoretio.*
154. *Bulgazia.*
155. *Nazario.* — Apporté de Bulgarie *à Nazaire* ou *par Nazaire* ([a] Nazario) ? Ce Nazaire, « évêque patarin d'Italie », aurait fait le voyage de Bulgarie pour s'assurer de la véritable orthodoxie cathare, d'après A. Dondaine, *Liber de duobus principiis*, p. 16 et note 8 (p. 17).
156. Ces deux dernières lignes résument l'opinion des inquisiteurs de Carcassonne sur la *Cène secrète* : ils la jugeaient, évidemment, « pleine d'erreurs ».

# II

## Version de Vienne[1]

***Questions posées par Jean, apôtre et évangéliste (à Notre-Seigneur Jésus-Christ), dans la Cène secrète du royaume des cieux[2], au sujet de l'organisation du monde, du Prince (de ce monde) et d'Adam.***

*Au nom du Père et du Fils et du Saint-Esprit, ainsi soit-il. Questions posées par Jean, apôtre et évangéliste (à Notre-Seigneur Jésus-Christ) dans la Cène secrète du royaume des cieux, au sujet de l'organisation du monde, du Prince de ce monde et d'Adam.*

**1.** Moi, Jean, qui ai part à la tribulation pour avoir part aussi au royaume des cieux, alors que je reposais, pendant la Cène, sur la poitrine de Jésus-Christ Notre-Seigneur, je lui dis : « Sei-

---

1. Nous soulignons tous les passages de la *Version de Vienne* qui diffèrent notablement du texte correspondant de la *Version de Carcassonne.*

2. La Cène mystique a lieu à la fois sur terre et dans le royaume des cieux.

gneur, quel est celui qui te trahira ? » Et le Seigneur me répondit : « Celui qui aura mis la main (avec moi) au plat : alors Sathanas entrera en lui, et il me livrera. »

**2.** Et je lui dis : « Seigneur, avant que Sathanas ne fût tombé, en quelle gloire se trouvait-il auprès du Père ? » Et il me répondit : « Il était parmi les vertus des cieux, près du trône du Père invisible, et il était l'ordonnateur de toutes choses. Quant à moi, je siégeais auprès de mon Père. Il régissait, lui (Sathanas), les vertus des cieux et tous ceux qui obéissent au Père. Sa puissance descendait des cieux jusqu'aux enfers et remontait jusqu'au trône du Père invisible, et il était le gardien de ces gloires qui étaient au-dessus de tous les cieux. »

Mais il médita dans son esprit et voulut placer son trône sur les nuées et être semblable au Très-Haut. Et comme il était descendu dans l'Air[3], il trouva l'ange qui siégeait au-dessus de l'air, et il lui dit : « Ouvre-moi les portes de l'air. » Et l'ange les lui ouvrit. Descendant plus bas, il trouva l'ange qui retenait les eaux et il lui dit : « Ouvre-moi les portes des eaux. » Et l'ange les lui ouvrit. Descendant encore, il trouva toute la terre recouverte par les eaux; et, allant par-dessous, il découvrit les deux poissons[4], étendus au-dessus des eaux et liés l'un à l'autre, qui, sur l'ordre du Père invisible, soutenaient toute la terre. Descendant toujours plus bas, il se trouva en présence des grands nuages qui contiennent le débordement de la mer; et enfin

---

3. L'*air*, distinct du Firmament; cf. : *Vision d'Isaïe*, ch. v, notes 55 et 56 (édition : E. Tisserant).

4. Glose marginale : « Ce sont vraiment des poissons, et non autre chose. Ils signifient l'*Evangile* et l'*Epître* qui soutiennent l'Eglise, comme les poissons soutiennent la terre. Laquelle Eglise repose sur les sept colonnes, à savoir (*id est*) : les sept candélabres. »

il descendit jusqu'à son enfer qui est la géhenne [5] du feu. Mais alors il ne put pas descendre plus bas à cause de la flamme de feu qui le brûlait.

Alors Sathanas revint en arrière et, ayant rempli son cœur de malice, il remonta vers l'ange qui commandait à l'Air, et vers celui qui commandait aux eaux, et il leur dit : « Tout cela m'appartient : si vous m'écoutez, je placerai mon trône sur les nuées et je serai semblable au Très-Haut. Je soulèverai les eaux au-dessus du firmament et je rassemblerai tout le reste des eaux dans de vastes mers; après quoi il n'y aura plus d'eau sur toute la surface de la terre, et je régnerai avec vous jusqu'à la fin des siècles. » Il parla ainsi aux anges. Et il montait vers les cieux, corrompant les anges du Père invisible jusque dans le troisième ciel. A chacun d'eux il disait : « Combien dois-tu à ton maître ? » Le premier lui répondit : « Cent mesures d'huile. » « Reprends ton obligation, lui dit-il, assieds-toi et écris : cinquante. » Aux autres il disait de même : « Toi, combien dois-tu à ton maître ? » « Cent mesures de blé, » lui répondit (l'un d'eux). « Reprends ton obligation, lui dit-il, et fais en vite une nouvelle de quatre-vingts. » Et il montait vers les autres cieux, tenant de tels propos aux anges; et il parvint jusqu'au quatrième ciel, séduisant les anges du Père invisible.

**3.** Mais une voix sortit du Trône du Père, disant : « Que fais-tu, toi que Dieu a rejeté et qui séduis les anges du Père ? Auteur du péché, fais vite ce que tu as médité de faire. » Alors le Père donna cet ordre à ses anges : « Enlevez leurs tuniques, leurs trônes et leurs couronnes à tous les anges qui lui

---

5. Glose marginale : « La Vallée de Josaphat, l'Oseph, l'atto (abîme), l'enfer, le Tartare et le Principe (*generatio*) du feu, sont une seule et même chose, nommée de différentes façons dans les diverses langues. Ce n'est pas un esprit, ni quelque chose de vivant : c'est un lieu, comme Bosna, la Lombardie ou la Toscane. »

obéissent! » Et ils enlevèrent leurs vêtements, leurs trônes et leurs couronnes à tous les anges qui avaient obéi à Sathanas.

A nouveau, moi, Jean, j'interrogeai le Seigneur : « Quand Sathanas fut tombé, en quel lieu eut-il son habitation ? » Et il me répondit : « Mon Père en décida ainsi : il dut se transformer en raison de son arrogance même. La lumière de sa gloire lui fut ôtée et sa face fut tout entière comme le fer rougissant[6] sous l'action du feu, et son visage[7] eut l'apparence de celui d'un homme... (lacune)... *et il eut sept queues*[8] avec lesquelles il entraîna la troisième partie des anges de Dieu; et il fut chassé du trône de Dieu et du domaine céleste. Et, descendant du ciel dans le firmament, ils ne purent trouver, ni lui ni ceux[9] qui étaient avec lui, un lieu où se reposer, et il invoqua le Père et lui dit : « *J'ai péché* : sois patient à mon égard et je te rendrai tout. » Le Père eut pitié de lui et lui donna loisir de faire ce qu'il voudrait jusqu'au septième jour.

**4.** Alors il mit son trône sur le firmament et il donna ses instructions à l'ange qui avait commandement sur l'air et à celui qui avait commandement sur l'eau : ils élevèrent deux parts des eaux dans l'air, de bas en haut, et de la troisième partie

---

6. Glose marginale; lacune et texte corrompu : « ... en quelque mauvaise action, par le Seigneur, et son visage change de couleur. »
7. Glose marginale : « Son visage devint comme celui d'un homme qui a perdu la lumière qu'il avait; et il fut fait ténébreux à cause du mal qu'il avait prémédité. »
8. Glose marginale : « Ces sept queues sont les sept péchés ou vices grâce auxquels il séduit maintenant encore les hommes : le mensonge, l'adultère, l'avarice (*rapacitas*), le vol, le blasphème, la haine (*invidia*), la discorde (*dissensio*). »
9. Ms. : *his*. Corr. : *hi*.

ils firent les vastes mers. Et ainsi il y eut séparation des eaux, selon l'ordre du Père invisible. Et il dit encore à l'ange qui était sur les eaux : « Tiens-toi au-dessus des deux poissons! » *Et celui-ci souleva la terre*[10] *avec sa tête,* et la terre apparut aride (sèche) et elle fut... (lacune)... Quand il eut reçu la couronne de l'ange qui gouvernait l'air, d'une moitié il fit son trône, *et de l'autre, la lumière du soleil.* Prenant aussi la couronne de l'ange qui commandait aux eaux, d'une moitié il fit la lumière de la lune, et de l'autre, la lumière du jour. Et avec les pierres précieuses il fit le feu; avec ce feu *il fit toute sa milice et les étoiles*[11]; et avec celles-ci : les anges spirituels[12], (pour être) ses ministres. Selon le plan[13] du très haut Ordonnateur, il fit aussi les tonnerres et les pluies, la grêle et la neige, et il envoya les anges, ses ministres, pour les gouverner. Et il ordonna à la terre de faire sortir de son sein tout être vivant, les animaux, les arbres et les herbes. A la mer, il ordonna de produire les poissons, et à l'air[14] les oiseaux[15] du ciel.

**5.** Et il eut dessein de faire un homme qui fût à son service. Il prit du limon de la terre et le créa à sa ressemblance. Puis, il commanda à

10. Ms. : *tertiam.* Corr. : *terram.*
11. Ms. : *omnem militiam et stellas.* Vers. de Carcassonne : *omnes militias stellarum.*
12. Ms. : *angelos spiritus.*
13. Ms. : *secundum formam Ordinatoris altissimi.*
14. Il faut ajouter : *et aeri.*
15. Glose marginale : « Les oiseaux et les poissons n'ont pas d'esprit, ni les bêtes : ils n'ont pas l'esprit de l'homme (c'est-à-dire un esprit tel que celui de l'homme). Les oiseaux et les poissons reçoivent tout ce qu'ils ont, de l'air et de l'eau; les bêtes le reçoivent de la terre et de l'eau. » La *Cène secrète* et son commentateur expliquent la création des animaux d'une façon toute matérialiste.

*l'ange du second ciel* d'entrer dans ce corps de boue. Il en prit, ensuite, une partie dont il forma un autre corps en forme de femme; et dans ce corps de femme il fit entrer *l'ange du premier ciel*[16]. Les anges pleurèrent beaucoup en voyant qu'ils étaient revêtus d'une enveloppe mortelle et qu'ils existaient (maintenant) sous des formes différentes. Et Satan leur enjoignait de faire l'œuvre de chair dans ces corps de boue, *mais ils ne savaient pas faire le péché*. Alors le créateur (*initiator*) du péché procéda de la sorte, en employant toute sa ruse : il planta un paradis[17], à l'intérieur duquel il mit les hommes, et il leur défendit de manger (des fruits qui y étaient[18]). Le Diable entra dans le Paradis, planta un roseau au milieu, puis d'un peu de salive il créa un serpent, auquel il ordonna de se tenir dans le roseau. Ainsi le Diable dissimulait son astuce et sa fourberie pour qu'ils ne vissent point qu'il les trompait. Et il s'approchait d'eux et leur disait : « Mangez de tous les

---

16. Dans la *Vers. de Carcassonne*, l'homme est un ange du *troisième ciel*; la femme, un ange du *second ciel*.

17. Glose marginale (texte incorrect et lacunes) : « Il planta un « Paradis », c'est-à-dire : un verger composé de vingt espèces d'arbres donnant les fruits suivants : noix, pommes, pêches, figues, etc. Il entoura... de feu ce jardin avec toutes les choses paradisiaques qu'il contenait, il y mit Adam et Eve. Ce Paradis subsiste encore aujourd'hui, et il trompe toujours les hommes qui croient que c'est un lieu bon, plein de bonnes choses, alors qu'il est mauvais. La mort, à l'intérieur du Paradis, ne fut pas la conséquence de leur désobéissance à un ordre reçu. C'est le Diable qui, en secret, communiqua sa saveur (*saporem* : la bonne saveur du péché ?)... à (ces fruits), afin de pouvoir tromper les hommes. Même s'il se fût abstenu de manger (du fruit défendu), Adam n'aurait pas échappé à la mort. C'est le Diable qui fit tout cela pour abuser les hommes. »

18. Ms. : *ne comederent ex eo*.

fruits qui sont dans le Paradis, mais ne mangez pas du fruit (de l'arbre) du Bien et du Mal[19]. Ensuite, le Diable mauvais, entrant dans le mauvais serpent, séduisit l'ange qui était en forme de femme et versa sur sa tête la concupiscence du péché. *Et la concupiscence d'Eve était comme une fournaise ardente.* Et aussitôt, le Diable sortit du roseau sous l'apparence du serpent et accomplit sa concupiscence avec Eve en se servant de la queue du serpent. C'est pourquoi (les hommes) ne sont pas appelés fils de Dieu, mais fils du Diable et fils du serpent, puisqu'ils font les volontés diaboliques de leur père (et les feront) jusqu'à la fin des siècles. »

**6.** Ensuite, moi Jean, j'interrogeai encore le Seigneur en ces termes :
« Pourquoi les hommes disent-ils qu'Adam et Eve furent formés par Dieu et placés par lui dans le Paradis pour garder ses commandements, et qu'après avoir transgressé l'ordre qu'ils avaient reçu du Père, ils furent par lui livrés à la mort? » Et le Seigneur me dit : « Ecoute, Jean très cher, ce sont les hommes remplis de folie qui prétendent que, par prévarication (contre sa propre loi ?[20]), mon Père a façonné ces corps de boue : en réalité, il n'a créé, par l'Esprit-Saint, que toutes les vertus des cieux. C'est par leur désobéissance, et du fait même de leur déchéance, qu'ils se sont trouvés (nécessairement) en possession de corps de boue, et qu'ils ont été (par conséquent) livrés à la mort. »

Et moi, Jean, j'interrogeai encore le Seigneur, je lui dis : « Seigneur, de quelle manière l'homme prend-il naissance spirituellement dans un corps de chair ? » Et le Seigneur me répondit : « Procédant des esprits tombés du ciel, (les hommes)

---

19. Ms. : *aequitatis et iniquitatis.*
20. *Homines dicunt in praevaricatione* ou : *Deus fecit lutea corpora in praevaricatione?*

entrent dans le corps de boue de la femme, et ils reçoivent la chair de la concupiscence de la chair et, en même temps, l'esprit... (lacune)... L'esprit naît de l'esprit et la chair de la chair. Et c'est ainsi que le règne de Sathanas s'accomplit[21] en ce monde. »

**7.** Je posai encore cette question au Seigneur : « Jusqu'à quand Sathanas régnera-t-il, en ce monde, sur l'essence des hommes ? » Et le Seigneur me répondit : « Mon Père lui a permis de régner sept jours. »

Et de nouveau, moi Jean, j'interrogeai le Seigneur : « Quel sera ce siècle (cette durée de sept siècles) ? » Et il me dit : « Du moment que le Diable fut déchu de la gloire du Père et qu'il voulut avoir la sienne propre, il mit son trône sur les nuées et envoya (les anges), ses ministres — le feu brûlant (?)[22] — en bas, auprès des hommes, depuis Adam jusqu'à son serviteur Enoch. Et il envoya (Enoch) son serviteur, le ravit (en extase) au-dessus du firmament et lui découvrit sa divinité. Puis, il lui fit donner une plume et de l'encre. Enoch[23] s'assit et écrivit soixante-seize livres (sous sa dictée). Et le Diable ordonna que ces livres fussent apportés sur la terre. Enoch redescendit alors sur la terre, confia les livres à ses fils, et leur enseigna aussi la façon de célébrer des sacrifices. Ils firent si bien qu'ils fermèrent aux hommes le royaume des cieux[24]. Et le Diable leur disait : « Voyez que je suis votre Dieu et qu'il n'y a pas d'autre dieu que moi. »

C'est alors que mon Père m'envoya en ce monde

21. *Finitur* : Le règne de Satan se « définit » également par cette génération *ex traduce.*

22. Ms. : *ministros suos ignem urentem.* Vers. de Carcassonne : *angelos ignis urentes.*

23. Dans les deux versions de la *Cène secrète*, Enoch est le serviteur (*minister*) du démon.

24. *Clauserunt regnum coelorum ante homines.*

pour que je manifeste son nom devant les hommes et que je leur enseigne à distinguer le vrai Dieu du démon plein de malice. Mais, ayant appris que je descendais en ce bas monde, Sathanas envoya son ange, (lequel) prit de trois bois et les donna à Moïse, le prophète, pour que je sois crucifié sur eux. Ces bois[25] ont été conservés pour moi jusqu'à aujourd'hui. Et lui-même (le Diable) révéla à Moïse sa divinité. Il lui ordonna de donner sa loi aux fils d'Israël, et ainsi[26] Moïse les fit passer, à sec, au milieu de la mer (Rouge).

**8.** Quand mon Père eut décidé de m'envoyer en ce bas monde, il y fit descendre avant moi, (par

---

25. Glose marginale : « Ces bois furent aussi ceux avec lesquels Moïse divisa la mer (Rouge). Et lorsque les enfants d'Israël vinrent aux *Eaux amères*, qui faisaient mourir ceux qui y goûtaient, il y eut alors un ange qui dit à Moïse : « Prends ces rameaux, joins-les ensemble et plante-les près de l'eau (ms. *dicens* : « en disant ». Il faut supprimer ce mot répété par erreur). Ces bois, dit encore l'ange, seront le salut du monde, la défense du monde et le pardon pour les pécheurs de ce monde... (lacune) (sera sauvé) celui qui aura confessé sa foi en la Vierge Marie... parce qu'elle signifie la promesse de la sainte Trinité... (traduction hypothétique). Quiconque aura cru en la foi de la Sainte Trinité sera sauvé; comme les fils d'Israël se sont trouvés sains et saufs après avoir bu de cette eau, adoucie par les arbres que Moïse y avait plantés. »

Cette glose s'inspire d'un récit de l'*Exode* : « Ils arrivèrent à *Mara*, et ils ne pouvaient boire des eaux de *Mara*, parce qu'elles étaient amères... Mais Moïse cria au *Seigneur*, lequel lui montra *un certain bois* qu'il jeta dans les eaux; et les eaux d'amères qu'elles étaient, devinrent douces » (*Exode*, III, 23-25). Le commentateur, dualiste mitigé, semble admettre que l'ange est un bon ange (à vrai dire, il ne précise pas sa nature), et que Moïse n'est pas le ministre du démon. Le passage correspondant de la *Cène* nous paraît sensiblement plus « hérétique ».

26. *Ita*, ainsi : par inspiration démoniaque ?

l'intermédiaire) du Saint-Esprit, l'un de ses anges, pour me recevoir. Cet ange s'appelait Marie et devint ma « mère ». Et quand je descendis j'entrai en elle par l'oreille et en ressortis par l'oreille. Sathanas, le prince de ce monde, apprit que j'étais venu pour rechercher et sauver les êtres qui avaient péri; et il envoya son ange, le prophète Elie, qui baptisait dans l'eau (*baptizantem in aqua*) et qu'on appelle Jean-Baptiste. Mais Elie demanda au prince de ce monde comment il pourrait le [27] reconnaître (le Christ). Et lui-même (*ipse ?*) [28] lui dit : « Celui sur qui tu verras descendre et demeurer le Saint-Esprit en forme de colombe, est celui qui baptise dans le Saint-Esprit *et par le feu* [29]. » *Jean demandait cela parce qu'il ne le connaissait pas* (le Christ), *mais celui qui l'envoya baptiser dans l'eau* [30], *le lui fit connaître : Jean l'atteste lui-*

---

27. Le (*eum*) = le Christ. On attendrait plutôt *me*, puisque c'est le Christ qui parle. Dans la *Vers. de Carcassonne* : quomodo possum scire *eum* ? En passant du style direct au style indirect, le scribe a dû négliger de substituer *me* à *eum*.

28. *Et ipse.* Cet *ipse* renvoie au Diable. Il faudrait ajouter *Dominus*, comme l'a fait *B*, dans la *Version de Carcassonne* pour pouvoir traduire : « Mais c'est le Seigneur lui-même (le vrai Dieu) qui lui dit... » Voir plus bas, note 30.

29. Jean, I, 33. Les mots *et igne* ne sont pas dans Jean, mais dans Matth., III, 11.

30. Tout ce passage est obscur, peut-être corrompu. Le ms. porte : *Ideo hoc dicebat Ioannes quia non cognoscebat eum, sed ille qui misit me baptisare in aqua...* Il n'est pas possible de corriger, comme le veut M. Roché (*Etudes manichéennes et cathares*, p. 208) *baptisare* en *baptisari* et de traduire : « mais le Seigneur, qui avait envoyé le Christ *se faire baptiser* dans *l'eau*, etc. », parce que si *eum* est le Christ, c'est Jean Baptiste qui parle et non le Christ, et par conséquent, *me* ne peut signifier que Jean Baptiste. Ses paroles sont d'ailleurs celles qu'il prononce dans l'Evangile.

Par contre, il convient de corriger *eum* en *me* (Quia non cognoscebat *me*...) et *me* en *eum* (qui misit *eum même : « Je baptise dans l'eau et dans la pénitence, mais Lui (le Christ) nous baptise dans l'Esprit-Saint pour la rémission de nos péchés. Il est celui qui (seul) peut perdre et sauver*[31]. »

**9.** Et à nouveau, moi Jean, j'interrogeai le Seigneur : « L'homme peut-il être sauvé par le baptême de Jean ? » — « Sans mon baptême, par lequel je baptise pour la rémission des péchés, me répondit-il, jamais personne ne pourra trouver le salut en Dieu, car je suis le pain de Vie descendant du septième ciel : seuls ceux qui mangent ma chair et boivent mon sang seront appelés Fils de Dieu. » Et je demandai encore au Seigneur : « Qu'est-ce que « ta chair » et qu'est-ce que « ton sang » ? [32] ... Et le Seigneur me dit : « Avant que

---

baptisare...) Et dans ce cas, selon le contexte, *celui qui a envoyé Jean-Baptiste baptiser dans l'eau* ne saurait être que Sathanas. Mais cela fait difficulté : Est-il vraisemblable que le Diable révèle à Jean-Baptiste — et selon les paroles mêmes de l'Evangile (Jean, I, 33) — que le Christ baptise dans l'Esprit-Saint; et Jean peut-il attester, *sur l'ordre du Diable,* qu'il baptise, lui, dans l'eau et dans la pénitence ? Le texte primitif (?) ne devait pas s'éloigner beaucoup de l'Evangile, sur ce point. Mais alors rien ne s'oppose à ce que *ipse* (*ipse dixit ei*) désigne le vrai Dieu, et non Satan (cf. : *ipse dominus* de *B,* Vers. de Carcassonne). M. D. Roché qui adopte cette correction, traduit : *mais le Seigneur lui-même lui dit : « Celui sur qui tu verras descendre,* etc. (voir, *ibidem,* les ingénieuses explications de M. Roché).

31. Traduction de M. Roché : « Celui qui m'a envoyé me faire baptiser par l'eau dit à Jean d'attester : Je baptise par l'eau de la pénitence; lui cependant nous baptisera par le Saint-Esprit pour la rémission des péchés » (*op. cit.*, p. 280).

32. Lacune, comme dans la *Version de Carcassonne.* Les deux versions de la *Cène secrète* proviennent certainement d'une même copie où figurait déjà cette lacune, qui s'explique peut-être par le fait qu'on y trouvait mention, dans la réponse à la question :

le Diable ne fût tombé avec toute la milice angélique (ravie) au Père, les anges glorifiaient et priaient mon Père en disant cette oraison : *Pater noster qui es in coelis*[33]. Ainsi ce chant montait devant le trône du Père. Mais du moment qu'ils furent déchus, les anges ne purent plus glorifier le Seigneur par cette prière. » Et j'interrogeai encore le Seigneur : « Comment se fait-il que tout le monde reçoive le baptême de Jean, alors qu'ils ne reçoivent pas le tien ? » Le Seigneur me répondit : « C'est parce que leurs œuvres sont mauvaises et qu'ils ne parviennent pas à la lumière. Les disciples de Jean prennent maris et prennent femmes, mais mes disciples ne se marient pas et ils sont comme des anges de Dieu dans le royaume des cieux. » Je lui dis alors : « Si c'est donc un péché de connaître la femme, il ne faut pas se marier ? » Et le Seigneur me dit : « Tous ne comprennent pas le sens de cette parole, à moins qu'il ne leur ait été donné (en grâce) de le comprendre. Il y a des eunuques qui sont sortis tels du ventre de leur mère, il y en a que les hommes ont faits eunuques, et il y en a qui se sont faits eunuques eux-mêmes (en renonçant à l'acte de chair) pour le royaume des cieux. »

**10.** Et ensuite j'interrogeai le Seigneur sur le jour du Jugement : « Quel sera le signe de ta venue ? » Le Seigneur me fit cette réponse : « Ce

---

« Qu'est-ce que ta chair et qu'est-ce que ton sang ? », du *pain supersubstantiel*, évoqué à la fin du *Pater*. Cette prière était vraiment la nourriture spirituelle des Cathares. Le copiste, trompé par le même vocabulaire, a pu facilement fondre les deux réponses en une seule.

33. Glose marginale : « Les anges chantaient et disaient cette oraison, mais ils ne dirent plus le *Notre Père*, dès qu'ils furent en état de péché... Mais le Père pourvoyant à nos fautes futures et sachant que nous pourrions la dire encore (après la Pénitence), trouva bon que nous la disions (sur cette terre) ».

sera quand le nombre des justes sera accompli selon le nombre des justes couronnés tombés (du ciel)[34]. Alors Satan, en proie à une grande colère, sera délivré de sa prison. Il fera la guerre aux Justes qui appelleront leur Seigneur Dieu d'une voix forte. Aussitôt le Seigneur ordonnera à l'archange de sonner de la trompette. La voix de l'archange sortira des cieux et se fera entendre jusqu'aux enfers. Alors le soleil[35] s'obscurcira, la lune ne donnera plus sa lumière, les étoiles tomberont des cieux et les quatre grands vents[36] seront libérés de leurs fondements : la terre tremblera et, en même temps, la mer, les montagnes et les collines. Alors sera révélé le signe du Fils, et toutes les tribus de la terre se lamenteront. Et aussitôt le ciel tremblera et s'obscurcira et le soleil

---

34. Souvenir de l'*Apocalypse,* VI, 11 : « Il leur fut dit qu'ils attendissent en repos encore un peu de temps jusqu'à ce que le nombre des serviteurs de Dieu et de leurs frères, qui devaient aussi bien qu'eux être mis à mort, fût rempli. »

Mais il faut chercher l'explication ésotérique de ces quelques lignes de la *Cène secrète* dans cet autre passage de l'*Apocalypse* : « Ils (les martyrs qui n'avaient pas reçu la marque de la Bête) reprirent vie, et régnèrent avec le Christ mille années. *C'est la première résurrection.* Les autres morts ne purent reprendre vie avant la fin des mille années. Heureux et saint celui qui participe à la première résurrection! La seconde mort n'a point pouvoir sur eux, mais ils seront prêtres de Dieu et du Christ avec qui ils régneront mille années » (*Apoc.*, XX, 4-6).

35. Glose marginale. « Le soleil, c'est le Prince (de ce monde) et son trône; la lune, c'est la loi de Moïse; les étoiles, les esprits, ses ministres (du Prince de ce monde). Les apôtres, eux, n'auront pas de lieu où ils (puissent) régner. Mais le Christ, Fils de Dieu, qui est le *soleil septuple* régnera » (à la fin, avec eux).

36. Glose marginale : « Ces quatre vents sont les rois qui persécuteront l'Eglise qu'il y aura alors et qui, par la guerre, tueront les autres hommes, sans pitié. »

(ne) luira (que) *jusqu'à la neuvième heure*[37]. Alors se manifestera le Fils de l'Homme dans sa gloire et, avec lui, tous les saints et tous les anges placeront leurs trônes sur les nuées. Et il s'assiéra sur le trône de sa gloire, avec les douze apôtres (assis) sur les douze trônes glorieux[38]. Les livres seront ouverts, et il jugera (d'après eux) toutes les nations de toute la terre; et la vraie foi sera prêchée (sera rendue manifeste ?)[39]. Alors le Fils de l'Homme enverra ses anges : ceux-ci rassembleront ses élus depuis le sommet des cieux jusqu'à ses extrêmes limites et les conduiront vers lui — puisqu'ils lui appartiennent entièrement (?) — dans l'air et sur les nuées. Alors le Fils de Dieu enverra les mauvais démons... et il les chassera avec colère, eux et toutes les nations qui crurent en lui (Sathanas)[40]... Et aussitôt tous les peuples comparaîtront, pleins d'effroi, devant le tribunal de Dieu. Les deux livres seront ouverts et ils dévoileront (*manifestabunt*), par leurs paroles[41], la conduite de toutes les nations : ils glorifieront les Justes pour leurs souffrances accompagnées de leurs bonnes œuvres. La gloire et l'honneur impérissable appartiendront à ceux qui ont mené la vie angélique, mais ceux qui ont obéi à l'iniquité auront

---

37. *Version de Carcassonne : quatrième heure.* Le texte de la Version de Vienne est conforme à Luc, XXIII, 44.

38. « Les trônes de la Gloire de Dieu. »

39. Ms. : *tunc praedicabitur fides.* Texte corrompu : Les livres jugeront les nations « selon la foi qu'on y aura prônée » (trad. Deodat Roché).

40. Texte corrompu et illisible à partir d'ici : *eos... ve ... n ... r ... et qui,* etc. Restitution hypothétique : Les mauvais qui ont dit : « Mangeons et buvons et prenons notre part des biens qui sont ici (les biens de ce monde), verront quel triste secours ils peuvent maintenant en attendre (?).

41. Ou peut-être : « Dévoileront les nations et en même temps la foi — bonne ou mauvaise — qu'elles auront prêchée » (*Cum praedicatione eorum*).

en partage la colère, la fureur, l'angoisse et l'indignation (*indignationem*). Le Fils de Dieu tirera alors ses Justes du milieu des pécheurs, en leur disant : « Venez, vous qui êtes les bénis de mon Père, et recevez le royaume qui a été préparé pour vous depuis la constitution du monde! » Et aux pécheurs, il dira : « Retirez-vous de moi, maudits, dans le feu éternel qui a été préparé pour le Diable et ses anges! » Et tous les autres verront alors (assisteront à) la dernière séparation; et les pécheurs seront renvoyés aux enfers. Et avec la permission du Père, les esprits autrefois incrédules (*increduli*) sortiront de leur prison : ils entendront ma voix, et il n'y aura plus qu'un seul bercail et un seul pasteur. Et alors, avec la permission du Père, une ténébreuse géhenne de noirceur et de feu [42] sortira des profondeurs de la terre, qui consumera toutes choses depuis les plus basses parties de la terre jusqu'au firmament de l'air; *erit ignis affic...* (alors le feu sera...) — (le reste est perdu).

---

42. C'est le feu *noir* immanent à la matière qui, selon les mythes manichéens, doit finalement *consumer le monde*.

# LE LIVRE
# DES DEUX PRINCIPES

# LE LIVRE DES DEUX PRINCIPES

Le *Liber de duobus principiis* nous a été conservé par un seul manuscrit, datant de la fin du XIII^e siècle, appartenant au fonds des *Conventi soppressi* de la Bibliothèque Nationale de Florence. C'est le seul ouvrage théologico-philosophique, écrit par un Cathare, qui soit parvenu jusqu'à nous. Il a été publié en 1939[1], avec le *Fragment de rituel*[2] contenu dans le même manuscrit, par le P. Dondaine qui, le premier, en a identifié l'origine et reconnu l'importance[3].

Bien que le *Livre des deux principes* reflète une parfaite unité doctrinale, il se compose, comme le dit son éditeur, de « pièces et de morceaux ». On

---

1. *Un traité néo-manichéen du XIII^e siècle : le Liber de duobus principiis, suivi d'un fragment de rituel cathare,* publié par A. Dondaine, O. P. Istituto storico domenicano; S. Sabina, Roma, 1939.

2. Le manuscrit contient, en outre, divers opuscules sans grand intérêt, notamment des recueils de sentences morales tirées des livres sapientiaux, qui n'ont pas été édités.

3. Le traité nous renseigne directement sur la doctrine de Jean de Lugio et des *Albanenses,* indirectement sur celle des *Dualistes mitigés.*

y trouve cousus bout à bout, des fragments de traités, des notes, des résumés doctrinaux, et des développements polémiques. Nous donnons la traduction de tous ces textes dans l'ordre où ils figurent dans le manuscrit et dans l'édition Dondaine. Ils sont répartis, un peu artificiellement, en sept traités intitulés : *De libero arbitrio, de creatione, de signis universalibus. Compendium ad instructionem rudium, contra Garatenses, de arbitrio, de persecutionibus*[4].

Le premier de ces traités (*du libre arbitre*), d'une dialectique très rigoureuse, forme un tout assez cohérent, quoiqu'il ait reçu, semble-t-il, après le chapitre « où l'on prouve qu'il n'y a pas de libre-arbitre », une sorte de rallonge qui complète bien, d'ailleurs, l'argumentation. Les petits traités *de la Création* et *des signes universels* ne se rattachent pas directement au *de libero arbitrio*, mais ils sont liés dialectiquement l'un à l'autre : le *de signis universalibus* est annoncé à la fin du *de creatione*. On pourrait donc, somme toute, comme le suggère le P. Dondaine, réserver le titre : *de duobus principiis* à l'ensemble formé par ces trois premiers traités.

Le *Compendium*... (Abrégé pour servir à l'instruction des ignorants) expose brièvement, et seulement en ce qui regarde la création et les deux principes, la doctrine des dualistes absolus, telle que Jean de Lugio l'avait systématisée. Il se suffit à lui-même et est bien composé.

L'opuscule suivant : le *Traité contre les Garatistes* (*contra Garatenses*) est un ouvrage de polémique dirigé contre les dualistes mitigés de l'Eglise de Concorezo. Il consiste en trois notes juxtaposées : *Prima oppositio contra Garatenses, de manifestatione fidelium et de notificatione, secunda oppositio contra Garatenses*. Cette deuxième *oppositio*

4. Ces titres s'inspirent des rubriques initiales ou des premiers mots du discours.

— ou argumentation — pourrait sans inconvénient être séparée des deux autres textes.

Le deuxième traité du libre arbitre (*de arbitrio*) est lui aussi, sans lien direct avec ce qui précède et ce qui suit. Bien qu'il soit très court, il ne présente pas plus d'unité que le *Contra Garatenses*. Il est formé de la réunion de deux fragments : le *de ignorantia multorum* et le *de sententia*, très différents de contenu sinon d'esprit.

Enfin le *De persecutionibus* n'est guère qu'un recueil de citations tirées des Ecritures, et groupées de façon à montrer, par l'autorité du Nouveau Testament, que les vrais chrétiens doivent s'attendre à être persécutés. Ce petit ouvrage est la conclusion logique de tout le livre.

Comme la doctrine exposée dans le *Livre des deux principes* ressemble beaucoup à celle que Raynier Sacconi, dans sa *Summa de Catharis*, attribue à une fraction des Albanenses, et plus précisément à Jean de Lugio, de Bergame, on peut penser que la plupart des textes qui composent le *Liber* ont été écrits par lui, ou par un de ses disciples, ou sous l'influence plus ou moins directe de ses idées. Ce Jean de Lugio[5] était le vicaire — ou « fils majeur » — de l'évêque cathare de Desenzano. Il avait composé, vers 1250, un gros traité où le dualisme absolu — à en juger par l'analyse qu'en a donnée Sacconi — était reconstruit sur des bases rigoureusement philosophiques. Le *liber de duobus principiis* ne résume pas tout cet ouvrage perdu : il ne correspond qu'à sa partie proprement métaphysique : (théorie des deux principes, théorie de la Grâce et négation du libre-arbitre, théorie des trois modes de création à partir d'une réalité préexistante, etc...) D'autre part, tandis que le traité de Jean de Lugio semble avoir eu, surtout, un caractère théorique et systématique, le *Liber* reflète

5. Il est à peu près inconnu par ailleurs.

plutôt des préoccupations pratiques et polémiques. Il s'agit, pour son auteur, de montrer d'abord que ses théories se trouvent confirmées par le témoignage des Ecritures — on sait que Jean de Lugio et ses disciples étaient les seuls, parmi les Cathares, à accepter l'autorité de toute la Bible —, et aussi de démontrer aux Dualistes mitigés, les *Garatenses*[6] — et par ces mêmes témoignages — que la croyance au dualisme absolu s'imposait à quiconque lisait la Bible dans un esprit de libre examen. En raison de son dogmatisme scripturaire et de son allure polémique, le *Liber* manque parfois d'ampleur philosophique. Il faut le compléter par ce que dit Raynier Sacconi de l'œuvre perdue de Jean de Lugio, si on veut le replacer dans ses vraies perspectives.

Jean de Lugio semble être resté fidèle, dans l'ensemble, aux conceptions que les autres dualistes absolus se faisaient de Dieu et du monde; il a seulement essayé de les mieux fonder en raison et

---

6. Les *Garatenses* s'opposaient aux *Albanenses* sur les points suivants : ils croyaient 1) qu'il n'y avait qu'un Principe (Dieu); 2) que l'entité mauvaise, Lucifer, était un ange supérieur déchu; 3) que Lucifer avait formé le monde, avec la permission de Dieu et à partir des éléments créés par Dieu; 4) que les âmes naissaient par voie de génération (*ex traduce*) d'une première âme — celle d'un ange — que Lucifer avait séduite et qu'avec l'autorisation divine il avait enfermée dans la matière, pour la punir de sa faute (commise par libre arbitre); 5) que tous les êtres avaient péché par libre arbitre, Lucifer lui-même, la première âme séduite, et les âmes actuelles; 6) que les âmes captives pouvaient se sauver elles-mêmes, et qu'elles en avaient la liberté; 7) que le seul modèle qu'elles eussent à imiter était Jésus-Christ, car tout l'Ancien Testament, à l'exception des livres sapientiaux et des prophètes, était l'œuvre du démon. — Sur tous les autres points, notamment en ce qui concerne la Morale, les *Garatenses* pensaient à peu près comme les *Albanenses*.

de les appuyer plus solidement sur l'autorité des Ecritures. Il pose qu'il y a, dans l'Univers, deux principes éternels (mais non point égaux) : celui du Bien (Dieu) et celui du Mal. Le principe du mal est, en lui-même, inconnaissable : il ne coïncide pas avec ses manifestations. « C'est un mal inquiet (jamais en repos) et plein du venin de la mort[7] », et surtout, comme le dit saint Paul, « il est et il n'est pas ». S'il révèle sa présence par la négation, la mort, la « vanité », l'angoisse, l'enfer, la corruption, bref : par tout ce qui s'oppose à l'être — et, indirectement, par les vices qui sont autant de démons; s'il est tour à tour l'un et l'autre (*inquietum malum*), il ne se réduit jamais à ce qu'ils sont. *Il ne se confond pas davantage avec Satan* : la puissance de Satan et celle des ténèbres dérivent de la sienne[8]. C'est sans doute ce que veut dire Raynier Sacconi, quand il prête à Jean de Lugio l'idée que « le monde est du diable, *ou plutôt du Père du diable.* » Le Père du Diable, ce principe du mal qui ne se manifeste que par l'attraction qu'il exerce, ne saurait être que le Néant.

Comme le note fort justement le P. Dondaine, « si quelques sectes cathares ont pensé qu'il y avait une catégorie d'hommes essentiellement mauvais, dont les âmes étaient créées par le Principe du Mal, telle n'est pas la croyance commune des Cathares, et en particulier, celle de Jean de Lugio » (*op. cit.*, p. 32). Les âmes sont des créatures du Dieu bon et elles doivent lui faire retour. C'est qu'en réalité, tout l'être appartient au Dieu bon : les entités mauvaises ne peuvent avoir qu'une existence d'emprunt. Jean de Lugio ne croit pas non plus, comme les autres dualistes absolus, que le Mal a créé la matière; le Mal a seulement corrompu les

7. Saint Jacques, parlant de la langue, *Epître*, III, 8. Cf. *Summa de Catharis*, p. 72.
8. Voir la conclusion du *Contra Garatenses*.

quatre éléments matériels, non pas, comme le soutenaient les *Garatenses, avec la permission de Dieu,* mais contre sa volonté et par une nécessité inéluctable. La matière, en tant qu'elle est un *prope nihil,* devait tomber la première au pouvoir de Satan : elle était pénétrée de néant depuis l'éternité. Et c'est avec ces éléments voués à la corruption que Satan a pu édifier le monde visible et former les corps physiques.

Mais, objectera-t-on, comment le Principe du Mal — qui est non-être — peut-il se manifester éternellement sous la forme d'une expansion corruptrice? C'est parce que le monde du *Mélange* existe lui-même de toute éternité. En d'autres termes : le principe négateur a une action réelle sur les êtres, parce que la Négation, l'altérité, la matière (en tant qu'elle isole), la corruption — et, à l'intérieur de l'âme, la tentation qu'elle éprouve de se perdre dans le sommeil, dans le plaisir, dans l'inconscience; et, de façon générale, la haine de l'être qui la pousse parfois à meurtrir les corps et les consciences — *ont toujours pu accéder à l'existence,* à la pensée et, partant, à la volonté, à la faveur du *Mélange.* Certes, si Dieu ne créait point, s'il demeurait dans son Unité et dans son Absolu, il n'y aurait jamais en présence que Lui et le Rien. *Mais Dieu ne peut pas exister sans créer* : il est inséparable de sa création, comme le soleil l'est de ses rayons[9]. Or, la Création est nécessairement fondée sur des « différences » ontologiques, elle est un mélange d'être et de néant. Donc, il est également nécessaire que le Principe du Mal trouve place positivement dans cette création, dans la mesure où elle est imparfaite (inégale à l'Absolu[10]) ;

---

9. « ... creaturae ex deo sunt *ab aeterno* sicut splendor vel radii in sole qui non praecedit radios suos tempore, sed tantum causa vel natura » (Raynier Sacconi, *Summa de Catharis,* p. 73).

10. Cf. la théorie de Maître Guillaume, dans le *De libero arbitrio.*

et qu'il agisse sur elle pour la nier ou pour la corrompre. Selon Jean de Lugio, Dieu n'est donc pas tout-puissant. Il exclut le néant, et pourtant il est contraint de l'inclure dans la Manifestation; au contact des êtres émanés de Lui, le néant se change en limitation active, en résistance.

Sans doute, le vrai Dieu a créé des âmes dont l'essence enveloppe une telle intensité d'être — car il y a des degrés d'intensité ontique dans l'Emanation — qu'elles peuvent ignorer ou surmonter le néant : celles, par exemple, qui savent n'opposer au Mal que le Bien, et qui comblent toute séparation ou opposition par l'Amour; ou des âmes si excellentes qu'Il a pu les « re-créer », c'est-à-dire : leur donner un *surcroît de pureté* absolument soustrait au mauvais principe : l'âme de Jésus-Christ, par exemple[11]. Mais il en est d'autres — correspondant à l'extrême diffusion de l'Emanation dans le non-être et dans la matière — qui doivent subir nécessairement l'implantation d'une certaine malice, et si elles sont conscientes, l'invasion du néant (en tant que « soif de néant », négation, égoïsme et concupiscence). Celles-là ne peuvent que traduire en acte, par leur adhésion au Règne du Malin, l'impossibilité où elles sont, depuis l'éternité, de persévérer dans la plénitude de l'être, parce qu'elles y sont insuffisamment établies. C'est ce qu'expriment, dans le Manichéisme ancien et dans le Dualisme absolu, les mythes du « Combat ». Car, que Satan séduise, trompe les anges, c'est-à-dire *les domine* sur le plan de l'esprit, ou qu'il les vainque physiquement — ce qui n'est, évidemment, qu'une image — il est clair qu'il ne « tente » pas leur liberté, mais qu'il les *force*. Par contre, la résistance victorieuse de certains anges (saint Michel, par exemple), ou de certaines catégories d'êtres

11. C'est une erreur de soutenir, comme le fait C. Schmidt (*Histoire des Cathares ou Albigeois*, II, p. 56), que, pour Jean de Lugio, il n'y avait pas d'esprits purs, et que toutes les âmes célestes avaient péché.

célestiels (les Albanenses croyaient que le Démon n'avait pu ravir que le tiers des anges; et les dualistes mitigés, que les anges des cinquième, sixième et septième ciels, avaient résisté sans effort à la « tentation »); ou encore la préservation nécessaire d'un des composants de leur substance ternaire (*l'esprit*, qui demeure fixé en Dieu et impeccable[12], tandis que l'âme défaut); ou enfin le caractère ambivalent de la défaite subie par la créature bonne, défaite qui, devenant sacrifice accepté, se change en victoire sur le mal, tout cela montre, d'une façon évidente, que toute une partie de la création échappe au Mal *ou le vainc nécessairement*, tandis qu'une autre partie, aussi nécessairement, accepte de toute éternité le Mal et devient le Mélange.

Il appartient à la logique même du Manichéisme de reculer le Principe du Mal le plus loin possible dans le moindre-être. Ce sont toujours des forces inconscientes ou semi-conscientes qui corrompent d'abord ce qui doit être corrompu. Pour les anciens Manichéens, c'est la Matière qui veut s'emparer de la Lumière. Pour les Cathares occidentaux (du moins, pour les dualistes mitigés) : Lucifer est toujours attiré *vers le bas*, vers les régions où l'être est à peine existant. Tantôt c'est le monstre du chaos (à la fois homme, oiseau, poisson et bête) qui le séduit, tantôt le spectacle même des éléments désordonnés, et qu'il lui prend envie d'organiser... Jean de Lugio semble avoir voulu éliminer les anciens mythes et toutes les contradictions qu'ils dissimulaient sous leurs images : il n'en retient qu'une idée : c'est que Satan a partie liée avec ce qui est infiniment anéanti. Il éternise

---

12. Il est intéressant de noter que Fabre d'Olivet pensait sur ce point comme les Cathares : « L'homme... se manifeste comme l'Univers, sous les trois modifications principales de corps, d'âme et d'esprit. » Et il croyait également que seul l'*esprit* de l'homme, demeurant en rapport avec Dieu, pouvait assurer la liberté.

donc, dans la création, un principe de défaillance et de Négation, qui est à la fois *ce qui corrompt l'être* et *ce qui résulte de la corruption de l'être.* La créature est gâtée par ce qui n'est pas, parce qu'elle *veut être* ce qui n'est pas. Mais elle ne le voudrait pas, s'il n'y avait pas un défaut dans l'être manifesté.

Il en résulte que la corruption s'est opérée en d'autres mondes, en d'autres « Ciels », avant de se concrétiser ici-bas. En ce monde-ci, tout est déjà joué. La terre est l'enfer où les âmes doivent subir les conséquences de leur défaillance, car dans le temps et dans l'univers matériel ne s'affrontent que des *conséquences.* Le salut, pour les êtres créés par Dieu, n'y est pas moins assuré que ne l'avait été leur chute.

Il ne faut donc pas parler d'expiation, mais d'expérience libératrice. Quand le P. Dondaine écrit : « l'âme ne peut être livrée temporairement au mal qu'en *punition* d'une faute commise... Voici apparaître la thèse d'un monde autre que le nôtre où l'âme a péché » (*op. cit.*, p. 32), il nous paraît s'écarter de l'esprit même de la philosophie cathare. Jean de Lugio nie le libre arbitre. Les âmes n'ont jamais eu à « choisir » entre le Bien et le Mal; elles ont été vaincues par le Mal, et il était nécessaire qu'elles le fussent en raison de la malice — la morsure du néant — que le mauvais principe avait implantée en leur essence, bien avant que Satan les attaquât et même — logiquement sinon chronologiquement — avant que Satan fût constitué. *Elles n'ont rien à expier, bien qu'elles aient tout à souffrir.* Peut-être Jean de Lugio s'est-il souvenu ici du vieux thème manichéen de l'*Homme primordial*, vaincu lui aussi par le Démon, mais qui le vainc à son tour en le vidant, à la fin, de toute sa substance usurpée. L'opération divine, en effet, semble bien consister non pas à punir, mais à *développer* les conséquences de l'implantation satanique dans les êtres jusqu'au point où elles s'annulent et entraînent automatiquement la libération des âmes. C'est quand il a bien souffert du démon, que l'homme, devenu capable de changer sa défaite en sacrifice, lui échappe et le surmonte.

Cela prouve évidemment que les deux principes ne sont point égaux. Le Dieu bon, bien que limité par le mal et dans le temps, est plus puissant que toutes les manifestations du mauvais principe. Et cela pour plusieurs raisons : il est d'abord omnipotent dans le Bien, ce qui signifie qu'il peut *accroître* autant qu'il le veut les vertus des entités qui, par nature, échappent à l'attraction du néant. Ensuite, il est immuable en son éternité, il est l'être en soi, tandis que le principe du mal, en tant qu'il se « réalise » en amoindrissant les essences, ne peut que se recommencer sans cesse, toujours divers, dans le Temps[13]. Par son éternité même, par son éternel Futur, Dieu fait tourner le Mal à son avantage. *Non pas le mal qu'il a voulu*, comme le disent les Romains, mais le mal qu'il n'a pas voulu et qu'il subit, dans le présent. Le mal, en effet, toujours « inquiet », toujours absurde et contradictoire, finit par se nier et s'abolir lui-même, par à-coups. Les plaisirs qu'il apporte se transforment en douleurs; les tentations satisfaites provoquent la réflexion sur leur propre vanité, etc. Le mal est contraint de fournir à l'âme l'expérience du malheur dans cette vie ou dans une autre (d'où : la théorie des vies successives). Et c'est par cette expérience que les âmes se libèrent du néant, apprennent à connaître leur véritable nature, *sans que le prétendu libre arbitre joue en cela le moindre rôle*. Car si les âmes — aveuglées qu'elles sont par la matière, l'inconscience temporaire et le plaisir — ont perdu le pouvoir d'*obéir* à leur nature bonne et de se complaire en Dieu, il suffit que

---

13. « Les effets du Mal, écrit Fabre d'Olivet, ne peuvent être ni nécessaires ni irrésistibles, puisqu'ils ne sont pas *immuables*. » Pour Jean de Lugio, le mal est éternelle contradiction et « vanité », mais il est *nécessaire*.

le Mal coïncide pour elles avec le malheur — comme il est impossible que cela n'arrive point — pour qu'elles recouvrent leur nature première et leur liberté vraie (l'impossibilité de consentir au mal). A ce moment, Dieu peut les aider, parachever leur libération, en leur envoyant sa grâce. Par le *consolamentum*, qui fait la preuve qu'elles ont reçu cette grâce, elles retrouvent leurs esprits, demeurés au ciel comme garants de leur essence spirituelle, et dès lors, elles ont la possibilité de « servir » Dieu, non point par libre arbitre, mais parce qu'elles ne sont plus empêchées de le faire : *c'est Dieu qui combat maintenant en elles contre le Mal.* Cette théorie du *service* — et de la *Grâce*, qui en est la condition — procède, sans nul doute, de la pensée de saint Paul, interprétée avec une incontestable rigueur.

Enfin Dieu peut lutter contre le Démon en envoyant ses anges sur la terre, pour y éclairer les âmes et leur montrer la voie. Jésus-Christ n'est que la plus haute de ces entités lumineuses émanées du Père. Il n'est pas possible de savoir exactement quel rôle Jean de Lugio lui attribuait dans les mondes supérieurs. Selon une tradition d'origine manichéenne, il semble que le Christ se soit offert en sacrifice, pour sauver les êtres défaillants, lors de la première invasion du Ciel par le Malin, et peut-être Jean de Lugio l'identifiait-il ainsi à l'homme primordial ou à saint Michel. De toute façon, il pensait, si l'on en croit Raynier Sacconi, que le sacrifice de Jésus-Christ avait été consommé réellement ailleurs que sur cette terre. Ici-bas, il a eu surtout pour mission de révéler à l'homme — trompé par le Faux-Dieu — que le règne de la *Justice* doit être remplacé par celui de la *charité absolue*, que le Mal n'est autre que la mort — le néant — et qu'on peut la surmonter par cette surabondance d'être qu'est le Bien...

La théorie de la création confirme en tous points l'interprétation générale que nous proposons : la nature bonne étant coéternelle à Dieu, il ne saurait y avoir, dans le temps, d'autre création absolue (*ex nihilo*). Dieu ne peut que modifier ce qu'il a déjà créé. Ces modifications sont de trois sortes :

1. On dit que Dieu « crée » lorsqu'il ordonne des essences déjà bonnes (le Christ, les anges) à un bien supérieur pour aider les âmes à se libérer du mal.

2. On dit également qu'il crée, lorsqu'il sauve ses créatures de l'emprise de la matière, par l'effet même de son éternité, mais aussi par l'action (la grâce) qu'il peut exercer sur celles qui se trouvent avoir enfin accédé — par nécessité — à la volonté de Bien.

3. On dit enfin qu'il crée, lorsqu'il permet aux démons de faire plus de mal qu'ils n'en pourraient faire naturellement, quand ce mal entre dans le plan providentiel. Ce dernier mode de création paraît contredire ce que nous avons établi précédemment : il n'en est rien. S'il « utilisait » *un mal créé par lui*, ou même s'il permettait le mal en tant que mal, comme le croyaient les Romains et les Garatistes, il serait sans nul doute le Dieu du Mal, mais en réalité, il n'abandonne volontairement ses créatures au principe malin, c'est-à-dire au *malheur*, que lorsque celles-ci *ont accepté elles-mêmes de se sacrifier*. C'est ainsi que ce Dieu bon « aurait pu » soustraire son fils Jésus à Satan, parce que Jésus, n'ayant pas subi l'implantation du mal, ne lui était pas soumis; mais il consentait à subir la souffrance pour réconcilier l'homme avec Dieu. Il a donc été ordonné à un bien supérieur. En rendant plus efficace la malice de Satan, qui n'aurait pu mettre à mort le fils de Dieu sans son consentement, celui-ci triomphait de lui dans le temps même qu'il était crucifié.

Nous ne savons pas sous quelles influences philosophiques Jean de Lugio a été amené à rationaliser ainsi les mythes du manichéisme et du dualisme absolu. Le *Liber de duobus principiis* ne cite guère que la *Physique* d'Aristote et *Fons vi-*

*tae* de Ibn Gebirol. S'il emprunte à l'aristotélisme les notions d'acte et de puissance, ce n'est point de ces deux ouvrages qu'il a tiré l'idée centrale de son système, que la création est co-éternelle au créateur. Il ne paraît pas qu'il ait lu Scot Erigène, bien que plusieurs de ses propositions semblent inspirées du *De divisione naturae*. Il pouvait découvrir aisément dans la *Bible* un dualisme analogue à celui qu'il professait, mais non point ce panthéisme si curieusement *dédoublé*. C'est peut-être la lecture de saint Paul qui lui a révélé que toute action bonne accomplie par l'homme était, en réalité, *accomplie par Dieu*, et qu'il n'y avait donc pas incompatibilité entre la tradition manichéenne selon laquelle le monde du Bien et le monde du Mal sont étroitement liés à leurs auteurs respectifs, et la pensée de l'apôtre interprétée dans un sens strictement immanentiste[14]. Quoi qu'il en soit, l'originalité de Jean de Lugio tient à ce qu'il a juxtaposé un panthéisme positif et un panthéisme négatif. Tout ce qui *est*, émane de Dieu et demeure en Dieu; mais il y a aussi un autre monde — celui de la corruption — qui est installé, pour ainsi dire, à l'envers de l'Etre. Et ce monde « vain » est éternel, en tant qu'il procède, négativement, du Néant et *non point de Dieu*, et surtout en tant qu'il s'est étroitement mêlé, dès l'origine, à la création, *contre la volonté de Dieu*. C'est donc, semble-t-il, la nécessité où il était d'éterniser les effets du principe néantisant — qui limite la toute-puissance de Dieu — qui a conduit Jean de Lugio à concevoir la création comme éternelle (à la fois éternellement corrompue et éternellement sauvée).

Le seul point qui demeure obscur dans ce système, c'est celui-ci : si la création est co-éternelle à son auteur, pourquoi l'aventure humaine s'est-elle

---

14. Les actions de Dieu immanentes sont celles dont le terme est dans Dieu.

projetée dans le temps ? Pourquoi les âmes — sauvées dans l'éternité — ont-elles à se libérer dans l' « histoire » ? Nous ne savons pas comment Jean de Lugio répondait à cette question, ni même s'il y répondait. Croyait-il que tout ce qui se passe dans le monde du Mélange demeure vain et illusoire; que tout, en réalité, ne cesse pas d'être fixe en Dieu; et que l'âme, par exemple, qui est à la fois déchue et sauvée dans l'éternel (Pourquoi l'être de la créature ne serait-il pas éternellement conquis sur le néant, *éternellement racheté ?*) ne se prête qu'en apparence à son historicité feinte, expression de son ignorance et du mensonge satanique ? Pensait-il que le déroulement de l'histoire spirituelle était un perpétuel recommencement et qu'il y avait toujours eu — qu'il y aurait toujours — chute de l'âme, sacrifice et salut, mais que ce déroulement, *quelque temporel qu'il fût*, suivait un plan arrêté par Dieu de toute éternité ?... Nous devons admettre que, de toute façon, Jean de Lugio concevait le temps comme une de ces *contraintes néantisantes* imposées à Dieu par le mauvais Principe, et que Dieu subissait — dans ses créatures — sans que son éternité en fût par ailleurs affectée. Car l'esprit de sa métaphysique exige que soit maintenu dans l'éternel le processus — coexistant ? — « chute-sacrifice-salut », puisque le mauvais principe n'a de réalité que dans la victoire que l'Etre remporte sur lui.

On voit, en définitive, que ce n'est pas « le problème du mal et de sa pénétration dans le bien que la construction de Jean de Lugio laisse intact » (Dondaine, p. 33), mais plutôt celui des rapports de l'éternité et du temps.

# I

## Traité du libre arbitre

Comme beaucoup de personnes sont empêchées de connaître la droite vérité, je me suis proposé, pour leur illumination, pour exhorter celles qui sont capables de comprendre et aussi pour la propre satisfaction de mon âme, d'expliquer notre vraie foi par les témoignages des divines Ecritures et par des arguments très véridiques, après avoir invoqué le secours du Père, du Fils et du Saint-Esprit.

***Les deux principes.***

En l'honneur du Père très saint j'ai voulu commencer mon exposé concernant les deux principes, en réfutant d'abord la théorie du principe unique, bien que cela aille à l'encontre de ce que pensent presque tous les esprits religieux. Je pose donc tout de suite : ou bien il n'y a qu'un principe principiel (*principium principale*) ou il y en a plus d'un. S'il n'y en a qu'un, et non plusieurs, comme le soutiennent les ignorants, il faut nécessairement qu'il soit bon ou mauvais. Mais il ne saurait être mauvais, car s'il était tel, il ne procéderait de lui que des maux et non des biens, comme le dit le Christ dans l'évangile de saint Matthieu : « *Tout arbre qui est mauvais, porte de mauvais fruits. Un bon arbre ne peut produire de mauvais fruits, ni un mauvais arbre en porter de bons* » ( Matth., VII, 17-18); et saint Jacques, dans son épître : « *Une fontaine jette-t-elle, par une même ouverture, de l'eau douce et de l'eau amère ? Mes frères, un figuier peut-il porter des raisins; ou une vigne des figues ? Ainsi, nulle fontaine d'eau salée ne peut jeter de l'eau douce* » (Jacob, III, 11-12).

***De la bonté de Dieu.***

Nos adversaires affirment comme allant de soi, que Dieu est bon, saint, juste et droit et même ils l'appellent Bonté pure, déclarant qu'il est au-dessus de toute louange; ce qu'ils s'efforcent de prouver par les témoignages suivants et par beaucoup d'autres du même genre. Jésus, fils de Syrach, dit, en effet : « *Portez la gloire du Seigneur le plus haut que vous pourrez, elle éclatera encore au-dessus, et sa magnificence ne peut être assez admirée. Vous qui bénissez le Seigneur, relevez sa grandeur le plus haut que vous pourrez : car il est au-dessus de toutes louanges* » (Eccli., XLIII, 33, 34). Et David déclare : « *Le Seigneur est grand, et digne d'être loué infiniment, et sa grandeur n'a point de bornes* » (Ps. CXLVI, 5). Et Paul dans l'Epître aux Romains : « *O profondeur des trésors de la sagesse et de la science de Dieu! Que ses jugements sont impénétrables et ses voies incompréhensibles... et cetera* (sic)... » Rom., XI, 33). Et il écrit dans le *Livre des causes*[1] : « *La cause première est au-dessus de tout ce qu'on en peut dire.* »

***Que Dieu connaît tout de toute éternité.***

Ils tirent donc de ces témoignages l'affirmation catégorique que le Seigneur, à cause de la grandeur

1. Le *De causis*, prop. 5 (A. Dondaine, *op. cit.*, p. 82, note 6). Cet ouvrage faisait partie des matériaux utilisés par saint Thomas d'Aquin. On le croyait d'Aristote.

de sa sagesse, connaît toutes choses de toute éternité; que le passé, le présent et l'avenir sont toujours sous ses yeux, et qu'il sait, par lui-même, toutes choses avant qu'elles arrivent, comme le dit Suzanne, au livre de Daniel : « *Dieu éternel, qui pénétrez ce qui est le plus caché et qui connaissez toutes choses, avant même qu'elles soient faites* » (Dan., XIII, 42). Et Jésus, fils de Syrach, nous dit lui aussi : « *Car le Seigneur, notre Dieu, connaissait toutes les choses du monde avant qu'il les eût créées, et il les voit de même maintenant qu'il les a faites* » (Eccli., XXIII, 29). Et l'Apôtre dit aux Hébreux : « *Nulle créature ne lui est cachée : tout est à nu et à découvert devant ses yeux* » (Hebr., IV, 13).

### De la bonté, de la sainteté et de la justice de Dieu.

Que le Seigneur, notre Dieu, soit bon, saint et juste, comme il vient d'être dit, cela est assez clairement prouvé. David dit en effet : « *Que Dieu est bon à Israël; à ceux qui ont le cœur droit* » (Ps. LXXII, 1); et encore : « *Le Seigneur est fidèle dans toutes ses paroles et saint dans toutes ses œuvres* » (Ps. CXLIV, 13); et à nouveau : « *Le Seigneur est plein de douceur et de droiture : c'est pour cela qu'il donnera à ceux qui pèchent la loi qu'ils doivent suivre dans la voie* » (Ps. XXIV, 8). Et à un autre endroit : « *Dieu est un juge également juste, fort et patient : se met-il en colère tous les jours ?* » (Ps. VII, 12). Et l'on trouve écrit au livre de la Sagesse : « *Etant donc juste comme vous êtes, vous gouvernez toute chose justement* « (Sap., XII, 15).

### De la toute-puissance de Dieu.

Le Seigneur doit donc être considéré, à ce qu'ils disent, comme tout-puissant, et comme faisant ce qu'il veut. Personne ne peut s'opposer à lui et dire : « Pourquoi agissez-vous ainsi ? » L'Ecclésiaste l'affirme : « ... *Parce qu'il fera tout ce qu'il voudra.*

*Sa parole est pleine de puissance et nul ne peut lui dire : Pourquoi faites-vous ainsi ?* » (Eccl., VIII, 3, 4). David le dit également : « *Mais notre Dieu est dans le ciel; et tout ce qu'il a voulu, il l'a fait* » (Ps. CXIII, 2, 3). Et il est écrit dans l'*Apocalypse* : « *Je suis, dit le Seigneur Dieu, celui qui est, qui était et qui doit venir, le Tout-Puissant* » (Apoc., I, 8). On y lit encore : « *Vos œuvres sont grandes et admirables, Seigneur Dieu tout-puissant, vos voies sont justes et véritables, ô Roi des siècles. Qui ne vous craindra, Seigneur ? Qui ne glorifiera votre nom ? Car vous seul êtes saint* (*plein de bonté*) » (Apoc., XV, 3-4).

### Première proposition contre nos adversaires.

Voici ce que j'oppose à la thèse de ceux qui affirment qu'il n'y a qu'un seul principe principiel. Je dis : si Dieu qui est bon, juste, saint, sage et droit, qui est « fidèle en toutes ses paroles et saint en toutes ses œuvres », qui est, en outre, comme on l'a déjà montré, tout-puissant, et qui sait toutes choses avant qu'elles aient eu lieu, a créé et disposé ses anges, dès le commencement, comme il l'a décidé par lui-même, sans rencontrer aucun obstacle venant de quelque existant; s'il a connu la destination de tous ses anges avant même qu'ils fussent, puisque toutes les causes par lesquelles il fallait qu'ils déchussent et devinssent des maudits, des démons, demeuraient durant tout ce temps — comme le soutiennent presque tous nos adversaires — sous le regard de sa Providence, il s'ensuit nécessairement et sans aucun doute, que jamais ses anges n'ont eu le pouvoir de rester bons, saints et humbles avec leur Seigneur, sinon dans la mesure où l'avait prévu lui-même, dès le commencement, celui entre les mains de qui sont nécessairement toutes choses depuis l'éternité, puisque personne, en présence de ce Dieu qui connaît à fond tous les futurs, ne peut absolument rien faire d'autre que ce qu'il a prévu de toute éternité qu'il ferait. Et je le prouve :

**De l'impossibilité.**

Je dis, en effet : de même qu'il est impossible que le passé ne soit pas le passé, de même il est impossible que le futur ne soit pas le futur. En Dieu, surtout, qui sait et connaît depuis le commencement ce qui doit arriver, c'est-à-dire : les causes selon lesquelles le futur est « possible » avant d'être existant, il a été, sans aucun doute, nécessaire que l'avenir fût absolument déterminé dans sa pensée, puisqu'il savait et connaissait par lui-même, depuis l'éternité, toutes les causes qui sont nécessaires pour amener le futur à son effet. Et cela d'autant plus que, s'il est vrai qu'il n'y a qu'un principe principiel, Dieu est lui-même la cause suprême de toutes les causes. Et à plus forte raison encore, s'il est vrai que Dieu fait ce qu'il veut et que sa puissance n'est gênée par aucune autre, comme l'affirment les adversaires de la vérité.

Et je dis derechef : si Dieu a su parfaitement, dès l'origine, que ses anges deviendraient des démons dans le futur, en raison de l'organisation qu'il leur avait lui-même donnée dans le principe, et parce que toutes les causes par lesquelles il fallait que ces anges devinssent, par la suite, des démons, étaient présentes dans sa Providence; s'il est vrai, d'autre part, que Dieu n'a pas voulu les créer autrement qu'il ne les a créés, il s'ensuit nécessairement que les anges n'ont jamais pu éviter de devenir des démons. Ils le pouvaient d'autant moins qu'il est impossible que ce que Dieu sait être le futur, puisse, de quelque façon, être changé en ce qui ne serait pas le futur; et surtout si l'on considère que ce Dieu connaît tout en lui-même, de toute éternité, selon la théorie exposée plus haut.

Comment donc les ignorants peuvent-ils affirmer que les anges susdits auraient pu demeurer toujours bons, saints et humbles en présence de leur Seigneur, puisque cela était absolument *impossible*, de toute éternité dans la Providence divine ? Ils sont forcés de reconnaître, d'après leur propre thèse, et sur la foi de ces arguments très véridiques, que Dieu, dès l'origine, sciemment et en toute connaissance, a créé et fait ses anges en une imperfection telle qu'ils ne pussent en aucune façon éviter le Mal. Mais alors ce Dieu, dont nous avons dit précédemment qu'il était bon, saint et juste, et supérieur à toute louange (comme on l'a montré plus haut), serait la cause suprême et le principe de tout mal : ce qu'il convient de nier absolument. Par conséquent, il faut reconnaître l'existence de deux principes : celui du Bien et celui du Mal, ce dernier étant la source (caput) et la cause de l'imperfection des anges comme d'ailleurs de tout le mal.

### *Objection à nos arguments.*

On nous objectera peut-être que la sagesse ou la providence qui appartient à Dieu dans le Principe, n'a entraîné dans ses propres créatures aucune « détermination » qui les portât à faire le bien ou à faire le mal *nécessairement*. On nous en donnera volontiers un exemple : un homme est dans son palais et il voit un autre homme marchant de son plein gré dans la rue. Ce n'est pas la sagesse, nous dira-t-on, ni la providence de celui qui est dans le palais qui fait aller celui qui est dans la rue, bien que le premier connaisse et voie clairement la direction que prend le second. Il en est de même de Dieu : bien qu'il ait connu et prévu de toute éternité la destination de ses anges, ce n'est point sa sagesse ni sa providence qui les ont fait devenir des démons et des maudits. C'est de leur propre mouvement qu'ils ont refusé de demeurer saints et humbles avec leur Seigneur et que, dans leur extrême malice, ils se sont élevés en superbe contre lui.

***Réfutation de cet exemple.***

C'est un très fallacieux exemple qu'il faut réfuter ainsi : comme Dieu a été par lui-même la seule cause, au dire de nos adversaires, de l'existence de tous ses anges, ceux-ci eurent donc, dès l'origine, les dispositions, le genre de « facture » ou de création, que Dieu leur avait donnés lui-même : ils les tenaient de lui seul, telles qu'il avait voulu proprement et essentiellement les leur donner. Ce qu'ils étaient, ils l'étaient par lui, dans toute leur constitution. Ils ne possédaient absolument rien qu'ils eussent reçu d'un autre que lui. Et Dieu — toujours d'après l'opinion de nos adversaires — n'a jamais voulu, à l'origine, les créer ou les faire autrement. Que s'il eût voulu les créer d'une autre façon, il l'aurait pu sans la moindre difficulté, (à en croire nos adversaires), en donnant à cette création un tout autre effet. Il paraît donc évident que Dieu n'a pas *voulu*, au commencement, prendre soin de *parfaire* ses anges. Sciemment et en toute connaissance, il leur a attribué toutes les causes par lesquelles il fallait qu'ils devinssent plus tard des démons. Et d'autant plus nécessairement qu'il s'agit d'un Dieu en qui toutes les choses s'accomplissent par nécessité de toute éternité[2].

---

2. Raynier Sacconi prête à Jean de Lugio — non sans vraisemblance — l'idée que les créatures procèdent éternellement de leurs créateurs. « Jean de Lugio enseigne, en effet, que le Dieu bon et le Dieu mauvais ne précèdent pas leurs créatures chronologiquement, mais logiquement, selon la seule causalité, de sorte qu'elles sont comme les rayons ou la lumière par rapport au soleil. Celui-ci ne précède pas ses rayons dans le temps, mais seulement comme cause et en essence » (*Summa de Catharis,* in A. Dondaine : *Un traité néo-manichéen...,* p. 73). Schmidt avait déjà remarqué (*Histoire des Cathares,* II, p. 53) « qu'en soutenant qu'il ne peut pas y avoir eu un moment où Dieu fut sans attributs, ou sans les manifester », Jean de Lugio se situait dans la ligne d'un panthéisme assez voisin de celui de Scot

C'est pourquoi il n'est pas vrai de dire que la sagesse et la providence de Dieu n'ont pas plus agi — pour amener les anges à devenir de méchants démons — que la « prévoyance » de l' « homme qui est dans son palais » sur la marche de « celui qui est dans la rue », pour la raison essentielle que l'homme qui marche dans la rue ne procède nullement de celui qui est dans le palais, et qu'il n'a pas reçu de lui son être et sa puissance. S'il tenait de lui toutes ses forces et, absolument, toutes les causes qui le déterminent à parcourir nécessairement ce chemin — comme les anges, selon la foi de nos contradicteurs, tiennent les leurs de leur Maître — il ne serait pas vrai de dire que la prévision de « l'homme qui est dans le palais » n'est pas ce qui fait marcher l'homme dans la rue : il marcherait, cela est évident, absolument par lui, comme les anges n'agissent que par Dieu, en vertu de ce que nous avons très clairement démontré plus haut, concernant Dieu. Et ainsi nul ne pourrait raisonnablement accuser ces anges de péché, puisqu'ils n'ont pu faire autrement qu'ils n'ont fait, à cause des dispositions qu'ils tenaient de leur Seigneur. « *Comme l'Ethiopien ne peut changer de peau, ni le léopard abandonner ses taches* » (Jér., XIII, 23), à cause de la nature qu'ils ont reçue de leur créateur, de même les anges, si la théorie de nos adversaires était vraie, n'auraient jamais pu éviter de tomber dans le mal, par suite des dispositions que Dieu leur aurait données depuis l'Origine; ce qu'il est absolument impie de soutenir.

---

Erigène : *Non ergo aliud est Deo esse, et aliud facere, sed ei esse idipsum est et facere* (*De divisione naturae*, I, 74).

On ne peut rien comprendre à la pensée de Jean de Lugio si on ne la replace pas dans ces perspectives panthéistes. Pour lui, le monde du Bien et celui du Mal sont coexistants à leurs Créateurs et ne peuvent point en être séparés, sinon sur le plan logique.

Peut-être alors nos adversaires saisiraient-ils volontiers cette autre échappatoire, s'ils le pouvaient; en disant : Dieu aurait bien pu, s'il l'avait voulu, parfaire originellement ses anges en telle perfection qu'ils n'eussent, à aucun degré, le pouvoir de pécher ou de faire le mal, et cela pour trois raisons : parce qu'il est tout-puissant, parce qu'il connaît tout de toute éternité, parce que sa toute-puissance n'est gênée par aucune autre. Mais il n'a pas voulu les doter de cette perfection, parce que, disent-ils, si Dieu les avait créés originellement si parfaits qu'ils ne pussent pécher en quoi que ce soit, ni faire le mal, mais qu'ils eussent dû, au contraire, obéir nécessairement à leur Seigneur, celui-ci n'aurait eu aucune reconnaissance à leur témoigner pour leur fidélité et leurs services. Aussi bien, Dieu aurait-il été en droit de leur dire : je ne vous sais aucun gré de votre obéissance puisque vous ne pouvez agir autrement que vous ne faites. Et nos adversaires rappelleraient peut-être cet exemple à l'appui de leur thèse : si un maître avait un serviteur qui connût en tous points sa volonté et qui ne pût faire autre chose que la suivre parfaitement, ce maître ne lui en saurait aucun gré, puisque, disent-ils, ce serviteur n'aurait pas eu la possibilité d'agir d'une autre façon.

***Du libre arbitre des anges.***

Ils nous disent donc que Dieu, dès le principe, a créé ses anges de telle façon qu'ils pussent, à leur gré, faire le bien ou le mal, et ils appellent cela *libre arbitre* (ou *arbitre,* selon certains). C'est une sorte de puissance ou de force libre, par laquelle celui à qui elle a été accordée peut faire indifféremment le bien ou le mal. Ainsi, affirment-ils, Dieu pourra, justement et avec raison, donner à ses anges la gloire ou le châtiment, c'est-à-dire : glorifier les uns pour ce qu'ayant pu pécher, ils n'ont point péché, et châtier les autres, pour ce qu'ayant pu faire le bien, ils ne l'ont point fait.

C'est en toute justice que Dieu pourra leur dire : « *Venez, les bénis de mon Père; possédez le royaume qui vous a été préparé depuis la création du monde. J'ai eu faim, et vous m'avez donné à manger; j'ai eu soif et vous m'avez donné à boire,* etc. » (Matth., xxv, 35). Ce qui signifie : vous auriez pu ne pas donner, mais puisque vous avez donné, possédez le royaume qui vous a été préparé depuis la constitution du monde, avec raison et parce que vous l'avez mérité. En toute justice également, il pourra dire aux pécheurs : « *Eloignez-vous de moi, maudits, allez dans le feu éternel qui est préparé pour le Diable et ses anges; j'ai eu faim et vous ne m'avez pas donné à manger; j'ai eu soif et vous ne m'avez pas donné à boire,* etc. » (Matth., xxv, 42). Ce qui signifie : vous auriez pu donner et vous ne l'avez pas fait : c'est pourquoi vous irez à bon droit dans le feu éternel que vous avez mérité. Si, selon nos adversaires, ils n'avaient pas le pouvoir de lui donner à manger et à boire, de quel droit le Seigneur pourrait-il leur dire : j'ai eu faim, et vous ne m'avez pas donné à manger; j'ai eu soif, et vous ne m'avez pas donné à boire, etc. ? C'est pourquoi ils soutiennent que Dieu n'a pas voulu créer les anges parfaits, c'est-à-dire dotés d'une si grande perfection qu'il leur eût été absolument impossible de pécher et de faire le mal, car il n'aurait pas eu motif, alors, de leur témoigner de la reconnaissance pour leur fidélité, comme nous l'avons déjà expliqué. Il n'a pas voulu, non plus, disent-ils, les créer d'une telle nature qu'ils ne pussent que toujours faire le mal et jamais le bien, car, dans ce cas, ils auraient pu se défendre légitimement en disant au Seigneur : « Nous ne pouvions faire que le mal, à cause de la nature que vous nous avez donnée au commencement. » Ainsi donc, à en croire nos adversaires, Dieu aurait, dès le principe, créé ses anges tels qu'ils eussent également la puissance de faire le bien et celle de faire le mal, afin de pouvoir les juger selon l'équité, soit parce qu'ayant pu pécher, ils n'ont point péché; soit parce qu'ayant pu ne pas pécher, ils ont péché. Et nos adversaires n'ont pas le triomphe modeste, quand ils usent contre nous de tels arguments.

***Réfutation de la thèse adverse.***

J'ai dessein de revenir — pour mieux la réfuter — sur cette dernière objection de nos adversaires, à savoir que : « Si Dieu avait créé ses anges, originellement, d'une perfection telle qu'ils ne fussent point libres de pécher et de faire le mal, Dieu n'aurait pu leur savoir gré de leur obéissance, puisqu'ils n'auraient agi que par nécessité. » Il me paraît, à la réflexion, que leur argument tourne à l'avantage de ma thèse. Si Dieu, en effet, doit de la reconnaissance à un être pour un service que celui-ci lui rend, il s'ensuit nécessairement, à ce qu'il me semble, qu'il y a quelque chose *qui manque à Dieu et se dérobe à sa volonté*, puisqu'il veut et demande que soit accompli ce qui n'existe pas encore, et qu'il désire avoir ce qu'il n'a pas. Et c'est par là précisément qu'il me paraît que *nous pouvons servir Dieu* : en accomplissant ce qui résiste à sa volonté ou en lui fournissant ce dont il a besoin et qu'il désire avoir, soit pour lui soit pour les autres, comme le suggère de façon évidente l'autorité évangélique déjà citée : « *J'ai eu faim et vous m'avez donné à manger; j'ai eu soif et vous m'avez donné à boire...* » et cet autre passage : « *Toutes les fois que vous avez fait cela pour un des plus petits de mes frères (que voilà), c'est à moi-même que vous l'avez fait* » (Matth., xxv, 40); et les paroles de Jésus-Christ à Jérusalem : « *Combien de fois ai-je voulu rassembler tes enfants comme une poule rassemble ses petits sous ses ailes, et tu ne l'as point voulu!* » (Matth., xxiii, 37) et celles que le Seigneur adresse à Samarie par la bouche d'Ezéchiel : « *Votre impureté est exécrable, parce que j'ai voulu vous purifier; et que vous n'avez point quitté vos ordures* »

(Ezech., XXIV, 13). De tous ces textes il paraît résulter avec évidence que la volonté de Dieu — et celle de son fils Jésus-Christ — n'était pas, pour lors, entièrement accomplie : ce qui serait impossible s'il n'y avait qu'un seul principe principiel bon, saint, juste et parfait.

Et c'est la raison pour laquelle il est en notre pouvoir de servir Dieu et le Christ, quand nous accomplissons leur volonté avec l'aide du vrai Père[3], c'est-à-dire quand nous écartons la faim et les autres maux des créatures du Dieu bon. Ainsi le Seigneur pourra nous savoir gré d'avoir accompli ce que lui-même veut, et désire voir s'accomplir. Ceci me paraît un argument de beaucoup de poids, pour ma thèse : que ni Dieu ni l'homme ne puissent désirer ou vouloir quelque chose, sinon parce qu'ils sont d'abord en situation d'avoir à subir ce dont ils ne voulaient pas, et qui leur est à charge, soit pour eux-mêmes, soit pour les autres[4]; et

---

3. Le temps de l'incarnation sur cette terre est aussi, pour les Cathares, le temps de la « Grâce ». Nous ne pouvons « servir » Dieu que si Dieu veut, d'abord, que nous le servions, car notre volonté d'échapper au Démon ne peut venir que de Dieu : c'est lui qui combat en nous contre le Mal. La théorie du service n'est donc nullement en contradiction avec celle qui refuse aux hommes le « libre arbitre ». Pour Jean de Lugio, tous les esprits « bons » tendent à remonter vers Dieu, c'est-à-dire à recouvrer leur liberté *véritable* (qui est le pouvoir de faire le Bien et l'incapacité de faire le Mal). Tant qu'ils sont soumis au Démon, ils ne peuvent faire que le Mal, si Dieu ne leur communique « de ses forces » et si, par une sorte de *nouvelle création,* il ne suscite en eux, avec la « connaissance », la volonté de se « libérer ».

4. L'idée que Dieu a à « souffrir » de l'existence d'un mauvais principe est spécifiquement « *manichéenne* ». Mais rappelons que si Dieu est toujours vaincu par le Diable *dans le temps* — comme la vie temporelle de Jésus-Christ le *manifeste* très évidemment — c'est *parce qu'il n'a pas de méchanceté à opposer au mal :* il ne peut *résister au Mal.* En revanche, il est toujours vain-

c'est, au contraire, un argument qui affaiblit extrêmement la thèse de ceux qui prétendent qu'il n'existe qu'un seul principe principiel, parfait et à l'abri de tout dommage, que ce principe unique puisse avoir à supporter ce qu'il ne veut pas supporter, et qu'il se trouve quelque chose au monde capable de le grever et de l'affliger, lui ou les siens. Cela ne serait possible que s'il était divisé contre lui-même, et capable de nuire à ses créatures et à lui-même, c'est-à-dire de faire, de son plein gré, sans qu'aucune réalité étrangère l'y contraigne, ce qui par la suite, dans le futur, serait préjudiciable à lui et aux siens, et leur apporterait affliction et douleur. Ce Dieu qui, selon nos adversaires, a créé l'homme et la femme et tous les êtres animés, se montre bien tel dans la *Genèse* où nous lisons : « *Etant touché de douleur jusqu'au fond du cœur, il dit : j'exterminerai de dessus la terre l'homme que j'ai créé; j'exterminerai tout, depuis l'homme jusqu'aux animaux, depuis tout ce qui rampe sur la terre jusqu'aux oiseaux du ciel, car je me repens de les avoir faits* » (Gen., VI, 6-7). S'il n'y avait qu'un seul principe principiel, saint et parfait, jamais le vrai Dieu, librement et par lui-même, n'eût agi de la sorte. Sans doute, on peut interpréter cette autorité comme si elle signifiait : « Il y a un autre principe, celui du Mal, qui afflige mon cœur par son action maligne contre mes créatures. Maintenant, il m'oblige à les faire disparaître de la surface de la terre, à cause de leurs péchés. Et c'est ce mauvais principe qui me fait regretter de les avoir créées, c'est-à-dire : me fait pâtir pour elles[5]. »

---

queur sur le plan du Bien — *c'est-à-dire sur le plan de l'Eternité* — parce que le Diable n'a pas assez d'*être* pour persévérer dans l'Immuable, et qu'à la fin du Temps, il devra *rendre tout* (c'est-à-dire l'être qu'il a usurpé ou envahi).

5. Si Jean de Lugio ne croit pas que le Dieu de la *Genèse* soit le vrai Dieu, il ne rejette pas absolument

Mais selon la théorie du principe unique, on ne peut la comprendre que de la façon suivante : « Je me repens d'avoir créé ces êtres, c'est-à-dire j'aurai à subir dans l'avenir, en moi-même et comme une punition, la douleur de les avoir librement créés. » Et il faut, dès lors, tenir pour évident — selon la théorie même de ceux qui croient en un principe unique — que Dieu et son fils Jésus-Christ — qui ne sont, d'après eux, qu'une seule et même Unité — se sont infligé à eux-mêmes tristesse, douleur et affliction, et ont à supporter la peine d'une faute qu'ils ont commise eux-mêmes, sans y avoir été contraints par quelque volonté étrangère à la leur. On ne saurait sans impiété avoir cette opinion du vrai Dieu.

### *De l'origine du Mal* ou *Du mauvais principe.*

C'est pourquoi nous devons nécessairement reconnaître qu'il existe un autre principe, le principe du Mal, qui œuvre très malignement contre le vrai Dieu; que ce principe paraît animer Dieu contre sa créature, et la créature contre son Dieu; et qu'il pousse Dieu à vouloir et désirer ce que, de lui-même, il ne voudrait nullement. D'où il résulte que, sous cette impulsion de l'Ennemi malin, le vrai Dieu veut et souffre, se repent, sert ses propres créatures et peut être aidé par elles[6]. Cela explique que le

---

l'*Ancien Testament* : il en cite maints passages, et la *Genèse* elle-même est pour lui une autorité (*auctoritas*). Mais il interprète les textes sacrés autrement que les Romains, et souvent dans un sens plus spirituel.

6. Cet argument est plus fort qu'il ne paraît à première vue. On peut supposer, certes, que, *pour créer*, Dieu se divise contre lui-même, ou qu'il « se retire » de son essence, comme le voulaient les Cabbalistes; qu'il consent au Mal (c'est-à-dire à *un moindre être*), pour produire *un Bien plus grand*, etc. Mais de quelle nature est cet « autre » qu'il suscite ainsi et qui, *n'étant rien*, déploie, cependant, une activité *contraire* à la sienne ? Jean de Lugio se refuse à penser que Dieu

Seigneur dise à son peuple par la bouche d'Isaïe : « *Vous m'avez rendu comme esclave par vos péchés, et vos iniquités m'ont fait une peine* (*insupportable*) »(Isa., XLIII, 24), ou encore : « *Je suis las de les souffrir* » ( Isa., I, 14). Que Malachie déclare : « *Vous avez fait souffrir le Seigneur par vos discours* » (Malach., II, 17); et David : « *Il fut touché selon la grandeur de sa miséricorde* » (Ps. CV, 45); et l'Apôtre, dans la *première épître aux Corinthiens* : « *Nous travaillons sous les ordres de Dieu* » (I Cor., III, 9). De l'action que le mauvais principe exerce sur Dieu, le Seigneur dit lui-même dans le livre de Job, s'adressant à Satan : « *Tu m'as porté à m'élever contre lui, pour que je l'afflige sans qu'il l'ait mérité* » (Job, II, 3). Et par la bouche d'Ézéchiel : « *Et lorsqu'elles ont surpris les âmes de mon peuple,* (*les fausses prophétesses*) *les assurent que leurs âmes sont pleines de vie! Elles ont détruit la vérité de ma parole dans l'esprit de mon peuple pour une poignée d'orge et pour un morceau de pain, en tuant les âmes qui n'étaient point vivantes* » (Ezech., XIII, 18, 19); et par la bouche d'Isaïe, se plaignant de son peuple : « ... *Parce que j'ai appelé, et vous n'avez point répondu; j'ai parlé, et vous n'avez point entendu; vous avez fait le mal devant*

---

puisse aliéner son *sur-être*, ne fût-ce que « temporellement » ou relativement. C'est dans le seul domaine du *mélange* que le Bien et le Mal peuvent être relatifs, c'est seulement dans l'esprit de l'homme que d'un moindre mal peut naître un plus grand bien. En Dieu, où tout est éternel et absolu, un « instant » de Mal, un Mal relatif (c'est-à-dire : une raréfaction de son *sur-être*) seraient *éternisés, ipso facto,* s'il consentait à les laisser apparaître en lui. Et ce Dieu se nierait ainsi lui-même. Car ce n'est que par la plénitude immuable de son essence, par son éternité sans défaillance, qu'il oblige finalement le « Principe du Mal » à se confondre au néant : à la fin des temps, toutes les créatures du Dieu bon — c'est-à-dire : celles *qui ont vraiment l'être* — lui font retour *nécessairement.*

*mes yeux, et vous avez voulu tout ce que je ne voulais point* » (Isa., LXV, 12).

On voit clairement par là que la possibilité offerte à l'homme de servir Dieu constitue un excellent argument en faveur de ma thèse. Car s'il n'y avait qu'un principe principiel saint, juste et bon, comme l'est, nous l'avons montré plus haut, le Seigneur vrai Dieu, il ne s'infligerait point lui-même tristesse, affliction et douleur, il ne subirait pas lui-même le châtiment de ses propres actions; il ne souffrirait pas, ne se repentirait pas, n'aurait pas besoin d'être aidé, ne serait point asservi dans les péchés d'autrui; ne désirerait rien, et n'aurait pas besoin de vouloir hâter ce qui est trop lent à se réaliser : rien ne pourrait faire obstacle à sa volonté; il ne pourrait être mû ni contraint par personne. Rien n'existerait qui pût le grever. Mais tout lui obéirait par une nécessité absolue, étant donné surtout, que c'est par lui, en lui et pour lui, que toutes choses subsisteraient, et dans tous leurs arrangements, s'il n'existait qu'un seul principe principiel saint et juste, comme nous avons montré qu'était, en son domaine, notre vrai Dieu.

***Qu'il est possible à l'homme de servir Dieu.***

Il découle de la conception que nous nous faisons du vrai Dieu qu'il nous est possible de le servir en accomplissant ses œuvres, ou plutôt en réalisant les desseins qu'il désire poursuivre lui-même par notre intermédiaire[7]. C'est ainsi qu'il a pourvu au salut

7. Tout ce passage se ressent nettement de la pensée de saint Paul. Pour agir dans le monde du *Mélange,* où les hommes subissent *nécessairement* la loi de Satan, Dieu a besoin de *l'homme,* non point, certes, de son « libre arbitre » (qui n'existe pas), mais de sa liberté. Cette liberté, l'homme ne la recouvre que lorsque Dieu lui a fait la grâce de l'éclairer et de le transformer (par une sorte de re-création). Si donc Dieu a besoin de sauver les hommes *pour combattre par eux* le Démon, ceux-ci ne peuvent servir Dieu *volontairement* que lorsqu'ils sont déjà sauvés.

de son peuple par la personne de Notre-Seigneur Jésus-Christ, bien que le Christ n'eût rien fait de bon par lui-même, ni surtout par son « libre arbitre », lui qui a dit : « *Je ne puis rien faire de moi-même* » (Jean, v, 30), ou encore : « *Le Père qui demeure en moi fait lui-même les œuvres que je fais* (Jean, xiv, 10). Nous disons donc que nous servons Dieu, quand nous accomplissons sa volonté, par le secours que nous recevons de lui; et cela ne signifie nullement que nous ayons le pouvoir de faire, par libre arbitre, quelque chose de bien dont il ne serait point la cause ni le principe : car — Jacques le dit dans son *Epître* : « *Toute grâce excellente, et tout don parfait vient d'en-haut et descend du Père des lumières* » (Jac., i, 17); et le Christ le dit dans l'Evangile de Jean : « *Personne ne peut venir à moi, si mon Père qui m'a envoyé ne l'attire* » (Jean, vi, 44). Il dit aussi, parlant de sa propre mission : « *Je ne puis rien faire de moi-même; je juge selon ce que j'entends* » (Jean, v, 30), ou encore : « *Mon Père qui demeure en moi, fait lui-même les œuvres que je fais* » (Jean, xiv, 10). Et l'Apôtre s'adresse en ces termes aux Ephésiens : « *Car c'est la Grâce qui vous a sauvés par la foi, et cela ne vient pas de vous, puisque c'est le don de Dieu. Cela ne vient pas des œuvres, afin que nul ne se glorifie* » (Eph., ii, 8-9); et il déclare aux Romains : « *Cela ne dépend ni de celui qui veut, ni de celui qui court, mais de Dieu qui fait miséricorde* » (Rom., ix, 16); et aux Philippiens : « *J'ai confiance que celui qui a commencé en vous cette bonne œuvre la perfectionnera jusqu'au jour de Notre-Seigneur Jésus-Christ* » (Phil., ii, 13). Il dit dans la *seconde épître aux Corinthiens* : « *C'est par Jésus-Christ que nous avons une si grande confiance en Dieu : non que nous soyons capables de former de nous-mêmes aucune bonne pensée* (comme *de nous-mêmes*), *mais c'est Dieu qui nous en rend capables. Et c'est lui aussi qui nous a rendus capables d'être les ministres de la nouvelle alliance, non pas de la lettre, mais de l'esprit : car la lettre tue et l'esprit donne la vie* » (II Cor., III, 4, 6). Jean-Baptiste dit lui aussi : « *L'homme ne peut rien recevoir, s'il ne lui est donné du ciel* (Jean, III, 27) ; et David : « *Si le Seigneur ne bâtit une maison, c'est en vain que travaillent ceux qui la bâtissent. Si le Seigneur ne garde une ville, c'est en vain que veille celui qui la garde* » (Ps. CXXVI, 1-2) ; et Jérémie : « *Seigneur, je sais que la voie de l'homme ne dépend point de l'homme, et que l'homme ne marche point, et ne conduit point ses pas par lui-même* » (Jér., X, 23). Nous lisons dans l'*Epître de Paul aux Corinthiens* : « *C'est par la grâce de Dieu que je suis ce que je suis* » (Cor., XI, 10) ; et dans les Paraboles de Salomon : « *C'est de moi que viennent le conseil et l'équité; c'est de moi que viennent la prudence et la force. Les rois règnent par moi, et c'est par moi que les législateurs ordonnent ce qui est juste. Les princes commandent par moi, et c'est par moi que ceux qui sont puissants rendent la justice* » (Prov., VIII, 14-16), ou encore : « *C'est le Seigneur qui dresse les pas de l'homme; et quel est l'homme qui puisse comprendre la voie par laquelle il marche ?* » (Prov., XX, 24). Le Christ dit dans l'évangile de saint Matthieu : « *Mon Père m'a mis toutes choses entre les mains; et nul ne connaît le Fils que le Père, comme nul ne connaît le Père que le Fils, et celui à qui le Fils l'aura voulu révéler* » (Matth., II, 27) ; et dans l'évangile de Jean il dit, parlant de lui-même : « *Je suis la Voie, la Vérité et la Vie : personne ne va au Père que par moi* » (Jean, XIV, 5). Dans l'évangile de Luc, le Christ dit encore : « *Faites effort pour entrer par la porte étroite; car je vous assure que beaucoup chercheront à entrer et ne le pourront* » (Luc, XIII, 24).

### *Qu'il faut éliminer la notion de libre arbitre.*

Il ressort assez clairement de ces divers témoignages que nous n'avons pas le pouvoir de servir Dieu par libre arbitre, en faisant quelque Bien dont il aurait à nous savoir gré, comme s'il provenait de notre propre vertu et puissance, c'est-à-dire sans que Dieu fût lui-même la cause et le principe de ce bien. Cela est d'autant plus évident que, comme nous l'avons montré plus haut, nous n'avons absolument pas d'autre force en nous que celle qui nous vient de Dieu. Saint Pierre le dit dans les *Actes des Apôtres* à propos de la guérison du boiteux: « *Israélites, pourquoi vous étonnez-vous de ceci, et pourquoi nous regardez-vous comme si nous avions fait marcher cet homme par notre propre force ou par notre puissance ?* » Et il faut préciser ainsi la pensée de Pierre : ce n'est pas nous qui avons fait ce miracle. « *C'est le Dieu d'Abraham, le Dieu d'Isaac, le Dieu de Jacob* » (Actes, III, 13).

Il est donc évident que tout ce que l'on trouve de bon dans les créatures de Dieu, vient directement de lui et par lui. C'est lui qui a donné son être au Bien et qui en est la cause, comme nous l'avons établi. Mais le Mal, s'il se rencontre dans le peuple de Dieu, il ne provient pas du vrai Dieu, ni ne se manifeste par lui : ce n'est pas Dieu qui l'a fait exister, car il n'est pas sa cause et ne l'a jamais été. Comme le dit Jésus, fils de Syrach : *Dieu n'a commandé à personne de faire le Mal, et il n'a donné à personne la permission de pécher* » (Ecclésiastique, XV, 21) — entendez : immédiatement et directement, par lui-même — car jamais le Mal n'aurait pu procéder spontanément de la créature du Dieu bon, considérée comme telle, s'il n'y avait pas eu une cause du Mal[8]. Le Seigneur l'a dit par la bouche d'Ezéchiel : *La verge a fleuri, l'orgueil a poussé ses rejetons. L'iniquité s'est élevée sur la verge de l'impiété, et elle ne viendra point d'eux, ni du peuple, ni de tout le bruit qu'ils ont fait* » (Ezéchiel, VII, 10-11). Veut-on d'autres autorités ? Le Seigneur a dit dans l'évangile de Matthieu : « *Le*

8. Sans le Dieu bon, nul ne ferait le Bien; mais sans le Diable nul n'aurait « inventé » le Mal.

*royaume des cieux est semblable à un homme qui avait semé de bon grain dans son champ. Mais pendant que l'on dormait, son ennemi vint semer de l'ivraie parmi le froment et s'en alla* (Matt. XIII, 24-25). Et David : « *O Dieu, les nations sont entrées dans votre héritage, elles ont souillé votre saint temple; elles ont réduit Jérusalem à être comme une cabane qui sert à garder les fruits* » (Ps. LXXVIII, 1). Et le Seigneur lui-même, par la voix du prophète Joël : « *Un peuple fort et innombrable vient fondre sur ma terre. Ses dents sont comme les dents d'un lion; elles sont comme les dents les plus dures d'un fier lionceau. Il a réduit ma vigne en un désert, il a arraché l'écorce de mes figuiers, il les a dépouillés de toutes leurs figues, il les a jetés par terre, et leurs branches sont demeurées toutes sèches et toutes nues* » (Joël, I, 6-7).

Ainsi, tous ces témoignages nous donnent clairement à entendre que, sans nul doute, l'orgueil, l'iniquité ou l'impiété, l' « ivraie », la « souillure du saint temple de Dieu », la « dévastation » de sa vigne, ne peuvent en aucune façon provenir — proprement et originellement — du Dieu bon, ni de sa création bonne, laquelle dépend de lui, dans toutes ses dispositions. Il s'ensuit donc qu'il existe un autre principe — le principe du Mal — qui est la cause et la source de tout orgueil, de toute iniquité, de toutes les souillures du peuple et, généralement, de tous les maux.

**De l'objection que nous font nos adversaires, à savoir : que Dieu n'a pas voulu créer ses anges parfaits.**

Je me propose maintenant d'examiner dans les pages qui suivent la thèse de nos adversaires — déjà exposée plus haut — selon laquelle Dieu n'aurait pas *voulu* créer ses anges parfaits, c'est-à-dire : doués d'une si grande perfection qu'ils ne pussent que faire toujours le Bien et jamais le

Mal — ou toujours le Mal et jamais le Bien — mais, au contraire, les aurait créés de telle sorte qu'ils pussent faire, à leur gré, le Bien ou le Mal.

Je pose donc d'abord que, si l'on soutient que Dieu n'a pas voulu créer ses anges tels qu'ils dussent faire toujours le Bien et jamais le Mal — mais tels, au contraire, qu'ils eussent la faculté de faire, à leur choix, le Bien ou le Mal, il faut préciser qu'ils ne pouvaient exercer cette faculté *dans le même temps*. Car il est impossible que les anges aient reçu de Dieu une nature leur permettant de faire le Bien et le Mal à la fois, en une seule fois et dans un même temps. Si, en effet, ils avaient eu cette nature, comme l'enseignent nos adversaires, il en résulterait nécessairement qu'ils auraient pu faire à la fois le Bien et le Mal, non pas : soit le Bien, soit le Mal; mais très véritablement le Bien *et* le Mal. Mais il est évident, dès lors, qu'ils n'auraient eu, en aucune façon, le pouvoir de toujours éviter le mal, et cela, à cause de la nature même que le Seigneur leur aurait donnée. Et dans ce cas, c'est Dieu qui serait la cause et le principe de ce Mal. Ce qu'il est impossible d'admettre et vain de soutenir.

Mais peut-être, à ce moment, nos adversaires — parlant d'abord posément, puis, se mettant à crier[9] — clameraient-ils leur indignation en ces termes : « Il n'y a aucune impossibilité à ce que les anges en question *aient pu* faire toujours le Bien ou toujours le Mal, *s'ils l'avaient voulu*, puisqu'ils avaient reçu de Dieu le libre arbitre, c'est-à-dire, précisément, la libre puissance ou faculté de faire, à leur choix, le Bien ou le Mal. » Et ils affirmeraient, par cela même, que leur Dieu n'est pas la cause principale de ce mal, puisque, si les anges ont péché, c'est par l'effet du libre arbitre qui leur a été concédé, et, par conséquent, de leur plein gré.

---

9. *Dicentes ante et retro vociferantes* (?).

***Où l'on prouve qu'il n'y a point de libre arbitre.***

Si l'on examine diligemment les arguments que nous avons déjà proposés, on verra que la théorie du libre arbitre — cette force ou libre pouvoir, que nos adversaires disent avoir été donnée aux anges pour leur permettre de faire à leur gré le Bien ou le Mal — est sans poids contre notre thèse. Il passe, en effet, pour impossible aux yeux des savants, que quelque être puisse avoir en lui-même la puissance[10] de faire deux actions contraires, à la fois, en une seule fois et dans un seul et même temps, c'est-à-dire : la puissance de faire le Bien tout le temps ou le Mal tout le temps; et à plus forte raison, en Dieu qui connaît absolument tous les futurs, et selon la sagesse duquel tout est produit nécessairement de toute éternité.

Argument plus décisif : on ne comprend vraiment pas comment des anges créés bons auraient pu haïr la bonté, *semblable à eux,* et qui existait de toute éternité, ainsi que la cause[11] de cette bonté, pour se mettre à aimer le Mal, qui n'existait pas encore, et qui est tout à fait le contraire du Bien[12]. Et cela sans aucune cause, puisqu'au dire des ignorants, il n'y avait pas de cause profonde du Mal. L'opinion de nos contradicteurs est d'autant moins recevable qu'il est écrit au livre de Jésus, fils de Syrach : « *Tout animal aime son semblable; ainsi tout homme aime celui qui lui est proche. Toute chair s'unit à celle qui lui ressemble, et tout homme s'unit avec son semblable.* » (Eccl., XXVII, 10); et encore ceci : « *Les oiseaux se joignent avec leurs semblables, et la vérité retourne à ceux qui en font les œuvres* » (Eccl., XXVII, 10). Ainsi d'après ces témoignages, il paraît évident que les

10. Au sens aristotélicien.
11. C'est-à-dire : Dieu. — Ms. et Dondaine : *causa;* corr. : *causam.*
12. Et dont, par conséquent, les anges ne pouvaient avoir l'idée.

anges auraient dû choisir le Bien semblable à eux et existant depuis l'éternité, plutôt que de rejeter le Bien pour choisir le Mal, qui n'avait, pour lors, aucune existence et dont la Cause même n'existait pas — selon la foi de nos adversaires — encore qu'il soit bien difficile d'admettre que quelque chose puisse commencer sans cause : n'est-il pas écrit : « *Ce qui a pris commencement, il est impossible qu'il n'ait point de cause* »[13] ? et aussi « *tout ce qui passe de la puissance à l'effet a besoin d'une cause pour passer à l'effet* »[14]. Bien plus, dans l'hypothèse de nos adversaires, ce qui possède l'existence, et la cause de cette existence, à savoir le Bien, auraient eu moins d'action sur les anges que ce qui ne possédait pas l'existence, et que sa cause, à savoir le Mal, qui n'existait pas non plus[15], et cela à l'encontre de ce qu'on lit dans les philosophes : « *Il faut qu'une chose existe d'abord pour qu'elle puisse agir.* » Et il convient encore de rappeler cette évidence que si une cause demeure dans l'état où elle a toujours

---

13. Cf. : Al Kindi, *Liber de intellectu* : « Nihil autem quod est rei in potentia exit ad effectum per se ipsum » (Dondaine, *op. cit.*, p. 93; note, lignes 3-11).

14. Cf. Avencebrol (Ibn Gebirol, *Fons vitae* : « Omne quod exit de potentia in effectum, non trahit illud in effectum nisi quod habet esse in effectu », Dondaine *ibidem*).

15. Le texte établi par A. Dondaine ne présente pas, ici, un sens philosophique suffisamment clair :

Et etiam : id quod erat secundum illos ejus causa, scilicet Bonum, minus *eget* quam id quod non erat, id est Malum, quamvis scriptum sit : « Oportet aliquid prius esse quam agat. »

Il faut, semble-t-il, le corriger, en conservant *egit*, qui a été rayé dans le manuscrit, et en supposant que le scribe a également rayé par erreur *et* après *illos* et, après *erat*, les trois mots : *nec ejus causa.* Nous lisons donc : Et etiam : id quod erat — secundum illos — et ejus causa, scilicet Bonum, minus *egit* quam id quod non erat — nec ejus causa, id est Malum — quamvis scriptum sit : « Oportet aliquid prius esse quam *agat.* »

été, elle ne saurait rien produire de plus par elle-même que ce qu'elle a déjà produit : une action ne prend naissance que sous l'action d'une nouvelle cause, car, comme il est écrit : « *Si quelque être devient agent, qui ne l'était pas primitivement, il est nécessaire que cela se fasse par quelque modification nouvelle qui s'opère en lui.* » C'est pourquoi l'on doit admettre que, si les dispositions de l'agent demeurent toujours identiques à ce qu'elles étaient, et si celui-ci ne subit aucun changement provenant de lui-même ou de l'extérieur, il n'y a absolument aucune raison pour qu'il se donne une nouvelle façon d'agir au lieu de la laisser dans l'inexistence. C'est cette inexistence, au contraire, qui se prolongerait sans fin. Car, tout comme l' « autre » provient de l'*altérité* (*diversitate*), le « même » perdure par l'*identité*.

Donc, s'il était vrai que, sans le libre arbitre, aucun des anges n'eût pu pécher, il est clair que Dieu ne le leur aurait point accordé, puisqu'il savait que son royaume ne devait être corrompu que par ses effets. Mais s'il le leur avait accordé, il faudrait imputer nécessairement à ce Dieu « qui est au-dessus de toute louange » la corruption de ses anges. Ce qu'on ne saurait faire sans impiété. Il faut donc conclure à l'existence d'un autre principe, le principe du Mal qui est cause et origine de la corruption des anges, et de tous les maux[16].

### *Que les anges n'ont pas eu le libre arbitre.*

Tout ce qui précède démontre assez clairement aux savants que les anges susdits n'ont jamais reçu de Dieu un tel « arbitre », c'est-à-dire la puissance de connaître, de vouloir et d'accomplir

---

16. Il semble que le *Traité du libre arbitre des anges* s'achève ici. Ce qui suit se présente comme une série de développements complémentaires sur le même sujet, ou répondant à diverses objections. C'est un texte lourd, verbeux et plein de redites.

toujours uniquement le Bien et non le Mal. Que s'ils l'avaient eu, ils auraient nécessairement[17] fait et voulu toujours le Bien et jamais le Mal.

Au nom de quoi — et de quel front — les ignorants peuvent-ils donc soutenir que ces anges *auraient pu* faire toujours et uniquement le Bien, alors que dans la providence divine qui connaît entièrement le futur, ils ne possédaient — comme nous l'avons déjà montré — ni la puissance ni la science ni l' « arbitre », ni quelque autre faculté qui leur eût permis d'éviter le Mal ? On peut entendre soutenir pareille opinion : (que les anges ont reçu de Dieu la vertu ou le pouvoir de faire tout le temps le Bien ou tout le temps le Mal), chez les hommes qui ignorent complètement les choses futures et toutes les causes qui déterminent un être à faire le Bien ou le Mal, tout le temps ou à des moments différents. Mais pour Dieu qui prévoit l'avenir, et en qui toutes les causes selon lesquelles il est impossible que le futur ne soit pas le futur, sont connues de toute éternité, pour sa Sagesse, enfin, d'où procèdent nécessairement toutes choses depuis l'éternité, cela est manifestement faux.

On s'explique facilement que les hommes, qui ne connaissent pas l'avenir ni la vraie réalité des choses, usent si souvent de ces « contradictions » toutes verbales : ils prétendent que l'impossible est possible et le possible impossible. C'est ainsi, par exemple, que nous disons : « Il est possible que Pierre soit encore en vie demain; il est possible aussi qu'il meure aujourd'hui », alors qu'en vérité, il est impossible que Pierre soit à la fois en état de vivre jusqu'à demain et sur le point de mourir aujourd'hui. Dans l'ignorance où nous sommes de l'avenir et de toutes les causes qui agissent sur la vie ou sur la mort de Pierre, nous tenons pour impossible ce qui est possible, et pour

---

17. Puisque le principe, la cause, du mal n'existe pas, selon l'hypothèse des partisans du Dieu unique.

possible ce qui est impossible. Mais si nous connaissions parfaitement l'avenir, et toutes les causes qui sont nécessaires pour que Pierre vive ou pour qu'il meure, nous ne dirions pas qu'il peut aussi bien vivre jusqu'à demain que mourir aujourd'hui. Si nous savions, en effet, que Pierre doit mourir, nous dirions : « Il faut nécessairement que Pierre meure aujourd'hui » ou « il est impossible qu'il vive jusqu'à demain ». Et si nous savions qu'il doit vivre jusqu'à demain, nous dirions : « Il est nécessaire, de toute évidence, qu'il vive jusqu'à demain » ou bien : « Il est impossible qu'il meure aujourd'hui. » Mais nous ignorons l'avenir, et c'est pourquoi nous prenons le possible pour l'impossible et l'impossible pour le possible[18]. Ce que ne saurait faire celui qui a la connaissance pleine et entière de tout le futur.

Autre exemple : un homme voit distinctement que Pierre se trouve dans la même maison que lui. Un autre homme, à l'extérieur, lui demande : « Est-il possible que Pierre soit dans cette maison ? » Si celui qui sait parfaitement que Pierre est à l'intérieur, puisqu'il l'y voit de ses yeux, lui répond : « Il se peut qu'il y soit; il se peut qu'il n'y soit pas », il est évident qu'il lui fait une bien mauvaise réponse et contraire à sa conscience, (en disant qu'il est simplement possible que Pierre soit dans la maison), étant donné qu'il sait, qu'il voit tout à fait clairement, qu'il y est effectivement. On doit penser la même chose du prétendu libre arbitre que, selon nos adversaires, Dieu a donné à ses anges. Pour Dieu — en tant qu'il a connaissance absolue de l'avenir, pour Dieu qui connaît dans sa pensée toutes les causes par lesquelles, de toute éternité, il est impossible que le futur ne soit pas le futur, pour sa sagesse d'où procède nécessairement et éternellement tout ce

18. Dans ce paragraphe, la pensée de Jean de Lugio, pour maladroite qu'elle soit, annonce celle de Spinoza.

qui existe, il est faux que les anges aient jamais pu avoir la libre faculté ou puissance de vouloir, de discerner, et de faire le Bien en tout temps, étant donné surtout que ce Dieu connaissait et prévoyait infailliblement la destination de tous ses anges, avant même qu'ils fussent créés; il est semblable à l'homme qui voit Pierre dans sa maison et sait parfaitement qu'il y est, et qui ferait un mensonge s'il disait : « Il est possible que Pierre ne soit pas ici. »

En ce qui concerne l'arbitre des anges, tel qu'il est pour Dieu, je déclare donc qu'il est faux de soutenir que les anges auraient pu ne pas pécher, et à plus forte raison : en Dieu qui voit dans sa pensée absolument tous les futurs. Dire qu'ils n'ont pas voulu ne pas pécher ne signifie rien du tout, car si les bons anges ont voulu faire le Mal, ce n'est pas sans cause : il paraît impossible aux savants que les bons anges aient pu haïr le Bien et désirer le Mal sans raison suffisante : nous l'avons rappelé plus haut : rien ne peut advenir sans cause. Il était donc nécessaire en Dieu que les anges devinssent des maudits et des démons, parce que, dans sa Providence éternelle existaient toutes les causes capables d'amener leur déchéance future. Sans aucun doute, il était impossible, dans la pensée divine, qu'ils pussent demeurer bons et saints à tout jamais.

Seuls les hommes qui ignorent l'avenir et la réalité des choses peuvent dire entre eux que les anges ont eu le pouvoir de faire tout le temps le Bien et le Mal. Les sages qui connaissent la vérité, c'est-à-dire le futur, et aussi l'ensemble des causes par lesquelles un être est nécessité à faire le Bien tout le temps ou à différents moments, jugent impossible que les anges aient eu la liberté de faire toujours le Bien ou toujours le Mal. Bien plus, ils considéreraient comme une nécessité qu'ils aient dû finalement déchoir. Car pour des sages qui connaîtraient toutes les causes qui s'opposaient à ce que les anges fussent toujours bons et qui les déterminaient, au contraire, à faire le Mal, il apparaîtrait comme absolument impossible qu'ils aient pu demeurer bons et saints jusqu'à la fin. C'est pourquoi ces savants — s'ils suivaient la théorie des ignorants (celle du « Principe unique ») — admettraient comme une évidence que les anges n'ont pas reçu de Dieu la vertu ou le libre pouvoir de faire toujours le Bien, mais au contraire, comme nous l'avons montré précédemment, les dispositions qui devaient les porter au Mal, par la suite : et ce serait là une conclusion très folle et impie.

### *La théorie de Maître Guillaume*[19].

Je n'aurai garde de passer sous silence la thèse de maître Guillaume, qui paraît sage à beaucoup de gens, mais qui ne l'est pas. Je lui ai entendu dire à peu près ceci : « Les anges ne furent pas créés parfaits, à l'origine, parce qu'il n'a pas été possible à Dieu de leur donner la perfection. Dieu, en effet, n'a jamais pu — et ne peut — créer un être *absolument semblable et égal à lui;* bien qu'il soit qualifié de tout-puissant par la plupart des religieux, c'est là, évidemment, une chose qu'il ne peut pas faire. Or, dans la mesure où les anges n'avaient point toute la beauté et toute la grandeur de Dieu, c'est-à-dire : où ils ne lui étaient pas absolument semblables et égaux, ils ont pu défaillir, en convoitant cette beauté et cette gran-

---

19. Peut-être « cet ancien chanoine de Nevers, Guillaume, passé à l'hérésie et réfugié, sous le nom de Thierry, sur les terres du comte de Toulouse en 1201. Pierre de Vaux-Cernay dit de lui qu'il était un docteur fameux parmi les hérétiques. La Croisade contre les Albigeois ne l'aurait-elle pas obligé à gagner la Lombardie ? Schmidt a pensé que Thierry (Theodoricus) était le Tetricus adversaire de Moneta de Crémone » (Dondaine, *op. cit.*, p. 23). Ce maître Guillaume était sûrement « dualiste mitigé ».

deur. N'est-il pas dit de Lucifer, dans Isaïe : « *Je placerai mon trône aux côtés de l'Aquilon et je serai semblable au Très-Haut* » (Isaïe, XIX, 13-14). On pourrait soutenir dès lors, qu'il n'est pas raisonnable de reprocher à Dieu de n'avoir pas créé ses anges parfaits (c'est-à-dire : d'une perfection telle qu'ils ne pussent convoiter la beauté et la grandeur de Dieu), puisque, comme nous venons de le dire, cela lui était impossible. »

Je voudrais réfuter cette thèse par l'argument très véridique que voici : « Si nous ne pouvons pas raisonnablement reprocher à Dieu de n'avoir pas fait ses anges tels qu'il leur fût impossible de convoiter sa beauté et sa grandeur, étant donné qu'il ne pouvait les rendre semblables et égaux à lui; c'est avec moins de raison encore que nous pouvons rendre les anges responsables de ce qu'ils n'ont pu, en aucune façon, éviter de tomber dans cette convoitise, puisqu'elle avait pour cause les dispositions qu'ils tenaient de leur créateur, lequel n'avait pu les rendre assez parfaits pour qu'ils ne désirassent point sa beauté et sa grandeur. »

Je dirai encore : si Dieu n'a pu donner à ses anges une perfection suffisante pour qu'ils ne désirent point sa grandeur, et qu'ainsi ils ne deviennent point des démons, par l'effet de cette convoitise; et si les anges non plus, n'ont pu s'empêcher en aucune façon de tomber dans ce mal, il s'ensuit nécessairement que — selon les disciples de maître Guillaume — tous les anges et même les hommes — ceux qui sont maintenant sauvés — devraient toujours convoiter la beauté et la grandeur de Dieu, toujours pécher contre lui en raison de cette concupiscence même et, à cause d'elle, devenir forcément des démons, comme les anges déchus le sont devenus en effet, à ce qu'ils disent. Et cela pour la raison essentielle que Dieu n'a pu, ne peut et ne pourra jamais faire que sa créature soit semblable et égale à lui.

Que si l'on nous dit : les élus ne peuvent plus convoiter ni pécher de la sorte, parce qu'ils ont été instruits et rendus sages et subtils par le châtiment infligé aux autres anges, transformés en démons par suite de la concupiscence, nous répondrons que, dans ce cas, Dieu, dont il a été dit plus haut qu'il était bon, saint et juste, serait la cause véritable et le principe du châtiment et du malheur de tous ces anges, puisqu'il leur aurait infligé sans raison ni justice, des peines éternelles. Et tout cela parce qu'il a été incapable de les créer d'une telle perfection qu'ils ne désirassent point sa beauté et sa grandeur, et parce que les anges n'ont pu éviter le Mal, du fait qu'ils avaient été créés avant les autres anges, qui, eux, devaient être mis en garde par le spectacle de leur châtiment et de leur déchéance. Or, ceux qui devinrent des démons — comme la plupart le soutiennent — n'ont pu être instruits ni éclairés par personne, puisqu'aucun ange n'a été créé avant eux. C'est donc à bon droit qu'ils pourraient se plaindre d'un tel maître qui leur a infligé des peines innombrables pour ce qu'il n'avait pu les rendre si parfaits qu'ils n'enviassent point sa beauté et sa grandeur, et pour ce qu'à cause de leur nature même ils n'avaient pu s'empêcher de tomber dans la concupiscence.

On se demande avec étonnement comment il a pu venir à l'esprit d'un homme sage de soutenir que Dieu — qui est bon, saint et juste — a cru devoir réprouver à jamais ces anges et leur infliger un supplice éternel, parce qu'il n'avait pu leur donner assez de perfection pour qu'ils n'enviassent point sa beauté et sa grandeur, et parce qu'eux-mêmes n'avaient pu recevoir de lui cette perfection.

***Des anges.***

On m'objectera peut-être ceci : quoique Dieu n'ait pu faire ses anges semblables et égaux à lui, cependant, s'il l'eût voulu, il aurait pu leur donner du moins, assez de perfection pour qu'ils ne fussent jamais envieux de sa beauté. Mais il ne l'a pas voulu : ils avaient reçu de lui le libre arbitre (c'est-à-dire : la libre vertu, le pouvoir de convoiter ou de ne pas convoiter, à leur gré, sa beauté et sa grandeur). Il faut répondre à cela que cet argument contredit le précédent, à savoir : que Dieu n'a pas rendu ses anges parfaits au point qu'ils n'éprouvassent point d'envie pour sa beauté et sa grandeur, parce qu'il lui était impossible, en quelque manière que ce fût, de les rendre semblables et égaux à lui.

Il est clair, en effet, selon cette théorie, que Dieu n'a pas voulu parfaire ses anges de façon à ce qu'ils ne pussent point désirer sa beauté et sa grandeur, mais qu'au contraire, sciemment et délibérément, il les a créés — en leur attribuant toutes les causes par lesquelles il prévoyait qu'ils pécheraient dans le futur — dans un tel degré d'imperfection qu'ils ne pouvaient nullement éviter la concupiscence. Et cela avec d'autant plus de nécessité que, dans la pensée divine, toutes les causes sont connues depuis le commencement, par lesquelles il fallait que leur concupiscence se manifestât un jour, et qu'en Dieu tout l'univers découle de lui éternellement et nécessairement, comme nous l'avons clairement expliqué à l'endroit de ce livre où il est traité du libre arbitre.

Il est donc évident pour les sages que Dieu — selon la théorie de nos adversaires — ne pourrait trouver d'excuse raisonnable au fait que non seulement il n'a pas voulu préserver ses anges du Mal, mais qu'encore il les a créés — sciemment et volontairement — en une imperfection telle qu'il leur fût impossible, de toute éternité, de ne point envier sa beauté et sa grandeur.

Et c'est pourquoi il faut se convaincre que les anges n'ont jamais reçu de Dieu le libre arbitre, par lequel ils auraient pu éviter complètement la concupiscence, et surtout, qu'ils ne l'ont pas reçu de ce Dieu qui connaît absolument l'avenir, dans la pensée duquel il est impossible que le futur — avec toutes les causes qui le déterminent — ne soit pas le futur, et qui — si l'on croit, comme nos adversaires, qu'il n'y a qu'un principe unique — est la cause suprême de toutes les causes. Si l'on acceptait, en effet, leur théorie, il faudrait nécessairement admettre que la cause essentielle de toute concupiscence et de tout mal, c'est ce Dieu lui-même, car il est écrit : « Celui qui fournit l'occasion du dommage passe pour l'avoir causé[20]. » Il n'est absolument pas possible de penser cela du vrai Dieu.

---

20. Cf. *Digeste* IX, 2, 30 : Ad legem Aquiliam. Qui *occidit* (Corpus Juris civilis, t. I, Berolini, 1893, p. 129. Dondaine, *op. cit.*, p. 98, note de la ligne 11).

# II

## De la création

***Théorie de nos adversaires : que Dieu est le créateur et le « Facteur » de toutes choses.***

Quoique nos adversaires n'aient point d'arguments rationnels à opposer à la vérité, peut-être cependant, méprisant ceux que nous venons de mettre en lumière, vont-ils se récrier avec force et nous dire : « Ces paroles ne méritent pas la moindre foi, parce que ce sont des opinions humaines, des raisonnements de philosophes, de ceux dont l'Apôtre dit dans l'*Epître aux Colossiens* : « *Prenez garde que personne ne vous surprenne par la philosophie, et par des raisonnements vains et trompeurs, selon une doctrine tout humaine, et les éléments d'une science mondaine, et non selon Jésus-Christ* » (Col., II, 8). Peut-être même nous objecteraient-ils que la théorie des deux principes ne peut pas être adoptée sur la seule foi des arguments susdits, parce qu'elle n'est nullement prouvée par les témoignages des Saintes Ecritures, et, tout spécialement, parce qu'il est impossible de découvrir, dans les textes sacrés qui font autorité, la preuve qu'il existe — en dehors du Seigneur vrai Dieu — un autre Dieu, créateur et organisateur tout-puissant de toutes choses (en son monde), éternel ou sempiternel, et existant de toute antiquité, sans commencement ni fin.

Et pour prouver, en effet, que le Seigneur vrai Dieu est le seul créateur de tout, ils insisteraient volontiers, avec force, sur les « autorités » suivantes et sur d'autres du même genre : il est écrit dans l'*Apocalypse* : « *Vous êtes digne, ô Seigneur notre Dieu, de recevoir gloire, honneur et puissance, parce que c'est vous qui avez créé toutes choses; et que c'est par votre volonté qu'elles ont reçu l'être et qu'elles ont été créées* » (Apoc., IV, 11). Il est dit encore dans l'*Apocalypse* : « *Alors l'ange que j'avais vu et qui se tenait debout sur la mer et sur la terre, leva la main au ciel. Et jura par celui qui vit dans les siècles des siècles, qui a créé le ciel et tout ce qui est dans le ciel, la terre et tout ce qui est dans la terre, la mer et tout ce qui est dans la mer, qu'il n'y aurait plus de temps* » (Apoc., X, 5-6). L'Apôtre dit aux Hébreux : « *En effet, il n'y a point de maison qui ne soit bâtie par quelqu'un. Or, celui qui est (l'architecte) et le créateur de toutes choses, est Dieu* » (Hebr., III, 4). Jésus, fils de Syrach, dit également : « *Celui qui vit éternellement a créé toutes choses ensemble* » (Eccli., XVIII, 1). On lit dans le livre de la *Sagesse* : « *Il a tout créé, afin que tout subsiste* » (Sap., I, 14). Et les apôtres ont dit dans leurs *Actes* : « *Seigneur, vous êtes le créateur du ciel, de la terre, de la mer et de tout ce qu'ils contiennent* » (Act., IV, 24). Et Paul, dans ces mêmes *Actes*, s'adressant aux Athéniens : « *Voici ce que je vous annonce : Dieu qui a fait le monde, et tout ce qui est dans le monde, étant le Seigneur du ciel et de la terre, n'habite pas dans des temples bâtis par des hommes. Il n'est point honoré par des ouvrages de la main des hommes, comme s'il avait besoin de quelque créature, lui qui donne à tous la vie, la respiration, et toutes choses* » (Act., XVII, 23-25). Jean dit dans l'évangile : « *Toutes choses ont été faites par lui; et rien de ce qui a été fait, n'a été fait sans lui* » (Ioan., I, 3).

***Que Dieu est appelé le Père de toutes choses.***

Non seulement, en effet, notre Seigneur Dieu est appelé le créateur ou l'auteur de toutes choses, mais il en est encore appelé le *Père*. C'est ainsi que le nomme saint Paul dans l'*épître aux Ephésiens* : « *Il n'y a qu'un Seigneur, qu'une foi et qu'un baptême. Il n'y a qu'un Dieu Père de tous, qui est au-dessus de tous, qui étend sa providence sur tous et qui réside en tous* » (Ephes., IV, 5-6). Il dit ailleurs, dans la même épître : « *C'est pour ce sujet que je fléchis les genoux devant le Père de notre Seigneur Jésus-Christ, devant Dieu qui est le principe de toute cette grande famille, laquelle est dans le ciel et sur la terre* » (Ephes., III, 14-15). Il dit encore dans la *première épître aux Corinthiens* : « *Il n'y a néanmoins pour nous qu'un seul Dieu, qui est le Père, de qui toutes choses procèdent, et qui nous a faits pour lui; et il n'y a qu'un seul Seigneur, qui est Jésus-Christ, par qui toutes choses ont été faites, et par qui nous sommes tout ce que nous sommes* » (I Cor., VIII, 6). Et dans l'*épître aux Romains* : « ... *Car tout est de lui, tout est par lui, et tout est en lui* » (Rom., XI, 36). Toutes choses, en effet, on été fondées dans le Seigneur Jésus-Christ, c'est par lui et en lui que tout a été créé, comme Paul le dit aux Colossiens, en parlant du Christ, « *qui est l'image du Dieu invisible, et qui est né avant toutes les créatures. Car toutes choses ont été créées par lui, tant celles du ciel que celles de la terre, les visibles et les invisibles; soit les trônes, soit les dominations, soit les principautés, soit les puissances, tout a été créé par lui et pour lui. Il est avant toutes choses, et elles subsistent toutes en lui* » (Col., I, 15-17).

C'est par de tels arguments et par d'autres tout semblables qu'on voit souvent nos adversaires donner quelque apparence de solidité à leur théorie.

**De la toute-puissance, de l'éternité, de la sempiternité de Dieu.**

Pour prouver, en effet, que notre Seigneur est tout-puissant, éternel ou sempiternel, et très antique[1], nos adversaires pourraient produire certains témoignages tirés des divines Ecritures, et affirmer ainsi qu'il n'y a pas d'autre puissance, ni d'autre pouvoir que celui de Dieu, comme David le dit : « *Car j'ai reconnu que le Seigneur est grand, et que notre Dieu est élevé au-dessus de tous les dieux. Le Seigneur a fait tout ce qu'il a voulu, dans le ciel, dans la terre, dans la mer et dans tous les abîmes* » (Ps. CXXXIV, 5-6); et l'Apôtre, dans la *première épître à Timothée* : « *Je vous ordonne, devant le Dieu qui fait vivre tout ce qui vit, et devant Jésus-Christ qui a attesté par sa mort l'excellente confession qu'il avait faite sous Ponce-Pilate, de garder ces préceptes, en vous conservant sans tache et sans reproche, jusqu'à l'avènement glorieux de notre Seigneur Jésus-Christ, que doit faire paraître en son temps celui qui est souverainement heureux, qui est le seul puissant, le Roi des rois et le Seigneur des seigneurs* » (I Tim., VI, 13-15). Il est écrit dans l'*Apocalypse* : « *Nous vous rendons grâces, Seigneur, Dieu tout-puissant* » (Apoc., XI, 17). Et l'Apôtre dit aux Romains : « *Car il n'y a point de puissance qui ne vienne de Dieu, et c'est lui qui a établi toutes celles qui sont sur la terre* » (Rom., XIII, 1).

Que notre Seigneur le vrai Dieu soit éternel ou sempiternel, et très Ancien, cela est démontré par les témoignages suivants : David dit, en effet : « *... pour que vous en fassiez le récit aux autres races. Car c'est là notre Dieu, notre Dieu pour toute l'éternité, et il régnera sur nous dans tous les*

1. Dieu est éternel dans l'Eternité : dans le temps, il est le très Ancien.

*siècles* » (Ps. XLVII, 14-15). Et Isaïe : « *Voici ce que dit le Très-Haut, le Dieu sublime qui habite dans l'éternité* »; et l'Apôtre, s'adressant aux Romains : « *Conformément à la révélation du mystère qui, étant demeuré caché dans tous les siècles passés, a été découvert maintenant par les Ecritures prophétiques selon l'ordre du Dieu éternel* » (Rom., XVI, 25-26).

Sur la sempiternité de ce même vrai Dieu, Isaïe déclare : « *Dieu est le Seigneur éternel, qui a créé toute l'étendue de la terre* » (Isa., XL, 28); et Jérémie : « *Mais le Seigneur est lui-même le Dieu véritable, le Dieu vivant, le roi sempiternel* » (Jér., X, 10).

Au sujet de l'Antiquité du Seigneur, Daniel nous dit : « *Je considérais ces choses dans une vision de nuit, et je vis comme le Fils de l'homme qui venait avec les nuées du ciel, qui s'avança jusqu'à l'Ancien des jours* » (Dan., VII, 13). Et il dit plus loin : « *Jusqu'à ce que l'Ancien des jours parût* » (Dan., VII, 22).

Aussi, nos adversaires pourraient-ils soutenir, semble-t-il, d'après ces témoignages et d'autres du même genre, qu'il est d'obligation de croire fermement qu'il n'y a qu'un seul Dieu, Seigneur et prince tout-puissant, éternel ou sempiternel, et très « ancien », comme ce que nous avons dit jusqu'ici paraît le démontrer clairement.

### *Où l'on résout la difficulté soulevée par ces objections et ces témoignages.*

Je voudrais, avec l'aide de Jésus-Christ, résoudre la difficulté soulevée par les autorités scripturaires qu'on nous oppose, en faisant connaître ma théorie sur ce point. Je dirai, premièrement, ce qu'il faut penser des actions de *créer* et de *faire,* par référence auxquelles, dans les Saintes-Ecritures, Dieu est appelé *Créateur* ou « Facteur » (factor) de toutes choses; deuxièmement : ce qu'il faut entendre, dans ces mêmes Ecritures, par les mots « toutes choses » (*omnia*) et les autres formules ou « signes » universels[2].

*Créer* ou *faire* ont, à mon avis, trois acceptions différentes dans les Ecritures. On dit — *premièrement* — que le vrai Seigneur Dieu « crée » ou « fait », quand il ajoute quelque chose aux essences des êtres qui étaient déjà très bons, pour les déterminer à secourir les âmes qui doivent être sauvées : c'est ainsi que notre Seigneur Jésus-Christ fut ordonné évêque par le vrai Dieu et oint de l'Esprit-Saint et de sa vertu, afin qu'il libérât tous ceux qui étaient opprimés par le Diable. De même les anges ont été « faits » ministres de Dieu le Père, afin qu'ils viennent en aide à ceux qui reçoivent le salut en héritage. *Deuxièmement* : on peut dire que Dieu « fait » ou « crée », quand il ajoute lui-même quelque chose aux essences des entités qui avaient été créées mauvaises, afin de les disposer ainsi aux bonnes œuvres. Enfin, *troisièmement*, on peut dire que Dieu crée ou fait, quand il permet à celui qui est entièrement mauvais — ou à un de ses ministres — d'accomplir quelque chose qu'il désire — mais qu'il ne pourrait jamais accomplir par ses seules forces — en tolérant et souffrant *un temps* sa malice, pour que cela tourne finalement à son honneur et à la confusion de son très perfide ennemi.

### *De la création ou « façon » du premier genre.*

Ce premier genre de création (ou « façon »), je vais fournir la preuve très évidente qu'il figure dans les Saintes Ecritures. Saint Paul, en effet, parlant aux Colossiens de la création de notre Seigneur Jésus-Christ, leur dit : « *N'usez point de menson-*

2. Il s'agit des formules « universelles » désignant la *totalité* des choses créées : *omnia, universa, cuncta*. Pour les docteurs « romains », les termes universels ne laissent rien en dehors d'eux. Dire que Dieu a *tout* créé, c'est affirmer, par cela même, qu'il n'y a point d'*autre* créateur.

*ges les uns envers les autres : dépouillez-vous du vieil homme et de toutes ses œuvres; et revêtez-vous du nouveau, qui se renouvelle en avançant dans la connaissance de Dieu, et étant formé à la ressemblance de celui qui l'a créé* » (Col., III, 9-10). Le même apôtre dit aux Ephésiens : « *Renouvelez-vous dans l'esprit de votre intelligence et revêtez-vous de l'homme nouveau qui a été créé selon Dieu dans une justice et une sainteté fondée sur la vérité* » (Ephes., IV, 23-24). Le Seigneur dit par la bouche d'Isaïe : « *Cieux, envoyez d'en-haut votre rosée, et que les nuées fassent descendre le Juste comme une pluie; que la terre s'ouvre, et qu'elle germe le Sauveur, et que la Justice naisse en même temps. Je suis le Seigneur qui l'ai créé* » (Is., XLV, 8). De la création de notre Seigneur Jésus-Christ lui-même, saint Pierre dit dans les *Actes des apôtres* : « *Que toute la maison d'Israël sache donc très certainement que Dieu a fait Seigneur et Christ celui (dont David a parlé), ce Jésus que vous avez crucifié* » (Act., II, 36); et Paul, dans l'*épître aux Hébreux* : « *C'est pourquoi, vous, mes frères, qui êtes saints et qui avez part à la vocation céleste, considérez Jésus, l'apôtre et le pontife de la religion que nous professons; lequel est fidèle à celui qui l'a établi (fecit)* » (Hebr., III, 1-2). Paul dit encore : « *Car à qui des anges Dieu a-t-il jamais dit : Vous êtes mon Fils, je vous ai engendré aujourd'hui ?* » (Hebr., I, 5).

Au sujet de la création des bons esprits et des anges qui ont été faits par le Seigneur vrai Dieu, le saint apôtre dit aux Hébreux : « *C'est pourquoi (en parlant des anges), l'Ecriture dit que des esprits Dieu en a fait ses anges, et que, des flammes ardentes, il en fait ses ministres* » (Hebr., I, 7). Il dit en outre : « *Ne sont-ils pas tous des esprits qui sont destinés pour servir, et envoyés pour exercer leur ministère*[3], *en faveur de ceux qui seront les héri-*

3. Ms. et Dondaine : *misterio*; corr. : *ministerio*. Vulg. : *in ministerium missi.*

*tiers du salut ?* » (Hebr., I, 14). Le Seigneur dit encore par la bouche d'Isaïe : « *Allez, anges légers... et cetera* (*sic*)... » (Is., XVIII, 2).

**Que « créer » et « faire », c'est créer et faire à partir de quelque chose, comme d'une matière préexistante.**

C'est pourquoi l'on doit croire fermement que, lorsqu'on dit de notre Seigneur Jésus-Christ et des autres bons anges du Père véritable qu'ils ont été créés ou produits par le Seigneur vrai Dieu, on ne veut pas faire entendre par là que leurs essences ont pris commencement absolu dans cette création ou « façon », ni, surtout, que leurs essences ont été constituées de *rien,* comme nos adversaires semblent l'affirmer, eux qui pensent que, pour Dieu, *créer* consiste, proprement et principalement, à *faire quelque chose de rien.* Leur interprétation est très nettement réfutée par les témoignages tirés des divines Ecritures : dans l'*évangile de Matthieu,* l'ange du Seigneur dit, en effet, à Joseph : « *Joseph, fils de David, ne craignez point de retenir Marie votre femme, car ce qui est formé en elle vient du Saint-Esprit* » (Matth. I, 20) ; il ne dit pas : *a été créé de rien.* Et il est écrit au livre de la *Sagesse* : « *Car il n'était pas impossible à votre main toute-puissante, qui a tiré tout le monde d'une matière informe*[4]... » (Sap., XI, 28) ; et dans la *Genèse* : « *Et Dieu forma donc l'homme du limon de la terre; il répandit sur son visage un souffle de vie, et l'homme devint vivant et animé* » (Gen., II, 7). Jésus, fils de Syrach, nous dit : « *C'est le Très-Haut qui a produit de la terre tout ce qui guérit* » (Eccli., XXXVIII, 4), et il dit dans un autre passage : « *Dieu a créé l'homme de la terre, et l'a formé à son image* » (Eccli., XVII, 1).

Il est donc évident, aux yeux des sages, que nous

4. *Ex materia invisa* : d'une matière « ennemie ».

avons d'excellentes raisons de rejeter, sur la foi des témoignages scripturaires mêmes, la théorie de nos adversaires.

### *Création et façon.*

Ma théorie se trouve donc vérifiée : selon ce que j'ai assez clairement exposé et démontré plus haut, créer ou faire, c'est ajouter quelque chose à l'essence de ceux qui étaient déjà très bons. Ce que je crois qu'il faut préciser ainsi : *on dit que les bons ont été créés ou faits par Notre-Seigneur le vrai Dieu, quand ils ont été établis par lui pour le salut des pécheurs*. C'est en ce sens que l'Apôtre dit aux Hébreux, parlant de notre Seigneur Jésus-Christ : « *Qu'est-ce que l'homme, pour mériter votre souvenir ? et qu'est-ce que le Fils de l'homme, pour que vous le visitiez, etc... et vous lui avez donné l'empire sur les ouvrages de vos mains* » (Hebr., II, 6-7). Et David, qui, pour la foi, figure ici le Christ, dit également : « *Mais pour moi j'ai été établi roi par lui sur Sion, sa sainte montagne...* » (Ps. II, 6). Et ainsi, selon notre interprétation, cette création ou « refaçon » des bons serait bonne et noble : c'est d'elle, sans doute, que veut parler l'Ecclésiaste, lorsqu'il dit : « *Tout ce que Dieu a fait est bon en son temps* » (Eccle., III, 11) ; ou : « *J'ai appris que tous les ouvrages que Dieu a créés demeurent à perpétuité, et que nous ne pouvons ni rien ajouter, ni rien ôter à tout ce que Dieu a fait, afin qu'on le craigne* » (Eccle., III, 14). Jésus, fils de Syrach, déclare lui aussi : « *Les ouvrages du Seigneur sont tous souverainement bons* » (Eccli., XXXIX, 21). Il est écrit dans le livre de la *Sagesse*[5] : « *Combien ses œuvres sont-elles aimables !... elles subsistent toutes et demeurent pour jamais, et elles lui obéissent dans tout ce qu'il demande d'elles*[6] » (Eccli., XLII, 23-24).

---

5. En réalité : l'*Ecclésiastique*.
6. *In omni necessitate.*

Et David s'écrie : « *Que vos œuvres sont grandes et excellentes, Seigneur! Vous avez fait toutes choses avec une souveraine sagesse* » (Ps. CIII, 24). Et il dit ailleurs : « *Le jour ne subsiste tel qu'il est que par votre ordre, car toutes choses vous obéissent* » (Ps. CXVIII, 9). Et encore : « *Il a parlé et ces choses ont été faites, il a commandé et elles ont été créées. Il les a établies pour subsister éternellement et dans tous les siècles* » (Ps. CXLVIII, 5-6). Il paraît donc clairement prouvé que cette noble création ou production d'êtres bons par le vrai Dieu, a été établie pour l'éternité et pour les siècles des siècles. Ce qui, à ce qui me semble, ne peut guère s'accorder avec la théorie de nos adversaires, s'il est vrai surtout que les cieux qui existent maintenant, et la terre, et tous les éléments doivent être complètement détruits par l'ardeur du feu, comme saint Pierre, selon eux, et comme on doit le croire, l'a attesté (II Petr., III, 10).

***De la création ou façon du second genre.***

Sur cette seconde création ou « façon », dont j'ai dit plus haut qu'elle consistait à ajouter quelque vertu aux essences de ceux qui ont été créés mauvais, afin de les disposer aux bonnes œuvres, je vais maintenant expliquer mon sentiment (en fournissant de clairs témoignages) : l'Apôtre dit aux Ephésiens : « *Car nous sommes son ouvrage, étant créés en Jésus-Christ dans les bonnes œuvres que Dieu a préparées, afin que nous les pratiquions* » (Ephes., II, 10). David dit, lui aussi : « *Tous attendent de vous que vous leur donniez leur nourriture, lorsque le temps en est venu. Lorsque vous leur donnez, ils recueillent; et lorsque vous ouvrez votre main, ils sont tous remplis des effets de votre bonté. Mais si vous détournez d'eux votre face, ils seront troublés; vous leur ôterez l'esprit de vie, ils tomberont dans la défaillance, et retourneront dans leur poussière. Envoyez ensuite votre esprit et votre souffle divin et ils seront créés; et vous renouvellerez toute la face de la terre* » (Ps. CIII, 28-31).

**Où l'on résout la difficulté soulevée par le texte d'Isaïe : « Je suis le Seigneur et il n'y en a point d'autre. »**

Le Seigneur a dit lui-même par la bouche d'Isaïe : « *Je suis le Seigneur et il n'y en a point d'autre. C'est moi qui forme la lumière et qui forme les ténèbres, qui fais la paix et qui crée les maux; je suis le Seigneur, qui fais toutes ces choses* » (Isa., XLV, 6-7). Il faut comprendre cette « autorité », comme si elle signifiait : il n'y a pas d'autre Seigneur que moi *qui forme la lumière* : c'est-à-dire : qui forme le Christ, lequel est la véritable lumière « *qui éclaire tout homme venant en ce monde* », comme saint Jean le dit dans l'Evangile (Ioan., I, 9) — et qui « *forme* » *les ténèbres,* c'est-à-dire : qui « crée » en ses bonnes œuvres (selon l'explication proposée plus haut), le peuple des Gentils, lequel avait d'abord été créé plein de ténèbres et marchait dans les ténèbres, comme on le lit dans l'Evangile : « *Ce peuple qui demeurait dans les ténèbres a vu une grande lumière* » (Matth., IV, 16; *ex* Isa., IX, 2); et dans l'*Epître aux Ephésiens* : « *Car vous n'étiez autrefois que ténèbres, mais maintenant vous êtes lumière en notre Seigneur : conduisez-vous en enfants de lumière* (Ephes., V, 8). — *Moi qui fais la paix* : ces mots signifient : *moi qui crée le Christ;* car le Christ fut notre paix, comme le dit de Lui l'apôtre aux Ephésiens : « *C'est lui qui est notre paix; qui des deux peuples n'en a fait qu'un; qui a détruit par sa mort (dans la chair) la muraille de séparation, l'inimitié qui les divisait;* ou encore : « moi qui fais la paix entre le peuple des Gentils et le peuple israélite », comme le dit un passage de la même épître : « *Formant en soi-même un seul homme nouveau de ces deux peuples en mettant la paix entre eux, afin que les ayant réunis tous deux en un seul corps, il les réconciliât avec Dieu*[7]*... Ainsi, il est venu annoncer la paix, à vous qui étiez éloignés, et à ceux qui étaient proches; parce que c'est par lui que nous avons accès les uns et les autres auprès du Père dans un même Esprit* » (Ephes., II, 14-18). — *Et qui crée le Mal* : c'est-à-dire : c'est moi qui « crée » dans ses bonnes œuvres le peuple israélite qui avait été d'abord créé mauvais, comme le Christ le lui rappelle dans l'évangile de saint Matthieu : « *Si donc, tout méchants que vous êtes, vous savez donner de bonnes choses à vos enfants; combien plus votre Père qui est dans le ciel, donnera-t-il les vrais biens à ceux qui les lui demandent!* » (Matth., VII, 11). Voilà dans quel sens il est dit, dans les Ecritures, que le Seigneur a créé les ténèbres et le mal. Cette interprétation ne peut être adoptée par nos adversaires, qui croient que la création consiste à *faire quelque chose de rien*. Mais leur théorie se trouve très clairement réfutée : car si le Seigneur vrai Dieu avait créé, proprement et principalement, les ténèbres et le Mal, il serait, sans nul doute, la cause et le principe de tout mal, ce qu'il est absurde et impie de penser du vrai Dieu.

***De la « création » de ceux qui avaient d'abord été créés mauvais.***

Au sujet de la création (de ceux qui avaient d'abord été créés mauvais) saint Paul dit dans la *seconde épître aux Corinthiens* : « *... non que nous soyons capables de former de nous-mêmes aucune bonne pensée, mais c'est Dieu qui nous en rend capables. Et c'est lui aussi qui nous a rendus capables d'être les ministres de la nouvelle alliance, non pas de la lettre, mais de l'esprit : car la lettre tue et l'esprit donne la vie* » (II Cor., III, 5-6). Il dit

---

7. Citation incomplète : manquent les mots : *per crucem... in semetipso* : « par sa croix, y ayant détruit (en soi-même) leur inimitié.

encore dans l'*épître aux Colossiens* : « *Rendant grâces à Dieu le Père qui, par la lumière de la foi, nous a rendus dignes d'avoir part au sort et à l'héritage des saints* » (Col., I, 12). Le même apôtre dit aux Corinthiens : « *Si donc quelqu'un est à Jésus-Christ, il est devenu une nouvelle créature; ce qui était vieux est passé; maintenant tout est devenu nouveau* » (II Cor., V, 17). C'est aussi de cette nouvelle création, croyons-nous, que saint Jean veut parler dans l'*Apocalypse* : « *Alors celui qui était assis sur le trône dit : Je m'en vais faire toutes choses nouvelles* » (Apoc., XXI, 5). D'où l'on peut conclure, selon notre interprétation, que le Seigneur notre Dieu est appelé, dans les Ecritures, *creator* ou *factor,* quand il établit les pécheurs dans les bonnes œuvres : nous venons de le démontrer avec suffisamment de clarté.

### De la création ou façon du troisième genre.

Sur la troisième création ou « façon » — qui s'entend, ai-je dit plus haut, de l'action par laquelle le vrai Dieu permet à celui qui est absolument mauvais, ou à un de ses ministres, d'accomplir ce qu'il désire, et qu'il ne pourrait jamais accomplir par ses seules forces, si le Seigneur Bon ne tolérait patiemment et ne supportait, *un temps,* sa fourberie, pour que cela tourne finalement à sa gloire et à la confusion de son détestable ennemi — je vais exposer mon sentiment, en m'appuyant sur l'autorité des saintes Ecritures. Le prophète Ezéchiel dit du roi Assur, qui est ici une figuration du Diable : « *Il n'y avait point de cèdres, dans le jardin de Dieu, qui fussent plus hauts que celui-là; les sapins ne l'égalaient point dans sa hauteur, ni les platanes dans l'étendue de ses branches. Il n'y avait point d'arbre, dans le jardin de Dieu, qui ressemblât à celui-là, qui lui fût comparable en beauté. Comme le Seigneur l'avait fait si beau, et qu'il avait poussé tant de branches et si épaisses, tous les arbres les plus délicieux qui étaient dans le jardin de Dieu lui portaient envie* » (Ezech., XXXI, 8-9). Et le Seigneur dit par la bouche d'Isaïe : « *C'est moi qui ai créé l'ouvrier qui souffle les charbons de feu pour former les instruments dont il a besoin pour son ouvrage; c'est moi qui ai créé le meurtrier qui ne pense qu'à tout perdre* » (Isa., LIV, 16). Il dit encore : « *Je suis le Seigneur, et il n'y en a point d'autre. C'est moi qui forme la lumière et qui forme les ténèbres, qui fais la paix et qui crée les maux; je suis le Seigneur, qui fais toutes ces choses* » (Isa., XLV, 6-7). David a dit : « *Là se voit ce monstre que vous avez formé, Seigneur, pour s'y jouer* » (Ps. CIII, 26). Le Seigneur lui-même dit à Job : « *Considérez Béhémoth, que j'ai créé avec vous. Il mangera le foin comme un bœuf* » (Job, XL, 10). Si donc on entend par Assur et par l'ouvrier, par le meurtrier, par les ténèbres et par le mal, par le Dragon et par Béhémoth, celui qui est le principe suprême de tous les maux, il faut admettre nécessairement que le vrai Dieu n'a pas créé les ténèbres et le mal, le meurtrier, etc..., sinon dans le sens que nous disions, c'est-à-dire : en supportant que son très détestable ennemi exerçât, un temps, sa malice et sa fourberie contre ses propres créatures, afin de permettre qu'elles fussent maltraitées en raison de leurs péchés. C'est ainsi que l'on peut dire que notre Seigneur Dieu « fait » le mal : il le « fait » quand, à cause de nos péchés, il ne veut pas l'empêcher; c'est ce que dit Isaïe : « *Cependant le Seigneur, comme il est sage, a fait venir sur eux les maux qu'il avait prédits, et il n'a point manqué d'accomplir toutes ses paroles* » (Isa., XXXI, 2). Par la bouche de Jérémie, ce même Dieu a dit : « *Parce que je ferai venir de l'Aquilon un mal horrible et un grand ravage* » (Jér., IV, 6); et par la bouche d'Habacuc : « *Je vais susciter les Chaldéens, cette nation cruelle et d'une incroyable vitesse, qui court toutes les terres pour s'emparer des maisons des autres* » (Habac., I, 6); et par la bouche d'Amos : « *La trompette sonnera-t-elle dans la ville sans que le peuple soit dans l'épouvante ? Y arrivera-t-il quelque mal qui ne vienne pas du Seigneur ?* » (Amos, III, 6). Le bienheureux Job dit également : « *Les maisons des voleurs publics sont dans l'abondance et ils s'élèvent audacieusement contre Dieu, quoique ce soit lui qui leur ait mis entre les mains tout ce qu'ils possèdent* » (Job, XII, 6). Le prophète Daniel s'exprime ainsi en parlant du roi de Babylone : « *Vous êtes le roi des rois, et le Dieu du ciel vous a donné le royaume, la force, l'empire et la gloire. Il vous a assujetti les enfants des hommes et les bêtes de la campagne, en quelque lieu qu'ils habitent, et il a mis en votre main les oiseaux même du ciel, et il a soumis toutes choses à votre puissance* » (Dan., II, 37-38). Tout cela, il faut le comprendre comme se rapportant à la permission, que le vrai Dieu a accordée au Démon, de sévir contre son peuple, pour la punition de ses péchés. C'est ce qu'Eliu dit à Job, pour l'accuser : « *Sur toutes les nations en général et sur tous les hommes, Dieu fait régner l'homme hypocrite, à cause des péchés du peuple* » (Job, XXXIV, 29-30). Et cela signifie : « Il *supporte* qu'il règne à cause des péchés du peuple. » C'est ce que déclare aussi l'Apôtre aux Romains : « *Qui peut se plaindre si Dieu, voulant montrer sa juste colère et faire connaître sa puissance, a souffert avec une patience extrême les vases de colère préparés pour la perdition, afin de faire éclater les richesses de sa gloire, à l'égard des vases de miséricorde qu'il a préparés pour la gloire ?* » (Rom., IX, 22-23). Il ne faut donc pas croire que le vrai Dieu « fait le mal » par action directe et principielle, car s'il en était ainsi, c'est-à-dire : s'il n'existait pas, par ailleurs, un mal dont il n'est point la cause essentielle et directe, c'est lui, ce vrai Dieu, qui serait la cause profonde et le principe de tout mal : ce qui est une opinion aussi vaine que stupide.

On voit, par là, comment notre théorie explique facilement que Dieu ait « créé » les ténèbres, le mal, le meurtre; qu'il ait « produit » Assur et « formé » le dragon et beaucoup d'autres choses contraires à son essence, dont il est fait mention dans les divines Ecritures. En réalité : il a seulement toléré que ces monstres régnassent sur son peuple, à cause de ses péchés, et, dans ce sens, on peut dire que les méchants ont été « faits » par lui, dans la mesure où il leur a donné l'autorisation d'exercer un temps leurs sévices contre ses créatures. En ce même sens, nous pouvons facilement concéder que Sathan a été créé ou formé par le vrai Dieu, quand il eut reçu de lui la permission de tourmenter Job, car il a accompli, alors, avec la permission divine, ce qu'il n'aurait jamais pu accomplir sans elle. Dire que Sathan a été « fait » par Dieu, c'est marquer seulement qu'il a été fait par lui Prince du peuple, non en essence (*simpliciter*), mais comme indirectement (*improprie*) et par accident (*per accidens*).

Et non seulement il a été permis à Sathan de régner sur les pécheurs, mais encore de tenter les justes, comme il est rapporté, à propos de notre Seigneur Jésus-Christ lui-même, dans l'évangile de Matthieu : « *Alors Jésus fut conduit par l'Esprit dans le désert, pour y être tenté par le Diable* » (Matth., IV, 1); et dans l'évangile de saint Marc : « *Aussitôt après, l'Esprit le poussa dans le désert, où il demeura quarante jours et quarante nuits. Il y était tenté par Sathan* » (Marc, I, 12-13); et dans l'évangile du fidèle Luc : « *Jésus étant plein du Saint-Esprit, s'éloigna du Jourdain; et cet esprit le poussa dans le désert. Il y demeura quarante jours, et y fut tenté par le Diable* » (Luc, IV, 1-2). Et, plus loin, dans le même évangile : « *Le Diable, ayant achevé toutes ses tentations, se retira de lui pour un temps* » (Luc, IV, 13). On trouve la même idée clairement exprimée dans le livre du bienheureux Job, où le Seigneur Dieu lui-même dit à Sathan : « *Va, tout ce qu'il a est en ton pouvoir; mais je te défends de porter la main sur lui* » (Job, I, 12). Le Seigneur dit encore, expressément, à Sathan, au sujet du même Job : « *Va, il est en ta main; mais ne touche point à sa vie* (*animam illius*) » (Job, II, 6). Et Job dit de lui-même : « *Dieu m'a tenu lié sous la puissance de l'injuste; il m'a livré entre les mains des impies* » (Job, XVI, 12). Il dit encore : « *Pourriez-vous vous plaire à me livrer à la calomnie, et à m'accabler, moi, qui suis l'ouvrage de vos mains ? Pourriez-vous favoriser les mauvais desseins des impies ?* » (Job, X, 3). Dans l'évangile de Jean, le Christ dit à Pilate, ministre de Sathan : « *Vous n'auriez aucun pouvoir sur moi, s'il ne vous avait été donné d'en-haut* » (Ioan., XIX, 11), c'est-à-dire : si *cela* ne vous avait pas été donné d'en-haut, entendez : par le Dieu bon. C'est ainsi que l'on peut dire que Dieu fait le mal : il le fait, quand, pour une cause *rationnelle,* il ne veut pas l'empêcher : cela est clairement confirmé par ce qu'on trouve au *Livre de Tobie,* où il est dit de Tobie, comparé au bienheureux Job : « *Dieu permit que cette tentation lui arrivât, afin que sa patience servît d'exemple à la postérité, comme celle du saint homme Job* » (Tob., II, 12). Et saint Jacques dit aussi : « *Vous avez appris quelle a été la patience de Job et vous avez vu comment le Seigneur a terminé ses maux* » (Iac., V, 11).

Que l'on doive comprendre ainsi les autorités précitées, *même si l'on se place au point de vue de ceux qui croient que créer, c'est faire quelque chose de rien,* cela est prouvé par ce qui suit : l'Apôtre dit, en effet, à Timothée : « *Car tout ce que Dieu a créé est bon et on ne doit rien rejeter...* » (Tim., IV, 4). Et, de même, l'Ecclésiaste : « *Tout ce que Dieu a fait est bon en son temps* » (Eccle., III, 11). Et on lit au livre de la *Sagesse* : « *Etant donc juste comme vous êtes, vous gouvernez toute chose justement* » (Sap. XII, 15). Dieu n'a donc pas créé les ténèbres, ni le mal, ni formé le dragon, s'il est vrai qu'il a fait le Bien et qu'il a créé et ordonné justement toute chose. Nos adversaires eux-mêmes n'ont point accoutumé de penser qu'il a créé le diable en forme de dragon, ni qu'il a créé les anges en l'état de démons ténébreux, mais, au contraire, sous des espèces lumineuses et glorieuses.

***Que Dieu n'a créé ni les Ténèbres ni le Mal.***

Il résulte de tout ce qui précède qu'il est absolument impossible de croire que le Seigneur vrai Dieu a créé, directement et dans le principe, les ténèbres et le Mal, ni surtout qu'ils les a créés *à partir du néant*, comme nos adversaires le croient expressément, bien que Jean leur ait affirmé, dans la première épître : « *Que Dieu est la lumière même et qu'il n'y a point en lui de ténèbres* » (I Ioan., I, 5), et que, par conséquent, les ténèbres ne sont point *par* lui. Les ténèbres doivent donc être exceptées du « terme universel[8] » qu'emploie l'Apôtre dans l'*épître aux Romains* : « *Car tout* (*omnia*) *est de lui, tout est par lui, et tout est en lui* » (Rom., XI, 36); exceptées également des autres termes universels employés par lui dans l'épître aux Colossiens, où il dit, en parlant du Christ : « *Car toutes choses* (*universa*) *ont été créées par lui, tant celles du ciel que celles de la terre, les visibles et les invisibles; soit les trônes, soit les dominations, soit les principautés, soit les puissances, tout* (*omnia*) *a été créé par lui et pour lui. Il est avant toutes choses, et elles subsistent toutes en lui* » (Col., I, 16-17). C'est pourquoi le Christ peut dire de lui-même : « *Je suis la lumière du monde. Celui qui me suit ne marche point dans les ténèbres, mais il aura la lumière de la vie* » (Ioan., VIII, 12). Car les ténèbres n'ont point été créées directement et principalement par notre Seigneur le vrai Dieu et son Fils, Jésus-Christ, mais indirectement et à partir d'une réalité préexistante,

---

8. Notre auteur a montré qu'il y avait contradiction entre les divers témoignages de la Bible, *tels que les « Romains » les comprennent*. Il n'est pas possible que Dieu ait créé *de rien* tout le Bien et tout le Mal. Donc, il faut adopter son interprétation et restreindre du même coup le sens des *termes universels* employés dans les Ecritures. Ce développement annonce le traité suivant (*De signis universalibus*), qui en est la suite logique.

comme nous l'avons démontré plus haut, avec évidence, d'après les autorités scripturaires[9] (encore que, dans notre système, ces autorités invoquées puissent être interprétées d'une façon toute différente, comme on a vu que nous l'avons fait quelquefois, précédemment).

Il est donc possible — par ces trois modes de création, et en définissant, par ailleurs, le sens qui s'attache, dans les divines Écritures, à *omnia* (tout) et aux autres termes universels, d'expliquer correctement, dans l'esprit de notre croyance, les autorités citées plus haut, lesquelles affirment que notre Seigneur le vrai Dieu a créé et fait l'*univers entier* : le ciel, la terre, la mer et les choses qui s'y trouvent; qu'il a *tout* fondé en le Seigneur Jésus-Christ, dans les cieux et sur la terre; qu'enfin *tout* a été créé par lui, en lui, et de sa propre substance, comme on l'a vu par les nombreux passages précités.

---

9. Interprétées à la façon des catholiques.

# III

## Des signes universels

***Où l'on nie que par « tout » et par les autres termes « universels » il faille entendre à la fois les biens et les maux.***

Il me faut, maintenant, exposer ma pensée sur un point qui donne souvent à nos adversaires l'occasion de triompher de nous : ils veulent que, par ces « signes » universels, comme *tout* (omnia) *toutes choses sans exception* (universa), *toutes choses* (cuncta), et d'autres termes semblables, qui signifient, dans les saintes Ecritures, l'*ensemble des êtres,* se trouve très souvent confirmée leur opinion qu'il ne faut point faire de distinction dans les substances. De quoi ils s'autorisent pour affirmer que *toutes* ces substances, les bonnes comme les mauvaises, les transitoires comme les permanentes, ont bien été créées et faites par notre Seigneur juste, vrai et saint. Avec l'aide du vrai Père, je vais réfuter leur interprétation par des arguments très probants tirés des divines autorités.

***Des signes universels.***

On doit savoir que ces signes universels — bien qu'ils soient qualifiés de tels par les grammairiens

— ne peuvent être définis aussi simplement par les sages inspirés de Dieu, ni d'une façon telle qu'ils comprennent sous l'une ou l'autre de ces catégories universelles, absolument toutes les substances, toutes les actions et même tous les accidents. Il est évident que les termes universels n'ont de sens, pour les savants, que dans la mesure où ils sont éclairés par l'esprit du discours, et non point par la pure et simple catégorie de l'universalité qui comprendrait tous les biens et tous les maux, alors que ceux-ci ne participent point à la même essence, ni ne peuvent exister ensemble, étant donné qu'ils se détruisent et se combattent les uns les autres dans une extrême et constante opposition.

Les termes universels sont employés, dans les saintes Ecritures, sous plusieurs acceptions. *Il en est qui désignent les choses bonnes,* pures, faites avec sagesse, désirables au plus haut point, permanentes de siècle en siècle, et obéissant de toute nécessité à notre Seigneur le vrai Dieu. Et sans nul doute, on trouve dans les saintes Ecritures des « universels » qui n'ont que cette signification. *Il en est d'autres, au contraire, qui désignent l'ensemble des choses mauvaises,* toutes de néant, transitoires, et qui doivent être rejetées et tenues pour fumier[1] par les fidèles de Jésus-Christ, s'ils veulent gagner son amour. *Il en est d'autres, enfin, qui désignent toutes les choses qui furent placées, autrefois, sous la domination du roi de Babylone,* selon qu'il est écrit qu'elles devaient être livrées aux voleurs et ravagées par un roi « *qui aura l'impudence sur le front* » (Dan., VIII, 23-25); toutes les choses qui furent incluses d'abord dans le péché, comme il faut le croire d'après l'Ecriture, afin que promesse de salut fût donnée aux croyants, selon leur foi en Jésus-Christ; et qui furent liées à l'incrédulité par le vrai Dieu, afin que ce Dieu ait compassion de tous ceux qui croiraient en lui. Ces der-

1. Cf. Phil., III, 7-8.

niers termes universels correspondent donc, comme on le voit clairement par l'examen des Ecritures, à tout ce qui doit être *réconcilié* avec Dieu, restitué, instauré à nouveau, rénové, accompli dans le Bien et vivifié par notre Seigneur et par son Fils Jésus-Christ.

***Les signes universels du Bien.***

Concernant ces signes universels — que je viens de dire qui désignaient des choses bonnes, pures, faites selon la sagesse, etc., je vais maintenant montrer, par le témoignage des saintes Ecritures — que mon interprétation est absolument juste. Dans la *première Epître à Timothée l'*Apôtre nous dit : « *Car* tout (*omnis creatura*) *ce que Dieu a créé est bon, et on ne doit rien en rejeter* » (I Tim., IV, 4). L'Ecclésiaste dit également : « Tout (*cuncta*) *ce que Dieu a fait est bon en son temps* » (Eccle. III, 11) ; Et Jésus, fils de Syrach : « *J'ai appris que* tous *les ouvrages* (*omnia opera*) *que Dieu a créés demeurent à perpétuité, et que nous ne pouvons ni rien ajouter ni rien ôter à tout ce que Dieu a fait, afin qu'on le craigne* » (Eccle., III, 14). Il est écrit au livre de la *Sagesse* : « *Combien ses œuvres sont-elles aimables !... elles subsistent* toutes (*omnia*) *et demeurent pour jamais, et elles lui obéissent dans tout ce qu'il demande d'elles* (*omni necessitate*) » (Sap., en réalité : Eccli., XLII, 23-24) ; et dans les Psaumes de David : « *Que vos œuvres sont grandes et excellentes, Seigneur ; vous avez fait* toutes choses (*omnia*) *avec votre souveraine sagesse* » (Ps. CIII, 24) et encore dans les Psaumes : « *Le jour ne subsiste tel qu'il est que par votre ordre ; car* toutes choses (*omnia*) *vous obéissent* » (Ps. CXVIII, 91). L'Apôtre dit aux Romains : « *Toutes choses* (*omnia*) *sont pures* » (Rom., XIV, 20), et : « *Tout* (*omnia*) *est pur pour ceux qui sont purs* » (Tit., I, 15), et encore : « *Or nous savons que tout* (*omnia*) *contribue au bien de ceux qui aiment Dieu* » (Rom., VIII, 28), etc.

Ces témoignages sacrés prouvent de façon évidente que les signes universels précités ne s'appliquent qu'à ce qui est très bon, très pur, et qui doit durer jusqu'à la fin des siècles. C'est pourquoi il paraît tout à fait impossible aux savants qu'on puisse désigner par ces «universels », en essence et directement, à la fois les biens et les maux, à la fois les choses transitoires et les permanentes, comme ces mêmes savants peuvent s'en rendre compte aisément.

***Les signes universels du Mal.***

Je vais maintenant expliquer ma pensée sur les signes universels dont j'ai parlé plus haut, correspondant aux choses mauvaises, toutes de néant, transitoires, dignes de mépris, etc. On lit dans l'*Ecclésiaste* : « *Vanité des vanités, et* tout *n'est que vanité* » (Eccl. I, 2); et à un autre endroit : « *J'ai vu tout ce qui se fait sous le soleil, et j'ai trouvé que tout était vanité et affliction d'esprit* » (Eccl., I, 14); ou encore : « *Toutes choses ont leur temps, et tout passe sous le ciel après le terme qui lui a été prescrit. Il y a temps de naître et temps de mourir* » (III, 1-2); et ceci encore : « *Tout est soumis à la vanité et tout tend en un même lieu. Ils ont tous été tirés de la terre, et ils retournent tous dans la terre* » (III, 19-20); et, enfin : « *C'est pourquoi la vie m'est devenue ennuyeuse, considérant que toutes sortes de maux sont sous le soleil, et que tout n'est que vanité et affliction d'esprit* » (II, 17). L'Apôtre dit aux Colossiens : « *Si donc en mourant avec Jésus-Christ vous êtes morts à ces grossières instructions données au monde*[2], *comment vous laissez-vous imposer des lois, comme si vous viviez dans ce premier état du monde ? Ne mangez pas (d'une telle chose), ne goûtez pas (de ceci), ne touchez pas (à cela). Cependant ce sont des choses qui se consument toutes par l'usage* » (Col., II, 20-22).

2. *Ab elementis hujus mundi.*

Le même apôtre dit aux Philippiens : « *Si quelqu'un croit pouvoir mettre sa confiance dans la chair, je le pourrais encore plus que lui; ayant été circoncis le huitième jour, étant de la race d'Israël, de la tribu de Benjamin, né Hébreu de pères hébreux; pour ce qui est de la manière d'observer la loi, ayant été pharisien; pour ce qui est du zèle du judaïsme, en ayant eu jusqu'à persécuter l'Eglise de Dieu; et pour ce qui est de la justice légale, ayant été irréprochable à cet égard. Mais toutes ces choses que je considérais comme avantageuses, je les ai regardées comme une pure perte à cause de Jésus-Christ. Je dis plus : tout me semble une perte quand je le compare au bien si excellent de la connaissance de Jésus-Christ mon Seigneur, pour l'amour duquel j'ai bien voulu perdre toutes choses, les regardant comme des ordures, afin de gagner Jésus-Christ.* » (Phil., III, 4-8). Dans l'évangile de saint Matthieu, le Christ dit au scribe : « *Si vous voulez être parfait, allez vendre tout ce que vous avez* » (Matth., XIX, 21); ce qui signifie : abandonnez tout ce que vous possédez charnellement, selon la loi. D'où le passage suivant : « *Alors Pierre prenant la parole, lui dit : Pour nous autres, vous voyez que nous avons* tout (*omnia*) *quitté, et que nous vous avons suivi : quelle sera donc notre récompense?* Et Jésus leur dit : *Parce que vous avez tout quitté, et que vous m'avez suivi*[3], etc... (Matth., XIX, 27-28). L'Apôtre dit aux Colossiens : « *Mais maintenant, quittez aussi vous-mêmes tous*[4] (*ces péchés*), *la colère, l'aigreur, la malice, la médisance, etc...* » (Col., III, 8); et saint Jean, dans la première épître : « *N'aimez ni le monde, ni ce qui est dans le monde; si quelqu'un aime le monde, l'amour du Père n'est pas en lui. Car* tout (*omne*) *ce qui est dans le monde est ou concupiscence de la chair, ou concupiscence des yeux, ou orgueil de la vie; ce qui ne vient point*

3. Citation inexacte : « Je vous le dis en vérité, que pour vous qui m'avez suivi..., etc. » (Matth., XIX, 28).
4. *Omnia.*

*du Père, mais du monde, etc...* » (I Ioan., II, 15-16).

On doit voir, par là, clairement, que ces termes universels qui désignent des choses mauvaises, vaines, transitoires, ne sont pas du même genre que les autres termes universels correspondant aux choses bonnes, pures, très désirables et qui dureront jusqu'à la fin des siècles. Cela est d'autant plus évident, qu'elles ne participent pas de la même essence, qu'elles ne peuvent, en aucune façon, entrer dans une même universalité — puisqu'elles se détruisent mutuellement et se combattent — ni être rattachées directement à une même cause.

### Des termes universels désignant les choses qui, à cause des péchés des hommes, ont été placées sous la domination du roi de Babylone.

J'en viens maintenant à l'explication de ces signes universels qui englobent tous les êtres qui avaient été placés sous la domination du roi de Babylone, comme devant être livrés aux brigands, et même foulés aux pieds, « *par un roi au front impudent* ». Ces termes répondent selon notre croyance, à *tout* ce qui était à réconcilier avec Dieu, à fonder sur de nouvelles bases, à restaurer, à parachever, à vivifier par l'action du Seigneur vrai Dieu et de son Fils Jésus-Christ, comme il ressort avec évidence des textes sacrés. Le prophète Daniel dit à Nabuchodonosor, roi de Babylone : « *Vous êtes le roi des rois, et le Dieu du ciel vous a donné le royaume, la force, l'empire et la gloire. Il vous a assujetti les enfants des hommes et les bêtes de la campagne, en quelque lieu qu'ils habitent; il a mis en votre main les oiseaux même du ciel et il a soumis toutes choses* (*universa*) *à votre puissance* » (Dan., II, 37-38). Il dit encore : « *Et, après leur règne, lorsque les iniquités se seront accrues, il s'élèvera un roi qui aura l'impudence sur le front, qui entendra les paraboles et les énigmes. Sa puissance s'établira, mais non par ses forces; et il fera un ravage étrange et au-delà de toute créance, il réussira dans tout ce qu'il aura entrepris. Il fera mourir, selon qu'il lui plaira, les plus forts et le peuple des saints. Il conduira avec succès tous ses artifices et toutes ses tromperies; son cœur s'enflera de plus en plus, et, se voyant comblé de toutes sortes de prospérités, il en fera mourir plusieurs. Il s'élèvera contre le prince des princes...* (Dan., VIII, 23-25). Job s'exprime ainsi : « *Les maisons des voleurs publics sont dans l'abondance, et ils s'élèvent audacieusement contre Dieu, quoique ce soit lui qui leur ait mis entre les mains* tout (*ce qu'ils possèdent*) » (Job., XII, 6) — vous devez entendre : « à cause des péchés du peuple, comme Daniel le dit, à propos de la « petite corne » : « *La puissance lui fut donnée contre le sacrifice perpétuel, à cause des péchés des hommes, et la vérité sera renversée sur la terre* » (Dan., VIII, 12). Eliu dit, dans le *livre de Job* : « ... *Sur toutes les nations et sur tous les hommes, c'est lui qui fait régner l'homme hypocrite, à cause des péchés du peuple* » (Job, XXXIV, 29-30).

Ainsi ces termes universels s'appliquent à des êtres qui, à cause des péchés des hommes, furent soumis d'abord à la domination du péché, établis dans l'incrédulité, livrés, comme nous devons le croire, aux mains des voleurs publics et placés sous le commandement du roi de Babylone, afin qu'aux derniers jours, quand ils auront dépouillé leur malice, Dieu les prenne tous en compassion. Car l'Apôtre le dit aux Galates : *La loi écrite a renfermé* (*comme dans des barrières*) *tous ceux qu'elle laissait sous le péché, afin que les biens promis fussent donnés par la foi de Jésus-Christ à ceux qui croiraient en lui* » (Gal., III, 22). Et le même apôtre dit aux Romains : « *Car Dieu a renfermé tous les peuples dans l'incrédulité, afin d'exercer sa miséricorde envers tous* » (Rom., XI, 32).

### De la miséricorde de Notre-Seigneur.

Et cela nous fait voir que le Seigneur notre Dieu, à cause de l'amour extrême dont il nous a aimés, a eu pitié de nous, comme l'Apôtre l'enseigne aux Ephésiens : « *Lorsque nous étions morts par nos péchés, Dieu nous a rendu la vie en la rendant à Jésus-Christ* » (Eph., II, 5). Et « *il nous a sauvés, non à cause des œuvres de justice que nous eussions faites, mais à cause de sa miséricorde, par le baptême de la régénération et du renouvellement du Saint-Esprit, dont il a fait sur nous une riche effusion par Jésus-Christ notre Sauveur, afin qu'étant justifiés par sa grâce, nous devenions héritiers de la vie éternelle, selon l'espérance que nous en avons* » (Tit., III, 5-7). C'est pourquoi il est écrit au livre de la *Sagesse* : « *Mais vous, ô notre Dieu, vous êtes doux, véritable et patient, et vous gouvernez tout avec miséricorde* » (Sap., XV, 1); et encore : « *Vous avez compassion de tous les hommes, parce que vous pouvez tout, et vous dissimulez leurs péchés, afin qu'ils fassent pénitence. Car vous aimez tout ce qui est, et vous ne haïssez rien de tout ce que vous avez fait, puisque, si vous l'aviez haï, vous ne l'auriez point créé. Qu'y a-t-il qui pût subsister si vous ne le vouliez pas, ou qui pût se conserver sans votre ordre ? Mais vous êtes indulgent envers tous, parce que tout est à vous, ô Seigneur, qui aimez les âmes* » (Sap., XI, 24-27). On lit encore : « *Aussi n'est-ce point une herbe, ou quelque chose appliqué sur leur mal, qui les a guéris; mais c'est votre parole, ô Seigneur, qui guérit toute chose* » (Sap., XVI, 12). David a dit : « *Tous attendent de vous que vous leur donniez leur nourriture lorsque le temps en est venu. Lorsque vous leur donnez, ils recueillent; et lorsque vous ouvrez votre main, ils sont tous remplis des effets de votre bonté* » (Ps. CIII, 27-28). Enfin le Christ dit dans l'évangile de Jean : « *Et pour moi, quand j'aurai été élevé de la terre, j'attirerai tout à moi* » (Ioan., XII, 32). On trouve ainsi dans les Ecritures la preuve que Dieu veut avoir pitié de tous les siens.

**Des termes qui signifient la réconciliation de toutes choses par Dieu.**

Que les susdits termes universels désignent les choses qui doivent être réconciliées, restituées, restaurées, accomplies, justifiées, par notre Seigneur Jésus-Christ, on peut s'en convaincre très certainement en lisant les témoignages sacrés. L'Apôtre dit aux Colossiens, parlant de Notre-Seigneur Jésus-Christ : « *Parce qu'il a plu au Père de faire que toute plénitude résidât en lui, dans son corps de chair, et de réconcilier* toutes choses *par lui, et en lui-même, ayant pacifié par le sang qu'il a répandu sur la croix, tant ce qui est en la terre que ce qui est au ciel* » (Col., I, 19-20). Le Christ dit dans l'évangile de Matthieu : « *Il est vrai qu'Elie viendra auparavant, et qu'il rétablira* toutes choses. » (Matth., XVII, 11). Et l'Apôtre déclare aux Ephésiens : « *Nous faisant connaître le mystère de sa volonté fondé sur son bon plaisir, par lequel il avait résolu en soi-même, que, les temps ordonnés par lui étant accomplis, il réunirait* tout *par Jésus-Christ et en Jésus-Christ, tant ce qui est dans le ciel que ce qui est sur la terre* » (Ephes., I, 9-10). Et dans l'*Apocalypse* il est écrit : « *Alors celui qui était assis sur le trône dit : Je m'en vais faire* toutes choses *nouvelles* » (Apoc., XXI, 5). Et l'Apôtre dit aux Ephésiens, parlant du Christ, à ce qu'on croit : « *Celui qui est descendu, est le même qui est monté au-dessus de tous les cieux, afin de remplir* toutes choses » (Ephes., IV, 10). Et le même Apôtre dit dans la *première épître à Timothée* : « *Je vous ordonne devant le Dieu qui fait vivre* tout *ce qui vit...* » (I Tim., VI, 13). Le terme universel *omnia* (toutes choses) répond toujours, comme on le voit clairement, à l'ensemble des choses qui furent mises par le Seigneur vrai Dieu sous les pieds de Jésus-Christ, comme David le dit[5], et comme l'Apôtre

5. Ps. VIII, 8.

le fait remarquer aux Hébreux, en déclarant : « *Il a mis* toutes choses *sous ses pieds. Or dès que Dieu lui a assujetti* toutes choses, *il n'a rien laissé qui ne lui soit assujetti; et cependant nous ne voyons pas encore que* tout (*lui*) *soit assujetti* » (Hebr., II, 8). Le même dit encore dans la *première épître aux Corinthiens* : « *Car Dieu lui a mis* tout *sous les pieds et lui a tout assujetti. Et puisqu'il est dit que toutes choses lui ont été assujetties, il est manifeste qu'elles le sont toutes, excepté celui qui les lui a assujetties. Lors donc que toutes choses auront été assujetties au Fils, alors il sera aussi lui-même assujetti à celui qui lui aura assujetti toutes choses, afin que Dieu soit tout en tous* » (I, Cor., XV, 26-28).

### *Que la totalité des biens et la totalité des maux ne procèdent pas d'une seule et même cause.*

Ainsi donc, il est manifeste pour les personnes sensées, que dans les termes universels : *omnia* (toutes choses), *universa* (l'ensemble des choses), *cuncta* (toutes les choses ensemble), et dans les autres du même genre que l'on trouve dans les Ecritures saintes, on ne saurait comprendre à la fois le bien et le mal, la pureté et la souillure, le transitoire et le permanent; pour la raison essentielle qu'ils sont absolument opposés et contraires, et qu'ils ne peuvent provenir directement d'une même cause. Jésus, fils de Syrach, dit en effet : « *Le bien est contraire au mal, et la vie à la mort; ainsi le pécheur est contraire à l'homme juste. Considérez* (*ainsi*) *toutes les œuvres du Très-Haut*[6] » (Eccli., XXXIII, 15). Paul dit dans la *deuxième épître aux Corinthiens* : « *Quelle union peut-il y avoir entre la justice et l'iniquité ? et quel commerce entre la lumière et les ténèbres ? quel accord entre Jésus-Christ et Bélial ? ou quelle société entre le fidèle et*

---

6. « Vous les trouverez ainsi deux à deux et opposées l'une à l'autre. »

*l'infidèle ? et quel rapport entre le temple de Dieu et les idoles ?* » (II Cor., VI, 14-16). Cela revient à dire : la justice et l'iniquité ne participent pas à la même essence, ni la lumière et les ténèbres; le Christ ne peut en aucune façon s'entendre avec Bélial; et il faut chercher l'explication de leur opposition dans le fait que les choses ennemies et contraires n'ont pas la même cause. Car s'il en était autrement : si la justice et l'iniquité, la lumière et les ténèbres, le Christ et Bélial, le fidèle et l'infidèle, procédaient essentiellement et directement, de la cause suprême de tous les biens, ils participeraient tous de la même nature, s'accorderaient au lieu de se détruire mutuellement, comme il est évident que le Bien et le Mal le font chaque jour selon ce qui a été cité plus haut et qui est fort clair : « *Le mal est contraire au bien, et la mort à la vie, etc.* »

Il faut donc conclure de tout ce qui précède qu'il existe un autre principe, le principe du Mal qui est cause et origine de toute iniquité, de toute souillure, de toute infidélité, et même de toutes ténèbres. S'il n'en était pas ainsi, le vrai Dieu lui-même, qui est très fidèle, qui est la Justice et la Pureté suprêmes, devrait être considéré comme la cause absolue et le principe de *tout le Mal.* Toutes les oppositions, tous les contraires émaneraient de Lui : ce qu'il serait très vain et très fou de soutenir.

# IV

## Abrégé pour servir à l'instruction des ignorants

Mon propos est de donner ici un résumé de ce qui a été dit précédemment, touchant la création du ciel, de la terre et de la mer, pour l'instruction des ignorants. Je pense que par *cieux* et *terre* sont désignées, parfois, dans les divines Ecritures, les créatures du vrai Dieu, douées d'intelligence, capables de comprendre et d'entendre, et non pas seulement les éléments, toujours changeants et privés de raison, de ce monde. Comme le dit David : « *Les cieux racontent la gloire de Dieu, et le firmament publie les ouvrages de ses mains* » (Ps. XVIII, 1). On lit dans le *Deutéronome* : « *Cieux, écoutez ce que je vais dire; que la terre entende les paroles de ma bouche* » (XXXII, 1); et dans Isaïe : « *Cieux, écoutez, et toi, terre, prête l'oreille : car c'est le Seigneur qui a parlé* » (Isa., I, 2). David[1] dit encore : *Terre, terre, écoutez la parole du Seigneur* » (Jér., XXII, 29); et ailleurs : « *Vous vous êtes fait un chemin dans la mer; vous avez marché au milieu des eaux* » (Ps. LXXVI, 20). Et c'est de ces voies, croyons-nous, que veut parler David, quand il dit : « *Toutes les voies du Seigneur ne sont que miséricorde et que vérité* » (Ps. XXIV, 10).

1. En réalité : *Jérémie.*

On entend donc par *ciel, terre* et *mer* des existants célestiels. Saint Jean dit, en effet, dans l'Apocalypse : « *Et j'entendis toutes les créatures qui sont dans le ciel, sur la terre, sous la terre, sur la mer, et tout ce qui y est renfermé, qui disaient : A celui qui est assis sur le trône et à l'Agneau, bénédiction et honneur, gloire et puissance dans les siècles des siècles* « (Apoc., v, 13). Et David : « *Je crois voir les biens du Seigneur dans la terre des vivants* » (Ps. XXVI, 13). Il dit aussi : « *Votre esprit qui est souverainement bon, me conduira dans une terre droite* » (Ps. CXLII, 10). Salomon[2] déclare : « *Mais les justes recevront la terre en héritage, et ils y demeureront durant tout le cours des siècles* » (Ps. XXXVI, 29). Le Christ a ordonné : « *de ne jurer en aucune sorte par le ciel, parce que c'est le trône de Dieu* » — trône auquel pense sans doute David, quand il dit : « *Votre trône, ô Dieu, subsistera éternellement* » (Ps. XLIV, 7) — « *ni par la terre, parce que c'est son marchepied* » Matt., v, 34-35). C'est notre Seigneur lui-même qui ajoute « parce que c'est son marchepied » (Hebr., I, 8). Et c'est à ce marchepied, croit-on, que David fait allusion : « *Craignez le Seigneur, notre Dieu, et adorez l'escabeau de ses pieds, parce qu'il est saint* » (Ps. XCVIII, 5).

De cette création-là, je veux bien admettre que notre Seigneur Dieu est le créateur et l'auteur, mais non point des éléments de ce monde, impuissants et vides, dont il est peut-être[3] question dans l'épître aux Galates : « *Comment vous tournez-vous vers des éléments impuissants et vides, sous lesquels vous voulez être dans un nouvel esclavage ?* » (Gal., IV, 9). L'Apôtre dit encore aux Colossiens : « *Si donc en mourant avec Jésus-Christ vous êtes morts à ces grossiers « éléments » donnés au*

2. En réalité : *David.*
3. Ces *elementa* sont plutôt, pour saint Paul, des observances, des principes, des instructions, que les éléments constitutifs du monde.

*monde, comment vous laissez-vous imposer des lois, comme si vous viviez dans ce (premier état du) monde ? Ne mangez pas (vous dit-on, d'une telle chose), ne goûtez pas (de ceci), ne touchez pas (à cela). Cependant ce sont des choses qui se consument toutes par l'usage* » (Col., II, 20-22). Encore moins pouvons-nous admettre que notre Seigneur soit le créateur et l'auteur de la mort, et des choses qui sont, par essence, dans la mort, parce que, comme il est écrit au livre de la *Sagesse* : « *Dieu n'a point fait la mort, et il ne se réjouit pas de la perte des vivants* » (Sap., I, 13).

Il existe donc, sans aucun doute, un autre créateur ou « facteur », qui est principe et cause de la mort, de la perdition, et de tout mal, comme nous l'avons expliqué plus haut avec suffisamment de clarté.

**De la toute-puissance du Seigneur vrai Dieu.**

Je voudrais parler maintenant de la toute-puissance du Seigneur vrai Dieu, laquelle permet si souvent à nos adversaires de faire les glorieux, quand ils soutiennent contre nous qu'il n'y a pas d'autre pouvoir ou puissance que les siens.

Bien que, dans les témoignages des saintes Ecritures, le Seigneur vrai Dieu soit appelé tout-puissant, il ne faut pas croire qu'il est appelé tel parce qu'il peut faire — et qu'il fait — tous les maux, car il existe beaucoup de maux *que le Seigneur ne peut — et ne pourra jamais — faire*. Comme le dit l'Apôtre aux Hébreux : « *Il est impossible que Dieu mente* » (Hebr., VI, 18); et le même apôtre déclare dans la *seconde épître à Timothée* : « *Si nous lui sommes infidèles, il ne laissera pas de demeurer fidèle; car il ne peut pas se renoncer soi-même* » (II Tim., II, 13). Il ne faut pas croire, non plus, que ce Dieu bon a le pouvoir de se détruire lui-même, et de commettre toutes sortes de méchancetés contre toute raison et toute justice : cela lui est d'autant plus impossible qu'il n'est pas lui-même la cause absolue du mal. Que si l'on nous objecte : « Nous avons le droit de dire, au contraire, que le Seigneur vrai Dieu est tout-puissant parce que, non seulement il peut faire — et il fait — tous les biens, mais aussi parce qu'il *pourrait faire* tous les maux — même mentir et se détruire lui-même — s'il *le voulait;* mais il ne le veut pas; » la réponse est facile.

***Que Dieu ne peut pas faire le mal.***

Si Dieu ne *veut* pas tous les maux, s'il ne veut ni mentir ni se détruire lui-même, sans nul doute, il ne le *peut* pas. Car ce que Dieu dans son unité ne veut pas, il ne le peut pas; et ce qu'il ne peut pas, il ne le veut pas. Et, en ce sens, il faut dire que le pouvoir de pécher et de faire le mal (m. à m. : tous les maux) n'appartient pas au vrai Seigneur Dieu. La raison en est que : tout ce qui est pensé de Dieu comme étant son attribut est Dieu lui-même, parce qu'il n'est pas composé et qu'il ne comporte absolument pas d' « accidents », comme le savent les doctes. Il s'ensuit donc nécessairement que Dieu lui-même et sa volonté sont une seule et même chose. Le Dieu bon ne peut[4] donc mentir, ni commettre toutes les méchancetés, s'il ne le veut pas, parce que ce vrai Dieu ne peut pas faire ce qu'il ne veut pas, étant donné — répétons-le — que lui-même et sa volonté sont une seule et même chose.

***Que Dieu ne peut pas créer un autre Dieu.***

Je puis encore dire, très raisonnablement et sans crainte de me tromper, que le vrai Dieu, avec toute sa puissance, ne peut, n'a jamais pu, et ne pourra jamais, ni volontairement, ni involontairement, ni de toute autre manière, créer un autre Dieu, Seigneur et créateur, semblable et absolument égal à lui en tous points; ce que je prouve : il est, en

4. Au sens de : *n'est pas en puissance de...*

effet, impossible que le Dieu bon puisse faire un autre Dieu semblable à lui en toutes choses, c'est-à-dire : éternel et sempiternel, créateur et auteur de tous les biens, sans commencement ni fin; qui n'ait jamais été fait, ni créé, ni engendré par qui que ce soit, comme le Dieu bon qui n'a jamais été fait, ni créé ni engendré. Mais on ne dit pas pour cela dans les saintes Ecritures, que le vrai Dieu est un Dieu impuissant. Il faut donc croire avec assurance que le Dieu bon n'est pas qualifié de tout-puissant parce qu'il *aurait pu* faire ou *pourrait* faire, tous les maux qui ont été, qui sont et qui seront, mais parce qu'il est vraiment tout-puissant *en ce qui concerne tous les biens* qui ont été, qui sont, et qui seront, d'autant plus qu'il est la cause absolue et le principe de tout bien et qu'il n'est jamais, en aucune façon, par lui-même et essentiellement, cause d'un mal. Il s'ensuit donc que le vrai Dieu est appelé tout-puissant par les sages, dans tout ce qu'il fait, a fait ou fera dans le futur, mais que les gens qui pensent juste ne peuvent l'appeler tout-puissant par référence au prétendu pouvoir qu'il aurait de faire ce qu'il n'a jamais fait, ce qu'il ne fait pas, ce qu'il ne fera jamais. Quant à l'argument qui consiste à dire que « s'il ne le fait pas, c'est qu'il ne veut pas », nous avons déjà montré qu'il était sans valeur, puisque lui-même et sa volonté ne sont qu'un.

### *Que Dieu n'a pas le pouvoir de faire le mal et qu'il existe une autre puissance qui est le Mal.*

Puisque Dieu n'est pas puissant dans le mal, qu'il n'a pas le pouvoir de faire apparaître le mal, nous devons croire fermement qu'il y a un autre principe qui, lui, est puissant dans le mal. C'est de lui que proviennent tous les maux qui ont été, qui sont et qui seront; c'est de lui que David a voulu sans doute parler quand il dit : « *Pourquoi vous glorifiez-vous dans votre malice, vous qui n'êtes puissant que pour commettre l'iniquité ? Votre langue a médité l'injustice durant tout le jour; vous avez, comme un rasoir aiguisé, fait passer (insensiblement) votre trômperie. Vous avez plus aimé la malice que la bonté, et vous avez préféré un langage d'iniquité à celui de la justice* » (*Ps.* LI, 3-5). Et saint Jean dit dans l'Apocalypse : « *Le grand dragon, cet ancien serpent qui est appelé le diable et Satan, qui séduisit tout le monde, fut précipité en terre* » (Apoc., XII, 9); et le Christ dans l'évangile de Luc : « *La semence, c'est la parole de Dieu. Ceux qui sont marqués par le bord du chemin où il en tombe, sont ceux qui écoutent la parole, et du cœur desquels le diable vient ensuite enlever cette parole, de peur qu'ils ne croient et ne soient sauvés* » (Luc, VIII, 11-12). Le prophète Daniel dit : « *Et comme je regardais attentivement, je vis que cette corne faisait la guerre contre les saints et avait l'avantage sur eux, jusqu'à ce que l'Ancien des jours parût. Alors il donna aux saints du Très-Haut la puissance de juger, etc.* » (Dan., VII, 21-22); et il dit encore : « *Il s'en élèvera un autre après eux, qui sera plus puissant que ceux qui l'auront devancé, et il abaissera trois rois. Il parlera insolemment contre le Très-Haut, il foulera aux pieds les saints du Très-Haut, et il s'imaginera qu'il pourra changer les temps et les lois* » (Dan., VII, 24-25); et à nouveau : « *Mais (de l'une de ces quatre cornes il en sortit une petite) qui s'agrandit fort vers le midi, vers l'orient, et vers les peuples les plus forts. Il éleva sa grande corne jusqu'aux armées du ciel, et il fit tomber les plus forts et ceux qui étaient comme des étoiles, et il les foula aux pieds. Il s'éleva même jusqu'au prince des forts, il lui ravit son sacrifice perpétuel, et il déshonora le lieu de son sanctuaire* » (Dan., VIII, 9-11). On lit dans l'*Apocalypse* de saint Jean : « *Un autre prodige parut aussi dans le ciel : un grand dragon roux, qui avait sept têtes et dix cornes, et sept diadèmes sur ses sept têtes. Il entraînait avec sa queue la troisième partie des étoiles du ciel, et il les fit tomber sur la terre* » (Apoc., XII, 3-4); et encore ceci : « *Et elle reçut le pouvoir de faire (la guerre) durant quarante-deux mois. Elle ouvrit donc la bouche pour blasphémer contre Dieu, pour blasphémer son nom, son tabernacle, et ceux qui habitent dans le ciel. Il lui fut aussi donné le pouvoir de faire la guerre aux saints, et de les vaincre* » (Apoc., III, 5-7).

S'appuyant sur de tels témoignages, les sages considèrent comme impossible que ce Puissant, ainsi que son pouvoir ou force, ait été créé — essentiellement et directement — par le Seigneur vrai Dieu, puisqu'il œuvre tous les jours très malignement contre lui, et que ce Dieu, le nôtre, s'efforce vigoureusement de le combattre. Ce que ne ferait pas le vrai Dieu, si le mal procédait de lui, dans toutes ses dispositions, comme le soutiennent presque tous nos adversaires.

**De la destruction du « Puissant-dans-le-mal ».**

Cela est clairement exprimé dans les divines Ecritures, que le Seigneur vrai Dieu détruira le « Puissant[5] » et toutes ses forces, qui œuvrent chaque jour contre Lui et contre sa création. David a dit en effet de celui qui est puissant en malignité : « *C'est pourquoi Dieu vous détruira pour toujours; il vous arrachera de votre place, vous fera sortir de votre tente, et ôtera votre racine de la terre des vivants* » (Ps. LI, 7). Et pour demander, croit-on, l'aide de son Dieu contre ce Puissant, David dit encore : « *Brisez le bras de l'impie et du méchant; vous le punirez de ses prévarications, et il ne sera plus. Le Seigneur régnera dans tous les siècles et dans l'éternité* » (Ps. X, 15-16). Il dit aussi : « *Un moment encore, et le méchant ne sera plus; vous regarderez le lieu où il était, et vous ne l'y trouverez plus* » (Ps. XXXVI, 10). Il est écrit dans les *Proverbes* de Salomon : « *L'impie sera rejeté dans sa*

5. On notera que J. de Lugio n'appelle pas le Principe du Mal : « le tout-puissant », mais le « puissant ». Le Dieu du bien et le « dieu » du mal ne sont nullement « égaux », comme on le dit parfois.

*malice* » (Prov., XIV, 32). L'Apôtre, faisant allusion à la destruction du « Puissant » par l'avènement de notre Seigneur Jésus-Christ, dit aux Hébreux : « ... *afin de détruire par sa mort celui qui avait l'empire de la mort, c'est-à-dire le diable* » (Hebr., II, 14). Ainsi, notre Seigneur s'est efforcé de détruire, non pas seulement ce Puissant, mais aussi toutes les Forces ou Dominations qui ont paru quelquefois dominer, par le Puissant, les créatures du Dieu bon soumises à l'empire de ce méchant. C'est ce que dit la Sainte Vierge dans l'évangile selon saint Luc : « *Il a arraché les grands de leurs trônes, et il a élevé les petits* » (Luc, I, 52); et l'Apôtre, dans la *première épître aux Corinthiens :* « *Et alors viendra la consommation de toutes choses, lorsqu'il aura remis le royaume à son Dieu et son Père, et qu'il aura anéanti tout empire, toute Vertu* (*maligne*), *toute domination et toute puissance... et la mort sera le dernier ennemi qui sera détruit* » (I Cor., XV, 24-26). Le même apôtre dit aux Colossiens : « *Rendant grâces à Dieu le Père qui, par la lumière de la foi, nous a rendus dignes d'avoir part au sort et à l'héritage des saints; qui nous a arrachés de la puissance des ténèbres, et nous a fait passer dans le royaume de son Fils bien-aimé* » (Col., I, 12-13). Il dit également : « *En effet, lorsque vous étiez morts par vos péchés et dans l'incirconcision de votre chair, Jésus-Christ vous a fait revivre avec lui, vous pardonnant tous vos péchés. Il a effacé par ses ordonnances la cédule écrite de notre main, laquelle rendait témoignage contre nous : il a entièrement aboli cette cédule qui nous était contraire en l'attachant à sa croix. Et ayant désarmé les principautés et les puissances, il les a exposées en spectacle, après en avoir triomphé par lui-même* » (Col., II, 13-15). C'est ainsi que saint Paul fut envoyé par le Seigneur Jésus-Christ pour dépouiller cette Puissance, comme il est écrit, à propos de lui, dans les *Actes des apôtres* : « *Car je vous suis apparu, afin de vous établir le ministre et le témoin des choses que vous avez vues, et de celles aussi que je vous montrerai en vous apparaissant de nouveau. Et je vous délivrerai de ce peuple, et des Gentils vers lesquels je vous envoie maintenant, pour leur ouvrir les yeux, afin qu'ils se convertissent des ténèbres à la lumière, et de la puissence de Satan à Dieu; et que par la foi qu'ils auront en moi, ils reçoivent la rémission de leurs péchés, et qu'ils aient part à l'héritage des saints* » (Act., XXVI, 16-18). Et le Christ dit dans l'évangile de saint Matthieu : « *Vous êtes venus ici armés d'épées et de bâtons pour me prendre, comme si j'étais un voleur; j'étais tous les jours assis au milieu de vous, enseignant dans le temple, et vous ne m'avez point arrêté* » (Matth., XXVI, 55). « *Mais c'est ici votre heure, et la puissance des ténèbres* » (Luc, XXII, 53). D'où l'on doit croire que la puissance de Sathanas et des ténèbres ne peut pas procéder directement et immédiatement du Seigneur vrai Dieu. Car si le pouvoir de Sathanas et des ténèbres procédait directement et immédiatement du vrai Dieu — avec toutes les autres puissances, vertus et dominations (du mal) — comme le disent les ignorants, on ne comprendrait pas comment Paul et tous les autres fidèles de Jésus-Christ auraient pu être « arrachés à la puissance des ténèbres ». Ni comment ils auraient pu se convertir de cette puissance de Satan au vrai Seigneur Dieu. Surtout, si l'on considère qu'en s'arrachant à la puissance des ténèbres, ils se sont, en réalité, arrachés, proprement et essentiellement, à celle de notre Seigneur Dieu, puisque toutes les puissances et vertus émanent (selon la foi de nos adversaires), proprement et essentiellement, du Dieu bon. Et comment ce Dieu bon aurait-il pu dépouiller et éliminer une autre puissance que la sienne, s'il est vrai qu'il n'en existe point d'autre en face de lui, comme le disent tous les adversaires de ces vrais chrétiens qu'on appelle, à juste titre[6], *Albanenses*[7] ?

6. *Recto nomine.*
7. « Albanais ». Les Albanais, dont le centre princi-

***Du mauvais principe.***

C'est pourquoi, de l'avis de tous les sages, il faut croire absolument qu'il existe un autre principe, celui du Mal, qui est *puissant en iniquité,* et dont la puissance de Sathanas, celle des ténèbres et de toutes les autres dominations qui s'opposent au vrai Dieu, découlent[8] singulièrement et principiellement comme nous l'avons déjà montré et comme nous espérons, grâce à Dieu, le faire mieux voir encore par la suite. Que s'il n'en était pas ainsi, il apparaîtrait à ces mêmes sages, de façon évidente, que la Puissance divine combat contre elle-même, se détruit elle-même, est toujours en lutte contre elle-

---

pal était *Desenzano* (Italie), étaient des dualistes *absolus*, dont les idées s'opposaient à celles des *Garatenses* (de Concorezo), dualistes *mitigés*, qui se rattachaient aux églises de Bulgarie et d'Esclavonie. Vers 1250, une fraction de l'église albanaise de *Desenzano* avait adopté le système de Jean de Lugio (de Bergame).

M. Söderberg croit que les Albanenses tirent leur nom de la ville d'*Albano* (Italie); M. Dondaine, de l'Albanie d'Europe; M. D. Roché, de l'Albanie d'Asie-Mineure (sud du Caucase. D'après M. H. Grégoire, le berceau du Paulicianisme a été Arsamosate, en Arménie : Y a-t-il un rapport entre ces premiers Pauliciens et les Cathares *Albanenses* ?)

8. Il est très important de remarquer que, si Dieu est le principe du Bien, Satan *n'est pas* le principe du Mal, il en dérive : (*principium mali... a quo potestas sathane et tenebrarum... derivantur*). Le principe du Mal, c'est le *néant*, lequel ne peut évidemment se manifester que dans le monde du mélange. Il y a, donc, en Satan de l'être et de l'esprit (créés par le vrai Dieu) : il n'est pas le Mal *absolu*, mais l'*être-absurde*, l'être « attiré » par le néant; le mensonge ou l'illusion. Lorsque toute la création aura été sauvée (et tout l'être ramené à l'Etre), Satan sera sauvé aussi — comme l'ont cru certains Cathares — dans la mesure où il *est*. Dans la mesure où il *n'est pas*, il sera « rejeté dans sa malice » (Pro., XIV, 32), confondu à son *faux* principe, c'est-à-dire au néant.

même. L'apôtre dit aux Ephésiens : « *Au reste, mes frères, fortifiez-vous dans le Seigneur, et en sa vertu toute-puissante. Revêtez-vous de toutes les armes de Dieu, pour pouvoir vous défendre des artifices du diable. Car nous avons à combattre, non contre des hommes de chair et de sang, mais contre les principautés et les puissances, contre les princes de ce monde, c'est-à-dire de ce siècle ténébreux, contre les esprits de malice répandus dans l'air. C'est pourquoi prenez toutes les armes de Dieu, afin que vous puissiez résister au jour mauvais, et demeurer fermes sans avoir rien omis de vos devoirs, etc... Couvrez-vous entièrement avec le bouclier de la foi, avec lequel vous pourrez éteindre tous les traits enflammés du malin esprit* » (Ephes., VI, 10-13; 16). Ainsi, les vertus et les puissances du Seigneur vrai Dieu se combattraient entre elles, chaque jour, par sa propre volonté, s'il n'y avait pas une autre puissance que la sienne ! Il est absurde de penser cela du vrai Dieu. Il s'ensuit donc, sans aucun doute, qu'il existe une autre puissance ou *Pouvoir* non vrai [9], que le Seigneur Dieu s'efforce chaque jour de combattre, comme nous l'avons fait voir très clairement à ceux qui peuvent le comprendre.

### *Du dieu étranger et de beaucoup d'autres dieux.*

Qui aura bien examiné l'ensemble des arguments très véridiques que nous venons de rappeler, admettra sans hésiter qu'il existe un autre Dieu, seigneur et prince, en dehors du vrai Seigneur Dieu, et que son existence est démontrée avec évidence par les témoignages des divines Ecritures. Le Seigneur dit, en effet, lui-même par la bouche d'Isaïe [10] :

---

9. *Quod sit alia potentia vel potestas « non vera ».* On ne saurait mieux qualifier le Principe du mal qui, pour *positif* qu'il soit dans le monde du *mélange* et en Satan, n'en est pas moins *dans l'éternité*, l'être *infiniment anéanti.*

10. En réalité : *Jérémie.*

« *Comme vous m'avez abandonné pour adorer un dieu étranger dans votre propre pays, ainsi vous serez assujettis à des étrangers dans une terre étrangère* » (Jérém., v, 19). Il est écrit encore : « *Assemblez-vous, venez et approchez, vous tous qui avez été sauvés des nations. Ceux-là sont plongés dans l'ignorance qui élèvent en son honneur une sculpture de bois, et qui adressent leurs prières à un Dieu qui ne peut sauver* » (Isa., XLV, 20). Et ailleurs encore : « *Seigneur, notre Dieu, des maîtres étrangers nous ont possédés sans vous; faites qu'étant dans vous maintenant, nous ne nous souvenions que de votre nom* » (Isa., XXVI, 13). Et David a dit : « *Ecoutez, mon peuple, et je vous attesterai ma volonté. Israël, si vous voulez m'écouter, vous n'aurez point parmi vous un Dieu nouveau, et vous n'adorerez point un Dieu étranger* » (Ps. LXXX, 9-10). Il a dit également : « *Si nous avons oublié le nom de notre Dieu, et si nous avons étendu nos mains vers un Dieu étranger, Dieu n'en redemandera-t-il pas compte ?* » (Ps. XLIII, 21). Et encore : « *Les princes des peuples se sont assemblés et unis avec le Dieu d'Abraham, parce que les dieux puissants de la terre ont été extraordinairement élevés* » (Ps. XLVI, 10). Et encore : « *Tous les dieux des nations sont des démons* » (Ps. XCV, 5). Sophonie déclare : « *Le Seigneur se rendra terrible dans leur châtiment; il anéantira tous les dieux de la terre* » (Soph., II, 11); et Jérémie : « *Ceux de Juda et les habitants de Jérusalem ont fait une conjuration contre moi... Ceux-ci ont couru de même après des dieux étrangers pour les adorer* » (Jérém., XI, 9-10). Jérémie dit ailleurs : « *(Vous leur direz) : c'est parce que vos pères m'ont abandonné, dit le Seigneur, qu'ils ont couru après les dieux étrangers, qu'ils les ont servis et adorés, et qu'ils m'ont abandonné et n'ont point observé ma loi. Mais vous-même, vous avez encore fait plus de mal que vos pères : car chacun de vous suit les égarements et la corruption de son cœur, et ne veut point écouter ma voix. Je vous chasserai de ce pays dans une terre qui vous est inconnue, comme elle l'a été à vos pères, et vous servirez là, jour et nuit, des dieux étrangers qui ne vous donneront aucun repos* » (Jérém., XVI, 11-13). On lit dans Malachie : « *Judas a violé la loi, et l'abomination s'est trouvée dans Israël et dans Jérusalem, parce que Juda, en prenant pour femme celle qui adorait des dieux étrangers, a souillé le peuple consacré au Seigneur, et qui lui était si cher* » (Malach., II, 11). Et dans Michée : « *Que chaque peuple marche sous la protection de son Dieu; mais pour nous, nous marcherons sous la protection du Seigneur notre Dieu, jusque dans l'éternité et au-delà de l'éternité* » (Mich., IV, 5). Et l'Apôtre dit dans la *seconde épître aux Corinthiens* : « *Que si l'évangile que nous prêchons est encore voilé, c'est pour ceux qui périssent qu'il est voilé; pour ces infidèles dont le dieu de ce siècle a aveuglé les esprits, afin qu'ils ne soient point éclairés par la lumière de l'évangile glorieux et éclatant de Jésus-Christ, qui est l'image de Dieu* » (II Cor., IV, 3-4). Le même dit dans la *première épître aux Corinthiens : Car encore qu'il y en ait, soit dans le ciel ou dans la terre, qui sont appelés dieux, et qu'en ce sens il y ait plusieurs dieux et plusieurs seigneurs; il n'y a néanmoins pour nous qu'un seul Dieu* » (I Cor., VIII, 5-6). Le Christ dit dans l'évangile de saint Matthieu : « *Nul ne peut servir deux maîtres; car, ou il haïra l'un et aimera l'autre, ou il respectera l'un et méprisera l'autre : vous ne sauriez servir Dieu et l'argent* (*Mammon*) — (Matth., VII, 24). Le Christ dit à nouveau dans l'évangile de Jean : « *Car le prince du monde va venir, quoi qu'il n'y ait rien en moi qui lui appartienne* » (Ioan., XIV, 30); et encore : « *C'est maintenant que le monde va être jugé; c'est maintenant que le prince de ce monde va être chassé dehors* » (Ioan., XII, 31); et encore : « *Parce que le prince de ce monde est déjà jugé* » (Ioan, XVI, 11). Les apôtres ont dit dans leurs Actes : « *Pourquoi les nations se sont-elles émues, et pourquoi les tribus ont-elles formé de vains projets ? Les rois de la terre se sont élevés, et les princes se sont ligués ensemble contre le Seigneur et contre son Christ. Car Hérode et Ponce-Pilate avec les nations profanes et les tribus d'Israël, se sont vraiment ligués ensemble dans cette ville contre votre saint Fils Jésus, que vous avez consacré par votre onction, etc...* » (Act., IV, 25-27). Ainsi, l'on voit clairement qu'il est possible de trouver, dans les témoignages des Divines Ecritures, la preuve de l'existence de nombreux dieux, seigneurs et princes, adversaires du Seigneur vrai Dieu et de son Fils Jésus-Christ, ce qui confirme ce que nous avions déjà démontré plus haut.

***Qu'il est aussi question dans les textes sacrés d'une éternité mauvaise.***

Qu'il existe pour ces seigneurs et princes, une éternité, une sempiternité, une « antiquité » distinctes de celles qui appartiennent au vrai Seigneur Dieu, cela aussi, nous pouvons facilement le prouver par le témoignage des Ecritures. Le Christ dit dans l'évangile de Matthieu : « (*Alors le roi dira à ceux qui seront à sa gauche*) *: Allez loin de moi, maudits, au feu éternel, qui a été préparé pour le diable et pour ses anges* » (Matth., XXV, 41); et saint Jude (frère) de Jacques : « *Il retient liés de chaînes éternelles, dans de profondes ténèbres, et réserve pour le jugement du grand jour, les anges qui n'ont pas conservé leur première dignité, mais qui ont quitté leur propre demeure* » (Jud., 6-7). Le même dit au verset suivant : « *Et que de même, Sodome et Gomorrhe, et les villes voisines, qui s'étaient débordées comme elles, dans les excès d'impureté, et s'étaient portées à renverser l'institution de la nature, ont été proposées pour un exemple de feu éternel, par la peine qu'elles ont soufferte* » (Jud., 7). Le bienheureux Job dit lui aussi : « *... où habite l'ombre de la mort, où tout est sans ordre et dans une éternelle horreur* » (Job., X, 22). Par la bouche d'Ezéchiel le Seigneur déclare au sujet du mont Seyr : « *Je vous réduirai en des solitudes éternelles* » (Ezech., XXXV, 9); et au même chapitre : « *Voici ce que dit le Seigneur, votre Dieu : je viens à vous, montagne de Seyr; j'étendrai ma main sur vous et je vous rendrai toute déserte et abandonnée. Je détruirai vos villes, vous serez déserte, et vous saurez que c'est moi qui suis le Seigneur, parce que vous avez été l'éternel ennemi des enfants d'Israël, et que vous les avez poursuivis l'épée à la main au temps de leur affliction, au temps que leur iniquité était à son comble* » (Ezech., xxxv, 3-5). Cet ennemi d'Israël, c'est le Diable, qui est aussi l'ennemi du vrai Dieu, comme l'a marqué Jésus-Christ lui-même dans l'évangile de saint Matthieu (xiii, 25, 39). L'Apôtre dit dans la *deuxième épître aux Thessaloniciens* : « *... qui souffriront la peine d'une éternelle damnation* » (II Thes., i, 9); et le Christ dans l'évangile de Matthieu : « *Et ceux-ci iront dans le supplice éternel* » (Matth., xxv, 46). Le Christ dit aussi dans l'évangile de saint Marc : « *Mais celui qui aura blasphémé contre le Saint-Esprit, n'en recevra jamais le pardon, et il sera éternellement puni de ce péché* » (Marc, iii, 29).

De l'éternité du diable le prophète Habacuc fait mention en ces termes : « *Dieu viendra du côté du midi, et le saint de la montagne de Pharan. Sa gloire a couvert les cieux, et la terre est pleine de ses louanges. Il jette un éclat comme une vive lumière; sa force est dans ses mains. C'est là que sa puissance est cachée. La mort paraîtra devant sa face, et le diable marchera devant lui. Il s'est arrêté, et il a mesuré la terre. Il a jeté les yeux sur les nations, et il les a fait fondre (comme la cire); les montagnes du siècle ont été réduites en poudre. Les collines du monde ont été abaissées sous les pas du Dieu éternel* » (Habac., iii, 3-6).

De l' « antiquité » du Diable il est écrit dans l'*Apocalypse* : « *Et ce grand dragon, cet ancien serpent qui est appelé le Diable et Satan... fut précipité en terre* » (Apoc., xii, 9). Si, lorsqu'on dit qu'elles sont éternelles, sempiternelles, antiques, on veut faire entendre par là que les essences n'ont eu ni commencement ni fin — comme on admettra sans doute que cela est vrai pour le Dieu bon — il faut aussi tenir pour démontré, par les témoignages précédemment cités, que le péché, les châtiments, les angoisses et l'erreur, le feu et les supplices, les chaînes et le Diable lui-même, n'ont pas eu de commencement et n'auront pas de fin. Car que ces choses soient les noms dont on désigne le suprême principe du mal, ou seulement les noms dont on désigne ses *effets*[11], elles témoignent de toute façon de l'existence d'une cause unique du mal, éternelle, sempiternelle ou antique, car si l'effet est éternel, sempiternel ou antique il faut nécessairement que la cause le soit aussi. Il existe, donc, sans nul doute, un mauvais principe d'où cette éternité, cette sempiternité et cette antiquité découlent directement et essentiellement.

### *Qu'il existe un autre Créateur ou « factor ».*

J'entends faire voir clairement par les Ecritures qu'il existe un autre dieu ou seigneur, qui est créateur et « facteur », en dehors de celui à la fidélité duquel recommandent leurs âmes ceux qui souffrent en faisant le Bien. Et d'autant plus clairement que je me placerai au point de vue de nos adversaires, en respectant la confiance qu'ils mettent dans les Anciennes Ecritures[12]. Ils déclarent, en effet, publiquement, que ce Seigneur est le Créateur ou l'Auteur qui a créé et fait les choses visibles de ce monde, à savoir : le ciel, la terre et la mer, les

---

11. Ce passage montre très clairement que les « maux », et le *Diable lui-même*, ne coïncident pas nécessairement avec le *suprême principe du Mal*, mais n'en sont peut-être que l'*effet* (cf. note 8).

12. Jean de Lugio (ou son disciple), n'interprète pas l'*Ancien Testament* comme ses adversaires, mais il affecte, en effet, pour mieux les convaincre, de se placer toujours — ou presque toujours — à leur point de vue.

hommes et les bêtes, les oiseaux et *tous les reptiles*, comme on le lit dans la Genèse : « *Au commencement Dieu créa le ciel et la terre. La terre était informe et toute nue* » (Gen., I, 1-2). Et, plus loin : « *Dieu créa donc les grands poissons, et tous les animaux qui ont la vie et le mouvement... et tous les oiseaux, selon leur espèce* » (Gen., I, 21) ; et au verset 25 : « *Dieu fit donc les bêtes sauvages de la terre selon leurs espèces, les animaux domestiques et tous les reptiles, chacun selon son espèce* » (Gen., I, 25) ; et enfin, au verset 27 : « *Et Dieu créa l'homme à son image; il le créa à l'image de Dieu, et il le créa mâle et femelle* » (Gen., I, 27). Le Christ dit, lui aussi, dans l'évangile de saint Marc : « *Mais dès le commencement du monde, Dieu forma un homme et une femme* » (Marc, X, 6).

On doit considérer ici, que nul, en ce monde, ne peut nous montrer ce dieu mauvais, d'une façon visible et temporelle — pas plus, d'ailleurs, que le Dieu bon —, mais que c'est par l'effet que l'on connaît la cause. C'est pourquoi il faut poser qu'on ne peut démontrer l'existence d'un dieu ou Créateur mauvais autrement que par ses œuvres mauvaises et ses paroles pleines d'inconstance. Ainsi, je dis que ce n'est pas le vrai créateur qui a fait et organisé les choses visibles de ce monde. Et je vais le prouver par ses actions malignes et ses paroles trompeuses, s'il est vrai que les œuvres et les paroles rapportées dans les Anciennes Ecritures ont bien été faites (et dites) par lui, dans le Temps, matériellement et réellement[13], comme nos adversaires l'affirment sans la moindre hésitation.

---

13. Les dualistes « absolus » — et Jean de Lugio lui-même — affirmaient que les événements et les interventions divines que relate l'*Ancien Testament* avaient eu lieu dans le *monde spirituel* (et non point dans le monde temporel, visible et matériel). Lorsqu'ils ne reflétaient point l'action diabolique, il fallait donc les interpréter comme des symboles de ce qui s'était passé dans le ciel.

Nous éprouvons pour ces œuvres une indicible horreur : elles consistent, en effet, à commettre l'adultère, à voler le bien d'autrui, à maudire ce qui est saint, à consentir au mensonge, à donner sa parole avec serment ou sans serment, et à ne pas la tenir. Ce sont là toutes choses abominables qui ont été faites par le Dieu en question, dans ce monde temporel, et d'une façon visible et concrète, si l'on se place au point de vue adopté par nos adversaires pour interpréter les anciennes Ecritures : ils croient en effet que ces Ecritures parlent de la création et de l'organisation de ce monde-ci, et des œuvres qui y ont été faites dans le temps, matériellement et visiblement. Et ils sont bien forcés de le croire, ceux qui pensent qu'il n'y a qu'un seul principe principiel. Je le montrerai de façon évidente, par les écritures elles-mêmes interprétées selon la foi.

***Que le mauvais dieu a commis fornication.***

Ce Seigneur et Créateur a ordonné dans le *Deutéronome* : « *Si un homme dort avec la femme d'un autre, l'un et l'autre mourra, l'homme adultère et la femme adultère; et vous ôterez le mal du milieu d'Israël* » (Deut., XXII, 22). Et encore dans le *Deutéronome* : « *Un homme n'épousera point la femme de son père, et il ne découvrira point ce que la pudeur doit cacher* » (Deut., XXII, 30). Ce Seigneur dit lui-même dans le *Lévitique* : « *Vous ne découvrirez point dans la femme de votre père ce qui doit être caché, parce que vous blesseriez le respect dû à votre père* » (Lev., XVIII, 8). Et aussi : « *Si un homme abuse de sa belle-mère, et s'il viole à son égard le respect qu'il aurait dû à son père, qu'ils soient tous deux punis de mort* » (Lev., XX, 11).

Or, en violation de ses propres préceptes, ce Seigneur et Créateur a ordonné, en ce monde temporel et de façon patente, de commettre l'adultère, charnellement et réellement; et cela selon la croyance même et l'interprétation de nos adversaires : au second livre des Rois nous trouvons, très clairement exprimé, ce qui suit — et nous le comprenons comme eux : le Seigneur lui-même, et créateur, dit, en effet, à David par la bouche du prophète Nathan : « *Pourquoi donc avez-vous méprisé ma parole, en commettant un tel crime devant mes yeux? Vous avez fait perdre la vie à Urie Héthéen, vous lui avez ôté sa femme, et l'avez prise pour vous; et vous l'avez tué par l'épée des enfants d'Ammon. C'est pourquoi l'épée ne sortira jamais de votre maison, parce que vous m'avez méprisé, et que vous avez pris pour vous la femme d'Urie Héthéen. Voici donc ce que dit le Seigneur : Je vais vous susciter des maux qui naîtront de votre propre maison. Je prendrai vos femmes à vos yeux; je les donnerai à celui qui vous est le plus proche, et il dormira avec elles aux yeux de ce soleil que vous voyez. Car pour vous, vous avez fait cette action en secret; mais pour moi je la ferai à la vue de tout Israël* » (II Reg., XII, 9-12). D'où l'on doit conclure que, selon la foi de nos adversaires mêmes, ou bien ce dieu, et créateur, a été menteur ou bien il a. sans aucun doute, et réellement, perpétré l'adultère, comme on voit qu'il le fait ouvertement au *second livre des Rois,* de l'aveu même de nos adversaires : « *Achitophel dit à Absalon : Voyez les concubines de votre père, qu'il a laissées pour garder son palais, afin que, lorsque tout Israël saura que vous avez déshonoré votre père, ils s'attachent plus fortement à votre parti. On fit donc dresser une tente pour Absalon sur la terrasse du palais du roi; et il y entra avec les concubines de son père devant tout Israël* » (II Reg. XVI, 21-22). C'est ainsi que ce Seigneur et Créateur a accompli cette œuvre d'adultère (qu'il avait dit qu'il accomplirait), réellement et visiblement, en ce monde-ci (toujours selon l'interprétation de nos adversaires), et surtout en violation du précepte qu'il avait donné lui-même — et que nous avons rappelé plus haut — : « Si un homme dort avec la femme d'un autre, etc... »

Aucune personne sensée ne voudra croire que

c'est le vrai Créateur qui a donné ainsi — réellement — les femmes d'un homme à son fils — ou à tout autre — pour perpétrer avec elles la fornication, comme l'a fait le créateur des choses visibles de ce monde, selon ce que soutiennent les ignorants, et comme nous l'avons fait voir précédemment. Rappelons que Notre-Seigneur, ce vrai Dieu, n'a jamais ordonné de commettre en ce monde, et de façon effective, l'adultère et la fornication. L'Apôtre dit, en effet, dans la *première épître aux Corinthiens* : « *Ne vous y trompez pas : ni les fornicateurs... ni les adultères ne seront héritiers du royaume de Dieu* » (I Cor., VI, 9-10). Le même apôtre dit aux Ephésiens : « *En effet, soyez bien persuadés que nul fornicateur, nul impudique... ne sera héritier du royaume du Christ et de Dieu* » (Ephes., V, 5). Et il dit encore aux Thessaloniciens : « *En effet la volonté de Dieu est que vous soyez saints; que vous vous absteniez de la fornication* » (Thess., IV, 3). Ce n'est certes pas notre vrai créateur qui, dans le monde temporel, en ce monde-ci, a pris les femmes de David et les a données à celui qui lui était le plus proche, pour qu'il fît l'adultère avec elles, à la vue de tout Israël et à la face du soleil, comme on l'a vu dans le texte précité. Il faut donc, sans nul doute, qu'il existe un autre créateur, cause et principe de toute fornication et de tout adultère en ce monde-ci : nous l'avons déjà démontré et nous le démontrerons mieux encore par la suite, avec l'aide de Dieu.

***Que le mauvais dieu a ordonné de ravir par la force le bien d'autrui et de commettre l'homicide.***

Que le susdit Seigneur et créateur a fait enlever par la force le bien d'autrui et dérober réellement — et pour son avantage — les trésors des Egyptiens; qu'il a fait perpétrer, dans ce monde matériel, le plus grand des homicides, nous sommes en mesure de le montrer, en toute évidence, par les

Ecritures anciennes interprétées selon la foi de nos contradicteurs. Le Seigneur lui-même dit à Moïse dans l'*Exode* : « *Vous direz donc à tout le peuple : Que chaque homme demande à son ami, et chaque femme à sa voisine, des vases d'argent et d'or; et le Seigneur fera trouver grâce à son peuple devant les Egyptiens* » (Exod., XI, 2). Il dit ensuite : « *Les enfants d'Israël firent ce que Moïse leur avait ordonné, et ils demandèrent aux Egyptiens des vases d'argent et d'or, et beaucoup d'habits. Et le Seigneur rendit favorables à son peuple les Egyptiens, afin qu'ils leur prêtassent ce qu'ils demandaient, et ils dépouillèrent ainsi les Egyptiens* » (Exod., XII, 35-36). Dans le *Deutéronome* Moïse dit à son peuple : « *Quand vous vous approcherez pour assiéger une ville, vous lui offrirez la paix d'abord. Si elle l'accepte et qu'elle vous ouvre ses portes, tout le peuple qui s'y trouvera sera sauvé, et il vous sera assujetti en vous payant le tribut. Que si elle ne veut point recevoir les conditions de paix, et qu'elle commence à vous déclarer la guerre, vous l'assiégerez. Et lorsque le Seigneur votre Dieu vous l'aura livrée entre les mains, vous ferez passer tous les mâles au fil de l'épée, en réservant les femmes, les enfants, les bêtes, et tout le reste de ce qui se trouvera dans la ville. Vous partagerez le butin à toute l'armée, et vous vous nourrirez des dépouilles de vos ennemis, que le Seigneur votre Dieu vous aura données. C'est ainsi que vous en userez à l'égard de toutes les villes qui seront fort éloignées de vous, et qui ne sont pas de celles que vous devez recevoir pour être votre héritage. Mais quant à ces villes qu'on vous doit donner pour vous, vous ne laisserez la vie à aucun de leurs habitants; mais vous les ferez tous passer au fil de l'épée, c'est-à-dire les Héthéens, les Amorrhéens, les Chananéens, les Phérézéens, les Hévéens et les Jébuséens, comme le Seigneur votre Dieu vous l'a commandé* » (Deut., XX, 10-17). On lit encore dans le *Deutéronome* : « *Séhon marcha donc au-devant de nous avec tout son peuple pour nous donner bataille à Jasa; et le Sei-*

*gneur notre Dieu le livra entre nos mains, et nous le défîmes avec ses enfants et tout son peuple. Nous prîmes en même temps toutes ses villes, nous en tuâmes tous les habitants, hommes, femmes et petits enfants, et nous n'y laissâmes rien du tout* » (Deut., II, 32-34). Et ceci encore : « *Le Seigneur notre Dieu livra donc aussi entre nos mains Og, roi de Basan, et tout son peuple; nous les tuâmes tous sans en excepter aucun, et nous ravageâmes toutes leurs villes en un même temps. Il n'y eut point de ville qui pût échapper à nos mains; nous prîmes soixante villes, tout le pays d'Argob, qui était le royaume d'Og, en Basan, etc... Nous exterminâmes ces peuples comme nous avions fait Séhon, roi d'Hesebon, en ruinant toutes leurs villes, en tuant les hommes, les femmes et les petits enfants*[14]*; et nous prîmes leurs troupeaux, avec les dépouilles de leurs villes* » (Deut., III, 3-4; 6-7).

A propos de l'homme qui ramassait du bois le jour du sabbat, on lit au livre des *Nombres* : « *Or les enfants d'Israël étant dans le désert, il arriva qu'ils trouvèrent un homme qui ramassait du bois le jour du sabbat; et l'ayant présenté à Moïse, à Aaron et à tout le peuple, ils le firent mettre en prison, ne sachant ce qu'ils en devaient faire. Alors le Seigneur dit à Moïse : Que cet homme soit puni de mort, et que tout le peuple le lapide hors du camp* » (Num., XV, 32-35). Le même Seigneur dit au peuple israélite, dans l'*Exode* : « *Je remplirai le*

14. Pendant la *Croisade contre les Albigeois*, les catholiques romains auraient pu s'autoriser de ces passages de la Bible, pour mettre à sac villes et châteaux et en exterminer les habitants, comme ils l'ont fait d'ailleurs maintes fois. La morale cathare, au contraire, condamnait formellement les guerres et les massacres auxquels elles donnent lieu. Quoi qu'on en ait dit, le catharisme représentait alors un incontestable progrès moral. Et le refus même d'attribuer à un Dieu Bon les horreurs rapportées par la Bible donne la mesure de la « mutation » qui s'opérait alors dans la conscience morale des meilleurs.

*nombre de vos jours. Je ferai marcher devant vous la terreur de mon nom; j'exterminerai tous les peuples au pays desquels vous entrerez, et je ferai fuir tous vos ennemis devant vous* » (Exod., XXIII, 26-27). Et il s'exprime ainsi dans le *Lévitique* : « *Vous poursuivrez vos ennemis, et ils tomberont en foule devant vous. Cinq d'entre nous en poursuivront cent, et cent d'entre vous en poursuivront dix mille; vos ennemis tomberont sous l'épée devant vos yeux* » (Lév., XXVI, 7-8); et encore ainsi au livre des *Nombres* : « *Que si vous ne voulez pas tuer tous les habitants du pays, ceux qui en seront restés vous deviendront comme des clous dans les yeux et comme des lances aux côtes, et ils vous combattront dans le pays où vous devez habiter; et je vous ferai à vous-mêmes tout le mal que j'avais résolu de leur faire* » (Num., XXIII, 55-56).

**Du créateur mauvais.**

Il est donc assez clairement démontré, pour les gens savants, que ce créateur qui, dans le monde temporel, aurait ainsi fait massacrer, sans aucune pitié, tant d'hommes et de femmes, avec tous leurs enfants en bas âge, n'est pas le vrai Créateur. C'est surtout en ce qui concerne ces derniers que la chose paraîtrait tout à fait incroyable : comment le vrai créateur aurait-il pu, en ce monde visible, vouer sans miséricorde à la mort la plus cruelle, des petits enfants qui n'avaient pas le pouvoir de discerner droitement le bien du mal, ni le « libre arbitre » (pour parler selon la foi de nos adversaires) ? Et cela en dépit de ce que ce Seigneur a dit lui-même, par la bouche d'Ezéchiel : « *Le fils ne portera point l'iniquité du père, mais l'âme qui a péché mourra elle-même* » (Ezech., XVIII, 20). Jésus-Christ, le Fils fidèle de notre Créateur, n'a certes pas enseigné à ceux qui suivent sa loi, d'exterminer complètement leurs ennemis dans ce monde temporel : tout au contraire : il leur a commandé de ne leur faire que du bien, comme il le dit lui-même dans l'évangile de saint Matthieu : « *Vous avez appris qu'il a été dit : Vous aimerez votre prochain, et vous haïrez votre ennemi. Et moi, je vous dis : Aimez vos ennemis* » (Matth., v, 43-44). Il n'a pas dit, non plus, en ce monde visible : Poursuivez vos ennemis, comme l'a fait votre père[15], de toute antiquité, mais, au contraire : « *Aimez vos ennemis et faites du bien à ceux qui vous haïssent, et priez pour ceux qui vous persécutent et qui vous calomnient; afin que vous soyez enfants de votre Père qui est dans le ciel* » (Matth., v, 44-45); et le Christ voulait dire : « afin que vous soyez dans l'amour de votre Père qui est dans le ciel, et dont c'est là l'œuvre de miséricorde ». Car Jésus-Christ lui-même, Fils de Dieu, a appris de son Père à faire, dans ce monde présent, cette œuvre de miséricorde, comme il le dit, parlant de sa propre action, dans l'évangile de Jean : « *Le Fils ne peut rien faire de lui-même, et il ne fait que ce qu'il voit faire au Père : car tout ce que le Père fait, le Fils aussi le fait comme lui* » (Ioan., v, 19). Donc, le Père de Jésus-Christ n'a pas pu, dans le temps et en ce monde, exterminer, aux yeux de tous, tant d'hommes et de femmes avec tous leurs petits enfants, étant donné surtout qu'il est « *le Père des miséricordes, et le Dieu de toute consolation* », comme le souligne l'Apôtre (II Cor., I, 3).

### *Que le mauvais dieu a maudit le Christ.*

Non seulement ce Seigneur et créateur mauvais a ordonné, dans le monde du temps, de commettre l'homicide, comme nous l'avons montré plus haut, selon la foi de nos adversaires, mais encore il a maudit notre Seigneur Jésus-Christ : cela est écrit dans le *Deutéronome* : « *Lorsqu'un homme aura commis un crime digne de mort, et qu'ayant été condamné à mourir, il aura été attaché à une po-*

---

15. *Pater vester* : votre père (celui qui n'est pas dans le ciel), le Diable.

*tence, son corps mort ne demeurera point à cette potence, mais il sera enseveli le même jour, parce que celui qui est pendu au bois est maudit de Dieu* » (Deut., XXI, 22-23). L'Apôtre dit, de même, aux Galates : « *C'est Jésus-Christ qui nous a rachetés de la malédiction de la loi, s'étant lui-même rendu pour nous un objet de malédiction. selon qu'il est écrit : maudit est tout homme qui est pendu au bois* » (Gal., III, 13)[16]. Il résulte de tout cela que les gens instruits ne doivent pas croire du tout que le Père a ainsi maudit son fils Jésus-Christ, purement et simplement, sans aucun respect pour la victime qu'il était selon sa providence), ou plutôt, qu'il s'est maudit lui-même, s'il est vrai, comme le pensent les ignorants, que le Père, le Fils et le Saint-Esprit sont un seul et même être divin. Il y a donc, sans nul doute, un créateur mauvais qui est cause et principe de la malédiction portée contre Jésus-Christ, et par surcroît, cause de tout mal.

### *Que ce dieu mauvais consent au mensonge.*

On trouve encore dans les Ecritures que ce même Seigneur et créateur — selon ce que pensent nos adversaires — s'accommode du mensonge, et qu'il envoie aux hommes un esprit très mauvais, un esprit de fausseté. Le mauvais esprit, l'esprit pervers, est même appelé l'esprit de ce Dieu, selon qu'il est écrit au *premier livre des Rois* : « *Or l'esprit du Seigneur se retira de Saül, et il était agité du malin esprit, envoyé par le Seigneur* » (I Reg., XVI, 14); et plus loin, au même livre : « *Ainsi, toutes les fois que l'esprit malin du Seigneur se saisissait de Saül, David prenait sa harpe et la touchait de sa*

---

16. Le Christ a dû être — réellement — un objet de malédiction, avant de devenir l'*Instrument* du salut. C'est pour cette raison que les Cathares ne vénéraient pas le « Crucifix ». Pour la même raison, aussi, que les Templiers, plus tard, cracheront sur le « Christ-mis-en-Croix » ou le fouleront aux pieds.

*main; et Saül en était soulagé et se trouvait mieux; car l'esprit malin se retirait de lui* » (I Reg., XVI, 23). Et il est écrit au *livre des Juges* : « *Abimélech fut donc prince d'Israël pendant trois ans. Mais le Seigneur envoya un esprit de haine et d'aversion entre Abimélech et les habitants de Sichem* » (Iudic., IX, 22-23). Mais le Seigneur notre Dieu, lui, n'a jamais envoyé que l'esprit de vérité, comme le Christ l'a déclaré dans l'Evangile (cf. : Ioan., XIV, 17 et XV, 26).

Au quatrième[17] livre des *Rois* le prophète Michée nous dit : « *J'ai vu le Seigneur assis sur son trône, et toute l'armée du ciel qui était autour de lui à droite et à gauche; et le Seigneur a dit : Qui séduira Achab, roi d'Israël, afin qu'il marche contre Ramoth en Galaad, et qu'il y périsse ? Et l'un dit une chose, l'autre dit une autre. Mais l'esprit malin s'avança, et, se présentant devant le Seigneur, il lui dit : C'est moi qui séduirai Achab. Le Seigneur lui dit : Et comment ? Il répondit : J'irai, et je serai un esprit menteur dans la bouche de tous ses prophètes. Le Seigneur lui dit : Vous le séduirez, et vous aurez l'avantage sur lui. Allez, et faites comme vous le dites. Maintenant donc le Seigneur a mis un esprit de mensonge en la bouche de tous vos prophètes qui sont ici, et le Seigneur a prononcé votre arrêt*[18] » (III Reg., XXII, 19-23). Encore une fois, il paraît évident — selon l'interprétation même de nos adversaires — que ce Dieu, Seigneur et créateur, a envoyé un très mauvais esprit et un esprit de mensonge, ce que n'aurait voulu ni pu faire, en aucune façon, le vrai Dieu.

### *Que le mauvais dieu n'a point fait ce qu'il avait promis.*

Ce Seigneur et créateur a promis lui-même à Abraham, et a juré à sa descendance, qu'il lui don-

17. En réalité : *troisième.*
18. *Et dominus locutus est contra te malum.*

nerait, et qu'il donnerait à la postérité qui viendrait après lui, toute la terre qu'il voyait vers l'Aquilon et vers le midi, vers l'orient et vers l'occident, comme on peut le lire dans la *Genèse* : « *Le Seigneur dit donc à Abraham, après que Lot se fut séparé d'avec lui : Levez vos yeux, et regardez du lieu où vous êtes, au septentrion et au midi, à l'orient et à l'occident. Je vous donnerai, et à votre postérité, pour jamais, tout ce pays que vous voyez* » (Gen., XIII, 14-15); et au verset 17 : « *Parcourez présentement toute l'étendue de cette terre dans sa longueur et dans sa largeur, parce que je vous la donnerai* » (Gen., XIII, 17). Il est écrit dans le *Deutéronome* : « *Entrez... et possédez cette terre que le Seigneur avait promis avec serment de donner à vos pères, Abraham, Isaac et Jacob, et à leur postérité après eux* » (Deut., I, 8).

Mais quoique le Seigneur ait fait lui-même cette promesse, avec serment, à Abraham, il faut croire, cependant, qu'elle n'a jamais été tenue le moins du monde, sur le plan temporel. Comme le dit saint Etienne dans les *Actes des apôtres* : « *Quittez, dit le Seigneur à Abraham, votre pays et votre parenté, et venez dans le pays que je vous montrerai. Alors il sortit du pays des Chaldéens, et alla demeurer à Charan : de là, après la mort de son père, Dieu le fit passer en ce pays-ci que vous habitez aujourd'hui, où il ne lui donna point d'héritage, non pas même où asseoir le pied; mais il promit de lui en donner la possession et à sa postérité* » (Act., VII, 3-5). On voit clairement par là que ce Seigneur et créateur n'a pas tenu alors sa promesse faite avec serment, et même qu'il ne l'a jamais accomplie par la suite — à en croire nos adversaires eux-mêmes — en ce monde temporel et visible, car on ne trouve nulle part que jamais Abraham ait possédé cette terre temporellement, quoi que balbutient les ignorants.

***Que ce dieu a été vu dans le monde temporel.***

Il paraît encore — et c'est la croyance des gens peu instruits — que ce même dieu créateur a été vu face à face par plusieurs personnes, en ce monde, avec les yeux de la chair (*visibiliter*). On le lit dans la *Genèse* : « *Jacob donna le nom de Phanuel à ce lieu-là, en disant : J'ai vu Dieu face à face* » (Gen., XXXII, 30). Et il est écrit dans l'*Exode* : « *Moïse, Aaron, Nadab, Abiu, et les soixante et dix anciens d'Israël étant montés, ils virent le Dieu d'Israël* » (Exod., XXIV, 9-10); et plus loin, au verset 11 : « *Or le Seigneur parlait à Moïse face à face, comme un homme accoutumé de parler à son ami* » (Exod., XXXIII, 11). Et le Seigneur dit lui-même au livre des *Nombres* : « *Mais il n'en est pas ainsi de mon serviteur Moïse, qui est mon serviteur très fidèle dans toute ma maison; car je parle à lui bouche à bouche, et il voit le Seigneur clairement, et non sous des énigmes et sous des figures* » (Num., XII, 7-8). Mais notre vrai Créateur n'a jamais été vu par personne avec les yeux du corps : saint Jean l'affirme dans l'Evangile : « *Nul n'a jamais vu Dieu; c'est le Fils unique qui est dans le sein du Père qui l'a fait connaître* » (Ioan., I, 18). L'Apôtre le dit aussi dans la seconde[19] épître à Timothée : « *Au roi des siècles, immortel, invisible, à l'unique Dieu, soit honneur et gloire* » (I Tim., I, 17); et dans l'épître aux Colossiens, où il déclare, en parlant du Christ, qu'il est « *l'image du Dieu invisible* » (Col., I, 15).

Que les gens instruits lisent donc (les Ecritures) et, sans aucun doute, ils se convaincront qu'il existe un dieu mauvais — seigneur et créateur — qui est la source et la cause de tous les maux dont nous avons parlé. Sans quoi : il leur faudrait nécessairement confesser que c'est le vrai Dieu lui-même — celui qui est la lumière, qui est bon et saint; celui qui est la fontaine vive et l'origine de toute douceur, de

19. En réalité : *la première.*

toute suavité et de toute justice — qui serait la cause et le principe de toute iniquité et de toute malice, de toute amertume et de toute injustice; et que tout ce qui est opposé à ce Dieu, comme étant son contraire, procéderait, en réalité, de lui seul : ce qu'aucun sage n'aura jamais la sottise de soutenir.

# V

## Contre les « Garatenses »

### *Où l'on combat la thèse des « Garatenses*[1] *».*

J'ai dessein de rédiger une autre réfutation[2] des théories des *Garatenses* qui bien souvent s'écrient en faisant les glorieux : « Vous, les « Albanais »[3], vous ne pouvez pas nous démontrer, par les témoignages des Ecritures, que seul un mauvais Dieu a pu créer le ciel, la terre et tout le monde visible, comme vous l'enseignez pourtant, chaque jour, publiquement. » J'ai pensé qu'il fallait leur répondre brièvement[4]... mais comme entre les Sarrasins et

---

1. Les « Garatenses », les *Garatistes* de Concorezo étaient dualistes *mitigés*. Ils tiraient sans doute leur nom de celui de l'évêque Garathus, fondateur présumé de l'Eglise de Concorezo.

2. Un premier document aura été omis (Dondaine, *op. cit.*, p. 28).

3. Les *Albanais*, dont notre auteur défend ici le point de vue, étaient dualistes *absolus* (cf. *Abrégé pour servir à l'instr. des ignorants*, note 7).

4. Il manque certainement une phrase après : *brièvement* (c'est-à-dire dans le ms., entre *respondendum* et *sed*). Cette lacune rend incertain le sens de tout le paragraphe, qui était peut-être le suivant : « Les gens qui croient qu'il n'y a qu'un seul principe (saint et

les Chrétiens (les « baptisés »), les Juifs et les Tartares, et entre les fidèles des autres religions de ce monde, on constate chaque jour qu'il existe de grandes divergences — bien que tous croient en un seul principe saint, bon et miséricordieux, on les trouve toujours en train de se disputer, d'échanger des injures, de se traiter mutuellement avec la pire cruauté, alors qu'ils se considèrent tous, sans nul doute, comme des frères issus de la même création — je pense avoir déjà réfuté d'une façon suffisamment claire, pour les sages, leur théorie pleine de vanité.

***Où l'on fait connaître l'ignorance des « Garatenses ».***

Je veux donc, maintenant, faire connaître aux personnes éclairées la folie des Garatistes : bien qu'ils croient, comme les autres, qu'il n'existe qu'un seul créateur très saint, ils ne laissent pas, cependant, de prêcher, en maintes occasions, qu'il existe aussi un autre Dieu : le dieu mauvais, prince de ce monde, lequel, disent-ils, fut d'abord une créature du Dieu bon; mais, par la suite, il corrompit les quatre éléments [5] produits par ce Vrai Dieu, et de ces éléments il forma et constitua, au commencement du monde, l'homme et la femme et tous les autres corps visibles, dont sont issues toutes les créatures qui ont aujourd'hui leur règne sur la terre.

Mais comme leur théorie apparaît aux yeux des savants comme dénuée de tout fondement, je leur demande de nous dire comment ils prétendent la

---

bon), font la preuve, par l'acharnement cruel qu'ils mettent à se combattre, qu'il existe un autre principe, celui du Mal (?).

5. Les *Garatenses* croyaient — comme presque tous les dualistes *mitigés* — que le Dieu du Bien avait créé les quatre éléments ou *principes spirituels* de la matière.

confirmer par le témoignage des Ecritures, de nous faire connaître les passages où se trouve ce qu'ils affirment et qu'ils enseignent ouvertement et publiquement; dans quel livre, dans quel exposé dogmatique, dans quelle partie de la Bible enfin, ils ont découvert « qu'un mauvais Dieu a corrompu les quatre éléments du Dieu bon, et créé, à l'origine des temps, l'homme, la femme et tous les autres corps — ceux des oiseaux, des poissons, des reptiles et des mammifères — qui sont en ce monde », comme ils l'affirment publiquement et le prêchent aux hommes.

Ils répondraient probablement : « Nous pouvons prouver, certes, qu'un mauvais Dieu a fait l'homme et la femme, et dans le principe, tous les autres êtres, dont tous les corps de chair ont été faits. Ce mauvais Seigneur n'a-t-il pas dit à l'homme et à la femme, aux oiseaux et aux bêtes, et généralement à tous les êtres de chair : « *Croissez et multipliez-vous, remplissez la terre* » (Gen., I, 28) ? N'a-t-il pas dit aux poissons : « *Croissez et multipliez-vous, et remplissez les eaux de la mer* » (Gen., I, 22), comme on le lit, sans nul doute, dans la Genèse ? On trouve dans ce même livre que ce Dieu — que nous croyons mauvais — a encore dit : « *Faisons l'homme à notre image et à notre ressemblance* » (Gen., I, 26), et ceci encore : « (*Dieu*) *fit donc les bêtes sauvages selon leurs espèces, les animaux domestiques, et tous les reptiles, chacun selon son espèce* » (Gen., I, 25); et encore : « *Et le Seigneur Dieu, de la côte qu'il avait tirée d'Adam, forma la femme* » (Gen., II, 22). C'est ce même Dieu qui a dit : « *C'est pourquoi l'homme quittera son père et sa mère, et s'attachera à sa femme, et ils seront deux dans une seule chair* » (Gen., II, 24); et le Christ, dans l'évangile de saint Marc : « *Dès le commencement du monde, Dieu forma un homme et une femme* », *et, dit-il encore,* « *c'est pourquoi l'homme quittera son père et sa mère, et demeurera avec sa femme. Et ils ne seront tous deux qu'une seule chair. Ainsi, ils ne seront plus deux, mais une seule chair... et cetera* (*sic*) » (Marc, X, 6-8). C'est ainsi que nos *Garatistes* croiraient devoir affirmer — sur la foi des témoignages précités et d'autres tout à fait semblables — que le mauvais Dieu, au commencement, a fait les corps visibles de ce monde.

Je veux bien admettre, dans la mesure où je le puis, leur explication, s'ils croient que ces témoignages sont absolument dignes de foi. Qu'ils me disent donc tout de suite s'ils croient vrais ou non, s'ils veulent recevoir pour vrais ou non, les témoignages en question[6] et les autres paroles rapportées au livre de la *Genèse*. S'ils me disent : « Non, parce que ce Dieu est mauvais, et qu'on ne saurait avoir la moindre confiance en ses paroles », je leur répondrai : « Vous n'avez donc apporté aucune preuve tirée de l'Ecriture, en confirmation de votre thèse, contrairement à ce que vous affirmez tous les jours. Comment donc, et de quel front, pouvez-vous l'enseigner, si vous ne pouvez fournir aucun argument tiré des divines Ecritures, pour la confirmer ? Mais ils pourraient me dire : « Nous croyons bien qu'il s'agit d'un dieu mauvais, cependant, nous croyons aussi que les témoignages produits par nous sont véridiques, et que, comme il est écrit dans la *Genèse,* c'est un dieu mauvais qui a fait les choses visibles de ce monde, selon ce qui a été dit plus haut. » Je leur répondrais alors : « Si vous pouvez prouver par le témoignage de la *Genèse* — comme vous le répétez sans cesse — votre théorie « que le mauvais Dieu a corrompu les quatre éléments et qu'il a créé au commencement du monde, l'homme et la femme, et tous les corps charnels », pourquoi donc nous accusez-vous si âprement, chaque jour, de ne pouvoir vous démontrer qu'il existe un mauvais créateur ? Pourquoi ne nous serait-il pas possible, à nous aussi, de prouver sans la moindre am-

6. Les dualistes mitigés rejetaient presque tout l'*Ancien Testament* (à l'exception des livres sapientiaux et des prophètes). Au contraire, Jean de Lugio — *et les Albanenses* — acceptaient l'autorité de toutes les *Ecritures.*

biguïté, par les mêmes passages de la Genèse sur lesquels vous fondez votre propre théorie, que ce Dieu — que vous croyez, vous aussi, qui est mauvais — est le créateur du ciel, de la terre, et de tout l'univers visible ? On lit dans la *Genèse* : « *Au commencement Dieu créa le ciel et la terre; la terre était informe et toute nue* » (Gen., I, 1-2); et ceci : « *Dieu créa donc les grands poissons, et tous les animaux qui ont la vie et le mouvement, etc... et il créa aussi tous les oiseaux selon leur espèce* » (Gen., I, 21); et ceci encore : « *Dieu créa donc l'homme à son image; il le créa à l'image de Dieu, et il le créa mâle et femelle* » (Gen., I, 27); et encore : « *Il bénit le septième jour, et il le sanctifia parce qu'il avait cessé en ce jour de produire tous les ouvrages qu'il avait créés* » (Gen. II, 3); et enfin : « *Mais Melchisédech, roi de Salem, offrant du pain et du vin, parce qu'il était prêtre du Dieu très-haut, bénit Abraham, en disant : Qu'Abraham soit béni du Dieu très-haut, qui a créé le ciel et la terre; et que le Dieu très-haut soit béni, lui qui, par sa protection, vous a mis vos ennemis entre les mains* » (Gen., XIV, 18-20).

Et ainsi, par les témoignages de la *Genèse* et selon le raisonnement que nous avons utilisé pour convaincre les Garatistes, nous pouvons prouver clairement qu'il existe un créateur *mauvais* qui a fait le ciel, la terre, et tous les corps visibles, en accord avec ce qui a été dit plus haut, d'après la *Genèse*, touchant ce mauvais créateur.

### De toute création[7].

Mais l'un d'eux, peut-être — n'importe lequel — nous objectera : « Pourquoi n'admettrions-nous

---

7. *De omni creatione*, c'est-à-dire : Pourquoi un seul Dieu n'aurait-il pas *tout* créé ?

8. *Indiscretus*, « non distingué des autres ». Les *Garatistes* pensaient tous la même chose sur ce point

pas qu'il n'existe qu'un seul Dieu, créateur et auteur de toutes choses — des visibles comme des *invisibles* », selon qu'il est écrit dans l'évangile de saint Jean : « *Toutes choses ont été faites par lui; et rien de ce qui a été fait n'a été fait sans lui* » (Ioan, I, 3) ? Paul a dit aussi dans les *Actes des apôtres* : « *C'est celui que je vous annonce : Dieu qui a fait le monde, et tout ce qui est dans le monde, etc..., c'est lui qui a fait naître d'un seul toute la race des hommes pour habiter toute la terre* » (Act., XVII, 23-24; 26). Les apôtres ont dit dans les mêmes *Actes* : « *Seigneur, vous êtes le créateur du ciel, de la terre, de la mer, et de tout ce qu'ils contiennent* » (Act., IV, 24). Et il est écrit dans l'*Apocalypse* : « *Craignez le Seigneur, et rendez-lui gloire... et adorez celui qui a fait le ciel et la terre, la mer* (*et tout ce qu'ils contiennent*), *et les sources des eaux* » (Apoc., XIV, 7). L'Apôtre dit aux Hébreux : « *Or, celui qui a tout créé, c'est Dieu* » (Hebr., III, 4). C'est ainsi, par ces témoignages et d'autres du même genre, qu'ils essaieraient peut-être de nous convaincre qu'il n'y a qu'un seul créateur et auteur de toutes choses.

A cette objection, je réponds de la façon suivante : S'il est vrai que le Seigneur vrai Dieu a fait, au commencement, l'homme et la femme, les oiseaux et les bêtes et tous les autres corps visibles, pourquoi condamnez-vous, chaque jour, l'œuvre de chair et l'union de l'homme et de la femme, en affirmant que c'est l'œuvre du Diable ? Pourquoi ne mangez-vous pas de la viande, des œufs, du fromage, toutes choses qui ont été créées par votre excellent Créateur ? Et pourquoi condamnez-vous si sévèrement ceux qui en mangent, si vous croyez qu'il n'existe qu'un seul créateur, auteur de tout ce qui est ? Il n'est pas étonnant que les Romains nous aient opposé si souvent l'autorité de saint Paul, qui dit à Timothée : « *Or l'Esprit dit expressément que dans les temps à venir, quelques-uns abandonneront la foi, en suivant des esprits trompeurs et des doctrines diaboliques, séduits par l'hy-*

12

*pocrisie de certains imposteurs, dont la conscience sera noircie de crimes; qui interdiront le mariage, et l'usage des viandes, que Dieu a créées pour être mangées avec action de grâces par ceux qui ont la foi et qui connaissent la vérité. Car tout ce que Dieu a créé est bon, et on ne doit rien rejeter...* » (I Tim., IV, 1-4). Mais vous[9], vous rejetez chaque jour la création du Seigneur vrai Dieu, s'il est vrai que c'est le Dieu très bon et miséricordieux qui a créé et fait l'homme et la femme et les corps visibles de ce monde.

***Déclaration des fidèles*[10].**

Il faut que tous les fidèles du Christ sachent ceci : A cause des propos calomnieux d'un certain Garatiste, qui se glorifiait beaucoup trop devant nos amis, j'ai été « porté »[11] — comme le fut par Sathan le Seigneur lui-même, qui dit dans *le livre de Job* : « *Tu m'as porté à m'élever contre lui...* » (Job, II, 3) — à écrire contre lui, bien que, jusque là, je me fusse peu soucié de le faire. Mais je puis dire, avec l'aide de Jésus-Christ, ce que dit le prophète : « *La douleur qu'il a voulu me causer retournera sur lui-même, et son injustice descendra sur sa tête* » (Ps., VII, 17). Maintenant, donc, je vous fais savoir, Alb.[12], à vous et à tous vos Garatistes, que si vous voulez soutenir et défendre (publiquement) — par tous les témoignages tirés de la Bible — la foi qui est la vôtre et que vous prêchez si souvent devant vos fidèles, à savoir : « que le Diable a corrompu les quatre éléments, le ciel, la terre, l'eau et le feu; qu'il a créé, au

---

9. Sous-entendu : « Vous êtes en pleine contradiction : vous rejetez... »

10. Ou : ce que déclarent les fidèles (?) : Ms. *de manifestatione fidelium.*

11. L'auteur s'excuse d'avoir cédé à un mouvement de colère, d'inspiration « diabolique ».

12. Ms. : *Alb.* Albertus ou Albanus ? On ne sait rien sur ce personnage (cf. Dondaine, *op. cit.*, p. 28).

commencement, l'homme et la femme et tous les corps visibles de ce monde — je suis prêt, moi, à soutenir et à défendre ma foi, celle qui est bien la mienne et que j'enseigne publiquement aux fidèles du Christ, selon le témoignage de la Loi, des prophètes et du *Nouveau Testament*, celle que je crois vraie et qui est, en effet, l'expression de la vérité, à savoir « qu'il y a un mauvais Dieu « *qui a créé le ciel et la terre, les grands poissons, et tous les animaux qui ont la vie et le mouvement... et tous les oiseaux selon leur espèce... et l'homme et la femme..., qui forma l'homme du limon de la terre, et répandit sur son visage un souffle de vie* » (Gen., I, 21, 27; II, 7); toutes choses que j'ai lu dans la *Genèse* qui ont été faites par ce Dieu. » Si vous acceptez ce que je propose, choisissez un lieu convenable et approprié pour cette rencontre, et sachez qu'avec l'aide du Père véritable, je suis prêt, comme je viens de le déclarer, à soutenir ma thèse.

**Notification (*faite aux Garatistes*)**[13].

Je désire que vous sachiez encore ceci, Alb. : j'ai appris de Pierre de Ferrare[14] que vous lui aviez délaré ne pas être en mesure de prouver votre foi par le *Nouveau Testament* (à savoir : que « le Diable avait corrompu les quatre éléments », « qu'il avait fait l'homme et la femme », ou quelque chose de semblable). C'est pourquoi je vous déclare, à vous et à tous vos Garatistes, qui si vous êtes disposés à avouer publiquement, devant tous nos amis et fidèles, que vous ne pouvez pas prouver par l'Ecriture que votre foi est vraie — celle-là même que vous croyez bonne et seule conforme à la vérité —; si vous consentez, je le répète, à faire cet

---

13. Ms. : de *noctitione*; corr. Dondaine : *notificatione*.
14. Ce Pierre de Ferrare n'est pas autrement connu (Dondaine, *op. cit.*, p. 28).

aveu; sachez que j'ai l'intention, moi, de soutenir, par des textes que je crois qui disent la vérité, et de prouver par les saintes Écritures ma croyance, à savoir : « Que ce Dieu, que je considère comme mauvais, a créé le ciel, la terre et les autres choses dont nous avons parlé plus haut. » Que si vous ne voulez pas avouer votre impuissance, défendez alors votre foi — par des témoignages que vous croyiez véridiques et qui le soient, en effet — de la façon dont moi-même je défendrai la mienne. Mais si vous ne vous souciez pas de la défendre, il est vraiment admirable que vous prétendiez, d'une part, imposer aux hommes votre théorie : (que le Diable a corrompu les quatre éléments du Seigneur vrai Dieu, et que de ces éléments il a constitué, à l'origine, les corps visibles de ce monde), alors qu'il vous est impossible de la leur prouver solidement par des textes que vous croyez pourtant sincères ou véridiques; et que, d'autre part, vous persistiez à repousser ma doctrine, pourtant très pieuse, et que je suis en mesure, moi, de confirmer irréfutablement par les témoignages de la Loi, des Prophètes et du Nouveau Testament.

Que l'ennemi de la vérité se taise donc, et qu'il n'ose plus seulement prononcer les propositions susdites (qu'il n'est pas capable de défendre)!

***Autres arguments contre les Garatistes.***

Je propose, contre les Garatistes, les arguments suivants : Ils prétendent et affirment tous les jours que le Diable, au commencement du monde, a corrompu les quatre éléments du Seigneur vrai Dieu : le ciel, la terre, l'eau et le feu. Si ce qu'ils croient est vrai — comme ils l'enseignent et le prêchent très souvent à leurs fidèles, je poserai cette question aux Garatistes : qu'ils me disent, d'abord, si cette corruption des éléments du vrai Seigneur Dieu, opérée par le Diable, fut en soi bonne et sainte, ou si, au contraire, elle fut mauvaise et toute de néant. S'ils me répondent : *elle fut bonne et sainte* :

je le nie. Si cela était vrai, leur croyance, en effet, serait sans fondement; ils enseigneraient une erreur en soutenant que le Diable a corrompu les quatre éléments du vrai Dieu. Car cela n'aurait pu être : une bonne et sainte opération n'aurait jamais corrompu les saints éléments du vrai Dieu. A admettre ce qui précède, il faut que les Garatistes admettent aussi que la création de l'homme et de la femme, opérée — croient-ils — par le Diable, à l'origine du monde, et qui a donné naissance à tous les corps visibles, fut également bonne et sainte. Or, cela va tout à fait à l'encontre de leur foi, puisqu'ils soutiennent et prêchent que l'union charnelle de l'homme et de la femme est un mal et n'est pas en accord avec la volonté de Dieu. Pourquoi donc repoussent-ils, aussi, la viande, les œufs et le fromage, qui sont tirés des très saints éléments, s'il est vrai que la corruption — ou création — faite par le Diable, fut, à l'origine, bonne et sainte ? Il ressort de tout cela qu'il n'est vraiment pas difficile de réfuter pareille théorie.

S'ils me répondent, au contraire : « *Cette corruption — ou modification — apportée par le Diable dans les très saints éléments du vrai Seigneur Dieu, fut mauvaise, toute de néant, et contraire aux intérêts de Dieu* » — et c'est, sans nul doute, ce qu'ils croient et proclament, effectivement — je m'inscris en faux contre leur affirmation. Je leur demande, en effet : cette corruption vaine et maligne des quatre éléments — en admettant qu'elle ait été produite par le Diable — a-t-elle eu lieu par la volonté du Père très saint, ou absolument contre sa volonté ? S'ils me répondent : « *La corruption des saints éléments a eu lieu par la volonté du Seigneur, car nous ne croyons pas que le Diable ait pu corrompre les saints éléments contre la volonté de Dieu* » : je m'inscris en faux contre leur thèse : car elle impliquerait que Dieu a eu une volonté maligne, quand il a voulu qu'une corruption mauvaise, et toute de néant, affectât ses saints éléments de la façon qu'on a dit. — Que s'ils me répondent : « *La volonté de Dieu fut bonne et sainte, quand il voulut que ses éléments se corrompissent, car, en conséquence de cette corruption — ou création — il a instauré son règne, par l'union de l'homme et de la femme;* alors, ils doivent admettre, par cela même et nécessairement, que l'union charnelle des sexes est tout à fait bonne et sainte, si c'est par elle — et non d'une autre façon — que Dieu a eu dessein de restaurer son royaume, en faisant descendre de nouvelles âmes dans les corps. Mais, s'il en est ainsi, les Garatistes ne devraient pas condamner l'œuvre de chair, à l'occasion de laquelle ces nouvelles âmes sont créées[15] : Or, ils la condamnent chaque jour. — Si, enfin, ils disent : « *Nous croyons, assurément, que cette corruption — ou modification — s'est opérée, dans les saints éléments contre la volonté de Dieu* »; alors, ils doivent admettre nécessairement qu'il existe un autre principe, celui du Mal, capable de corrompre les quatre éléments du Créateur saint, même contre sa volonté. Car la corruption n'aurait pu se produire, s'il n'y avait eu qu'un principe principiel, ou si le Diable avait été créé par le Seigneur vrai Dieu; le Diable n'aurait pas pu, en effet, violer la nature des très saints éléments, contre la volonté de son Maître. En conclusion : il est certain qu'il existe deux principes des choses : l'un bon, l'autre mauvais; et ce dernier est la cause de la corruption des saints éléments et, aussi, de tout mal. Et les

---

15. Les *Garatenses* croyaient que toutes les âmes procédaient — par voie de génération — de celle du premier ange enfermé dans la matière en punition temporaire de sa défaillance; les *Albanenses*, que toutes les âmes étaient tombées dans la matière en une seule fois (cf. Dondaine, *op. cit.*, p. 25). Mais, comme le dit une addition marginale transcrite par Dondaine, p. 137, ces âmes, créées de toute éternité (*quae antiquitus facte fuerunt*) sont tenues en réserve par le Diable, qui les introduit dans les corps, au fur et à mesure que ceux-ci naissent de la chair (*et cottidie modo efficiuntur*).

Garatistes sont prisonniers, une fois de plus, de leurs très fallacieux raisonnements.

Peut-être, cependant, vont-ils se récrier : *la corruption des saints éléments, diront-ils, n'a eu lieu ni par la volonté du Seigneur, ni contre sa volonté, mais avec sa permission, et parce qu'il l'a tolérée.* Nous demandons aux Garatistes : Cette permission, cette tolérance, qui aboutit à la corruption des saints éléments, fut-elle bonne et sainte, ou mauvaise et toute de néant ? S'ils nous disent : « *Cette permission fut bonne et sainte* », il s'ensuit nécessairement que les éléments n'ont pas été corrompus du tout, car ils n'auraient pu l'être — bons comme ils étaient — du fait de cette tolérance en elle-même bonne et sainte. Dès lors, la création de l'homme et de la femme, œuvre du Diable, selon leur propre croyance — serait bonne et sainte, elle aussi : ce qui s'oppose absolument à leur foi. — Mais s'ils disent, au contraire : « *Cette permission donnée par Dieu fut mauvaise et vaine* » — et il est certain qu'elle le fut — alors, ce Dieu, qui aurait donné ainsi une autorisation très maligne et toute de néant, serait lui-même la cause de ce mal, selon ce que dit l'Apôtre : « *Méritent la mort non seulement ceux qui font ces choses, mais aussi tous ceux qui approuvent ceux qui les font* » (Rom., I, 32) : Il est impossible de penser ainsi à propos du vrai Dieu. Il faut donc admettre nécessairement qu'il y a un principe du Mal, qui fait que le vrai Dieu doit tolérer et souffrir la corruption, très maligne et toute de néant, qui a lieu dans ses éléments très saints, absolument contre sa volonté. Ce vrai Dieu n'aurait jamais, de lui-même, en essence et directement, causé cette corruption.

Ainsi, et de toute façon (quelque réponse qu'ils fassent), les Garatistes sont enfermés dans leurs propres contradictions.

# VI

## Du libre arbitre

***De l'ignorance de beaucoup.***

Comme beaucoup de gens, enveloppés dans les ténèbres de l'ignorance, affirment que tous les hommes, tant ceux qui sont sauvés que ceux qui ne le seront jamais, ont eu la « puissance » d'être sauvés et « auraient pu » faire leur salut, j'ai dessein de réfuter, par des arguments tout à fait véridiques, leur très vaine opinion. Je demande d'abord aux ignorants de répondre à cette question : Peut-on faire, à quelque moment, ce qu'on n'a pas fait, ce qu'on ne fait pas, ce qu'on ne fera jamais ? S'ils répondent : non, ils admettent donc, par là même, qu'il est impossible que ce qui ne peut avoir lieu en aucun temps ait lieu un jour.

Je leur propose alors ceci : Voici un homme qui n'a jamais fait le bien de façon à être sauvé, qui ne le fait point présentement et ne le fera jamais. D'après ce que nous venons de dire, il est *impossible* qu'il ait jamais *pu* faire le bien de façon à être sauvé; donc la puissance de salut n'a jamais été en lui, et il n'a jamais eu le libre arbitre grâce auquel il aurait été sauvé, puisque la puissance de salut ne fut jamais en lui. Selon l'opinion des ignorants, il doit être jugé par Dieu, mais sur quoi Dieu le jugera-t-il, si jamais il n'y eut en lui possibilité de salut, ni pouvoir de faire le bien de façon à être sauvé, comme nous venons de l'admettre ? On voit par là combien est fragile la théorie de ceux qui prétendent que tous les hommes, ceux qui sont sauvés comme ceux qui ne le seront jamais, ont reçu le salut en puissance, et *auraient pu* être sauvés, comme il a été dit plus haut.

Mais les ignorants peuvent me répondre : cet homme aurait pu faire le bien, *s'il avait voulu,* quoiqu'il ne l'ait pas fait, ne le fasse pas aujourd'hui et ne doive jamais le faire; seulement, *il n'a pas voulu.* Et c'est bien là, en effet, ce que disent les ignorants. Comme je l'ai fait pour la « puissance », je les interroge maintenant sur la volonté : soit, par exemple, un homme qui n'a jamais eu la bonne volonté — celle de faire le bien en vue d'obtenir son salut —, qui ne l'a point actuellement et qui ne l'aura jamais. Qu'ils me disent si jamais cet homme a été *en puissance* d'avoir la bonne volonté en conséquence de laquelle il eût été sauvé. S'ils me répondent : non, puisqu'il n'a jamais montré cette volonté et qu'il ne la montrera jamais, selon ce qui a été dit précédemment de la puissance, et comme c'est la vérité, ils doivent admettre, du même coup, que, s'il n'a jamais eu en puissance la bonne volonté qui lui eût permis d'être sauvé, sans nul doute il n'a jamais eu, non plus, la puissance de faire son salut, car, sans bonne volonté, nul ne peut être sauvé. Donc, il n'y a jamais eu en lui ni possibilité de vouloir le bien ni possibilité de faire le bien pour être sauvé.

Toujours de la même façon, je les interroge au sujet de la connaissance. Voici un homme qui n'a jamais eu la faculté de discerner le bien du mal, le vrai du faux, faculté qui aurait pu le sauver; il ne l'a pas actuellement et il ne l'aura jamais. Et sans nul doute, ils sont nombreux, dans le monde, à être dans ce cas. Si les ignorants m'accordent, comme ils l'ont fait pour la puissance et la volonté, qu'il n'a jamais eu et qu'il n'aura jamais cette science du bien et du mal grâce à laquelle il eût pu être sauvé, ils doivent reconnaître aussi qu'il n'a jamais été en puissance de l'avoir. Par conséquent, il n'a jamais eu le pouvoir d'être sauvé, parce que sans ce discernement, nul ne peut l'être. Ainsi donc, selon ce qui a été établi plus haut, il n'y a jamais eu, en cet homme, ni possibilité d'être sauvé, ni possibilité de vouloir et de connaître le bien, de manière qu'il fût sauvé et par ce raisonnement se trouve éliminée la théorie de ceux qui pensent que Dieu jugera les hommes sur le libre pouvoir (qu'ils auraient) de discerner le bien du mal; et que ceux-là mêmes qui ne seront pas sauvés ont, cependant, en eux, le salut en puissance.

Que si, tous à la fois, les ignorants s'écrient : « L'homme a bien reçu le pouvoir de faire ce que, pourtant, il ne fait pas, n'a pas fait et ne fera jamais. Il a bien reçu cette volonté qu'il n'a pas eue, qu'il n'a pas et qu'il n'aura jamais; et aussi, cette science du bien et du mal, qu'il n'a pas eue, qu'il n'a pas, et qu'il n'aura jamais », je ne puis que leur répondre : Eh bien! s'il en est ainsi, rien ne nous empêche d'affirmer que l'on peut faire d'un bouc un pape de l'église de Rome; ni de changer tout l'impossible en possible. Avec une telle façon de raisonner on peut bien prêter à l'homme le désir de brûler dans le feu éternel, de souffrir tous les maux ou les pires dommages; rien ne s'oppose à ce qu'on lui accorde la sagesse parfaite du vrai Dieu, complètement et absolument, telle qu'il la possède lui-même... Mais ce sont là paroles folles et vaines imaginations! Car, en vérité, si ce qui n'a jamais été, n'est pas, et ne sera jamais, « pouvait » accéder à l'être, et existait en puissance, absolument et essentiellement, il s'ensuivrait, sans nul doute, que les anges et tous les saints *pourraient* devenir des démons, et les démons des anges de gloire; que le Christ pourrait devenir le Diable, et le Diable le Christ glorieux. Tous les « impossibles » pourraient être, tous existeraient en puissance : Il faudrait être bien menteur pour affirmer pareille chose, et bien sot pour la croire.

En voici la raison : il est exact qu'un homme a

bien, en effet, le « pouvoir » de faire tout ce qu'il a fait, tout ce qu'il fait, tout ce qu'il fera dans le futur. Cela a été ou est présentement en puissance en lui. Mais ce qu'il n'a pas fait, ne fait pas, et ne fera jamais, il n'est pas « possible » qu'il le fasse : en aucune façon cela n'est — ou n'a été — potentiellement en lui. Car ce qui ne passe jamais *à l'acte,* nous ne pouvons pas dire, en bonne logique, qu'il est de quelque manière *en puissance.*

***Seconde notule*[1].**

Pour amener à l'existence tous les êtres qui furent, sont ou seront, je pose que deux conditions sont nécessaires : à savoir : la nécessité d'être et l'impossibilité de ne pas être; et cela est vrai, au suprême degré, pour la pensée divine qui connaît absolument, depuis l'éternité, tout le passé, tout le présent et tout l'avenir. Si Dieu sait, en effet, que quelque chose doit arriver, avant qu'elle soit, il est *impossible* qu'elle n'arrive pas. Et même, il ne pourrait pas savoir qu'elle doit arriver, s'il était possible qu'elle n'arrivât point. Si — par exemple — l'on sait, alors que Pierre est encore en vie, qu'il doit mourir aujourd'hui, il faut nécessairement qu'il meure aujourd'hui, car il est impossible qu'il soit en situation de mourir aujourd'hui et qu'il ne meure point. Parce qu'avant qu'il ne meure, agissait déjà en lui la nécessité de mourir et l'impossibilité de ne pas mourir. Il a donc été *toujours* nécessaire que Pierre meure aujourd'hui et impossible qu'il ne meure pas aujourd'hui, pour celui qui connaît absolument toutes les raisons qui le font mourir aujourd'hui.

***Autre argument* (*contre le libre arbitre*).**

Beaucoup de gens croient que Dieu a créé ses anges bons et saints. Savait-il ou ne savait-il pas,

1. Cette « notule » résume brièvement l'un des argument contenus dans le premier traité du *Libre arbitre.*

avant qu'ils existassent, qu'ils deviendraient des démons ? S'il ne le savait pas, Dieu n'est pas parfait, puisqu'il ne connaît pas tout le futur. Mais aucun sage ne croira cela possible. Dieu savait donc, sans nul doute, avant même qu'ils fussent, que ses anges deviendraient des démons, parce que le Premier Facteur est intelligence parfaite et qu'il connaît exactement ce qui doit arriver *en tant qu'il est possible qu'il arrive,* comme le prouve Aristote, au Troisième livre de la *Physique*[2], où il dit que toutes choses sont *présentes* pour le Premier Facteur. Donc, une nécessité d'être et une impossibilité de ne pas être ont déterminé les anges avant leur création. Dès lors, il a toujours été impossible, absolument, qu'ils ne devinssent pas des démons, surtout pour la sagesse de Dieu en qui tout ce qui fut, est et sera, demeure éternellement présent, comme nous venons de le dire. Par quels arguments, et de quel front, les ignorants peuvent-ils soutenir que lesdits anges *auraient pu* rester bons et saints éternellement, avec leur Seigneur, alors que cela avait toujours été impossible en Dieu qui connaît toutes choses avant qu'elles soient faites, comme le dit Suzanne, au livre de Daniel : « *Dieu éternel, qui pénétrez ce qui est de plus caché et qui connaissez toutes choses, avant même qu'elles soient faites* » (Dan., XIII, 14). Il faut en conclure, sans nul doute, que tout est créé *nécessairement* dans le Premier Facteur. Les choses qui existent sont celles qui ont reçu de lui l'être et la puissance d'être, et au contraire, les choses qui n'existent pas sont celles qui n'ont pas reçu l'être et qui ne peuvent, en aucune façon, accéder à l'être. Et cela ruine la théorie de ceux qui ont soutenu que les

---

2. Cette théorie est bien d' « inspiration » aristotélicienne, mais elle ne figure pas, sous cette forme, au livre III de la *Physique*. Elle a dû être empruntée à Avencebrol (Ibn Gebirol), *Fons vitae*, III, 57, qui dit que « toutes choses sont arrêtées (*fixa*) dans la science divine ».

anges avaient eu à la fois le pouvoir de pécher et celui de ne pas pécher.

### *Le libre arbitre est inconciliable avec la création de nouvelles âmes et le Jugement dernier.*

A vrai dire, la théorie susdite[3] ne saurait, à mon avis, s'accorder avec les idées de ceux qui croient qu'il n'y a qu'un seul principe principiel, et cela, parce[4] qu'ils pensent que de *nouvelles âmes, ou esprits, sont créés chaque jour,* et que le Seigneur *doit juger, sur ce qu'ils auront fait par libre arbitre,* les bons et les mauvais, les grands et les petits[5]. [Je le prouve :] Qu'ils répondent à ma question : Toutes les nations seront-elles, comme ils le croient, rassemblées devant Dieu ? Si cela est vrai, il y aura là une multitude innombrable d'enfants de toutes les races, âgés de quatre ans ou de moins de quatre ans, et aussi une étonnante foule de muets, de sourds, de simples d'esprit, qui n'ont jamais été à même de faire pénitence et qui n'ont jamais reçu du Seigneur le moindre pouvoir de pratiquer la vertu, ni la moindre connaissance de ce qu'est le Bien. Comment — et pour quelle raison — le Seigneur Jésus pourra-t-il leur dire : « *Venez, vous qui avez été bénis par mon Père; possédez le royaume qui vous a été préparé dès le commencement du monde. Car j'ai eu faim, et vous m'avez donné à manger; j'ai eu soif, et vous m'avez donné à boire, etc.* » (Matth., xxv, 34-35), alors qu'ils n'auront absolument pas eu le pouvoir d'agir de la sorte, qu'ils n'auront rien fait de tel; et qu'ainsi les paroles du Christ seraient totalement fausses, s'appliquant à eux ? Nos adversaires diront peut-être : Ils seront damnés pour l'éternité. Mais je leur répondrai : Cela ne se peut pas, selon votre conception

3. Celle du libre arbitre.
4. Dondaine : *qui*; corr : *quia.*
5. *Magnos* et *parvos* : les jeunes et les vieux ?

même du libre arbitre. Comment, en effet, le Seigneur pourrait-il leur dire : « *Allez loin de moi, maudits, au feu éternel, qui a été préparé pour le Diable et pour ses anges. Car j'ai eu faim, et vous ne m'avez pas donné à manger, etc....* » (Matth., xxv, 41-42) ? Ils pourraient se défendre avec raison, en invoquant précisément le libre arbitre[6] : nous n'avons rien pu faire — diraient-ils — de ce que vous attendiez de nous, parce que vous ne nous avez donné, à aucun degré, ni la puissance de faire le bien, ni la connaissance du Bien. Et c'est ainsi que la théorie du libre arbitre est contredite par ce que pensent, par ailleurs, nos adversaires.

J'ai entendu soutenir une autre théorie épouvantable. Certains d'entre eux croient que les enfants qui meurent le jour même de leur naissance, et dont les âmes ont été — d'après eux — nouvellement créées seront condamnés à subir des supplices qui dureront éternellement, jusqu'à la fin des siècles et dont ils ne pourront jamais se libérer. C'est vraiment une chose étonnante qu'ils osent enseigner que le Christ doit venir juger les hommes sur ce qu'ils auront fait par libre arbitre, alors qu'il est manifeste — comme nous venons de le montrer — qu'il n'y a absolument pas de libre arbitre[7].

---

6. Entendez : le libre arbitre que les autres ont reçu, mais que eux *n'ont pas eu* (en raison de leurs infirmités ou de leur jeune âge).

7. Au moins pour certains d'entre eux.

# VII

# Des persécutions

***De la persécution subie par le pasteur.***

« *Car il est écrit : je frapperai le pasteur et les brebis du troupeau seront dispersées* » (Matth., XXVI, 31 *ex* Zach., XIII, 7). Par le pasteur il faut entendre le Christ; par les brebis du troupeau dispersées, les disciples. Ce n'est pas le vrai Seigneur Dieu qui par lui-même, proprement et directement, a frappé son Fils Jésus-Christ, car si par lui-même, proprement et essentiellement, il avait perpétré cet homicide, nul ne pourrait en aucune façon en accuser Pilate et les Pharisiens, lesquels n'auraient fait, en cela, qu'accomplir la volonté de Dieu, et eussent, au contraire, commis un péché en résistant à la volonté du Seigneur. Il faut résoudre ainsi cette difficulté : Dieu a frappé son Fils *en permettant à ses ennemis de le faire mourir*. Ce qu'ils n'auraient jamais pu faire si le Dieu bon lui-même ne leur avait concédé ce pouvoir. C'est ce que dit le Christ à Pilate : « *Vous n'auriez aucun pouvoir sur moi, s'il ne vous avait été donné d'en-haut* » (Jean, XIX, 11). Il dit : *donné* (cela : *hoc*) et non *donnée* (*potestas,* féminin), comme s'il voulait signifier par là : « *Cela,* c'est le mauvais principe, par l'effet duquel Pilate et les Pharisiens, Judas et les autres, commettaient cet homicide. » Et le vrai Dieu permettait ce crime parce qu'il n'avait pas de meilleur moyen de délivrer son peuple de la puissance de l'ennemi. Il le dit par la bouche d'Isaïe : « *Je l'ai frappé à cause des crimes de mon peuple* » (Isa., LIII, 8). C'est pourquoi les disciples furent dispersés, c'est-à-dire : se séparèrent du Christ, selon une volonté qui n'émanait pas du Bien, mais de la puissance des mauvais esprits, comme il est écrit plus loin : « *Alors tous les disciples l'abandonnèrent et s'enfuirent* » (Matth., XXVI, 56).

***De la persécution subie par les prophètes, le Christ, les apôtres et ceux qui les suivent.***

Souvent, comme je parcourais et lisais les témoignages des divines Ecritures, il m'a paru qu'on y trouvait maintes fois rapporté : que les prophètes, le Christ et les apôtres avaient souffert bien des maux, quand ils accomplissaient leurs œuvres de bonté pour procurer aux âmes le pardon et le salut; maintes fois affirmé : que les fidèles du Christ, à la fin des temps, devront supporter beaucoup de scandales et de tribulations, de persécutions et de supplices, bien des souffrances et la mort même, de la part des pseudo-Christs, des faux prophètes, des méchants et des séducteurs; maintes fois rappelé : comment ils doivent pardonner à ceux qui les persécutent et les calomnient, prier pour eux, leur faire du bien, ne jamais leur résister par la violence, comme on voit que font seulement les vrais chrétiens qui accomplissent les saintes Ecritures pour leur bien et pour leur honneur, tandis qu'au contraire les méchants et les pécheurs les accomplissent, à la vue de tous, pour leur malheur, et afin que leurs péchés remplissent toujours la mesure des péchés de leurs pères[1].

C'est pourquoi Paul dit dans la seconde épître à

1. Cf. Matth., XXIII, 32.

Timothée : « *Or sachez que dans la suite il viendra des temps périlleux. Car il y aura des hommes amateurs d'eux-mêmes, avares, fiers, superbes, médisants, désobéissants à leurs pères et à leurs mères, ingrats, impies, sans tendresse pour leurs proches, sans foi, calomniateurs, intempérants, inhumains, sans affection pour les gens de bien, traîtres, enflés d'orgueil, téméraires, ayant plus d'amour pour la volupté que pour Dieu; qui auront les dehors de la piété, mais qui renonceront à ce qu'elle a de solide : fuyez encore ces personnes* » (II Tim., III, 1-5). Et le Christ dit dans l'évangile de Matthieu : « *Car il s'élèvera*[2]*... les élus mêmes* » (Matth., XXII, 24, de *surgent* à *electi*). Et Paul, dans l'épître aux Romains : « *Et comme ils n'ont pas voulu... sans miséricorde* » (Rom., I, 28-31), de *Et sicut* à *misericordia*). Saint Pierre déclare dans l'Epître seconde : « *Or il y a eu aussi de faux prophètes... n'est pas endormie.* » (II Petr., II, 1-3, de *Fuerunt* à *dormitat*). Et Paul, dans la seconde épître à Timothée : « *Mais les hommes méchants... eux-mêmes séduits* » (II Tim., III, 13, de *Mali* à *errorem alios mittentes*). Et dans les *Actes des apôtres* le même Paul dit encore : « *Prenez donc garde... veillez, en vous souvenant* » (Act., XX, 28-31, de *Attendite* à *memoriam retinentes*).

### *De la persécution subie par les prophètes.*

Sur les persécutions subies par les Prophètes, le Christ et les apôtres, on trouve mille témoignages dans les saintes Ecritures : Paul dit aux Hébreux, parlant de la persécution des prophètes : « *Que dirai-je davantage ?... l'accomplissement de leur bonheur* » (Hebr., XI, 32-40, de *Quid adhuc dicam* à *consumarentur*). Le Christ s'exprime ainsi dans

---

2. A partir de ce mot, nous donnons seulement la référence des textes scripturaires cités.

l'évangile de saint Matthieu : « *C'est ainsi qu'ils ont persécuté les prophètes qui ont été avant vous* » (Matth., v, 12); et saint Etienne, dans les *Actes des apôtres* : « *Têtes dures... et qui ne l'avez point gardée* » (Act., VII, 51-53, de *Dura cervice* à *custodistis*). Et le Christ lui-même, dans l'évangile de Matthieu : « *Malheur à vous... au nom du Seigneur* » (Matth., XXIII, 29-39, de *Vae vobis* à *in nomine Domini*). Saint Jacques dit enfin dans son épître : « *Prenez, mes frères, pour exemple... miséricorde* » (Iac., v, 10-11, de *Exemplum* à *et miserator*).

**Passion et persécution de Jésus-Christ.**

Sur les tribulations, les persécutions, la passion et la mort de notre Seigneur Jésus-Christ, qui suivirent celles endurées par les prophètes, comme nous venons de le montrer, on trouve dans les saintes Ecritures d'édifiants témoignages. On lit, en effet, dans l'évangile de saint Matthieu qu'alors que le Christ n'était encore qu'un tout petit enfant, un ange dit à Joseph : « *Levez-vous, prenez l'enfant... mort d'Hérode* (Matth., II, 13-15, de *Surge* à *Herodis obitum*). Dans l'évangile de saint Luc il est écrit de Jésus-Christ : « *Le père et la mère... soient découvertes* » (Luc, II, 33-35, de *Et erat Joseph* à *cogitationes*). Il est écrit encore dans l'évangile de saint Matthieu : « *Or comme Jésus... le troisième jour* » (Matth., XX, 17-19, de *Et ascendens* à *resurget*). Et plus loin, dans un autre passage : « *Vous savez que la Pâque... crucifié* » (Matth., XXVI, 2, de *Scitis quod* à *crucifigatur*). Le Christ dit dans l'évangile de saint Jean : « *En vérité... du temple* » (Jean, VIII, 58-59, de *amen* à *templo*). On lit plus loin : « *Les princes des prêtres... le faire mourir* » (Jean, XI, 47-53, de *collegerunt* à *interficerent eum*). On lit encore : « *Le monde ne saurait vous haïr... sont mauvaises* » (Jean, VII, 7, de *non potest* à *mala sunt*). Et à un autre endroit : « *Ce que je vous commande... Celui qui m'a envoyé* » (Jean, XV,

17-21, de *Haec mando* à *qui misit*). Saint Jean dit dans l'*Apocalypse* : « *Et le dragon s'arrêta... délivrée* » (Apoc., XII, 4, de *Et draco* à *devoraret*). Et saint Jacques : « *Vous avez vécu... résistance* » Jac., V, 5-6, de *Epulati* à *resistit vobis*). Et saint Pierre dans les *Actes des apôtres* : « *O Israélites... qu'il y fût retenu* » (Act., II, 22-24, de *Viri Israelite* à *ab eo*). Il est encore dit dans les mêmes *Actes* : « *Que toute la maison d'Israël... crucifié* » (Act., II, 36, de *certissime* à *crucifixistis*). Et ailleurs (par la bouche de saint Pierre) : « *Israélites, pourquoi... depuis le commencement du monde* » (Act., III, 12-21, de *Viri Israelite* à *prophetarum*). Et il est dit encore dans les *Actes* : « *Ce qu'ayant entendu... ont ordonné l'exécution* » (Act., IV, 24-28, de *Apostoli unanimiter* à *decreverunt fieri*). Et ailleurs : « *Pierre et les apôtres... pour le faire mourir* » (Act., V, 29-33, de *Respondens* à *interficere illos*). Nous lisons encore ceci : « *Dieu a fait entendre sa parole... la rémission de ses péchés* » (Act., X, 36-43, de *Verbum misit* à *credunt in eum*). On peut lire ailleurs : « *C'est vous, mes frères... le troisième jour* » (Act., XIII, 26-30, de *Viri fratres* à *tertia die*). Saint Pierre dit dans sa première épître : « *Puis donc que Jésus-Christ... volonté de Dieu* » (Pierre, IV, 1-2, de *Christo igitur* à *voluntate Dei*). Et saint Marc, dans l'évangile : « *Ayant pris avec lui... tristesse mortelle* » (Marc, XIV, 33-34, de *Et assumpsit* à *mortem*). Et saint Marc, à un autre endroit : « *A la sixième heure... abandonné ?* » (Marc, XV, 33-34, de *Facta est hora sexta* jusqu'à *dereliquisti*). Saint Marc dit encore : « *Alors Jésus ayant jeté un grand cri, rendit l'esprit* » (Marc, XV, 37). Et saint Matthieu : « *En même temps on crucifia avec lui deux voleurs, l'un à sa droite et l'autre à sa gauche* » (Matth., XXVII, 38). Et il ajoute : « *Mais Jésus jetant encore un grand cri, rendit l'esprit* » (Matth., XXVII, 50). Saint Luc rapporte encore ceci : « *Alors Jésus jetant un grand cri... il expira* » (Luc, XIII, 46, de *Et exclamans* à *expiravit*).

***De la tribulation des saints.***

De la tribulation des saints et de la Passion de notre Seigneur Jésus-Christ, nous avons donné d'assez clairs témoignages et nous avons suffisamment montré combien elles étaient manifestes. Il convient maintenant d'évoquer les tribulations, les persécutions et la mort des apôtres et de leurs successeurs, telles qu'ils les éprouvèrent après la mort de Jésus-Christ; et de dire aussi comment ils surent les supporter, à leur époque, sans cesser de faire le bien et de pardonner (à leurs ennemis), comme on voit que font aujourd'hui les vrais chrétiens, ceux-là mêmes qu'on appelle « hérétiques », comme on les appelait déjà du temps de saint Paul. Car saint Paul le dit dans les *Actes des apôtres* : « *Il est vrai, et je le reconnais devant vous, que suivant cette doctrine qu'ils traitent de secte pernicieuse* (d' « hérésie ») [3], *je sers le Dieu, mon Père* » (Act., XXIV, 14). Il dit encore : « *Car ce que nous savons de cette « secte », c'est qu'on la combat partout* » (Act., XXVIII, 22). C'est pourquoi notre Seigneur Jésus-Christ, annonçant à ses disciples les persécutions à venir, dit dans l'évangile de saint Matthieu : « *Bienheureux ceux qui souffrent persécution... avant vous* » (Matth., V, 10-12, de *Beati* à *patiuntur*). Et il dit encore : « *Je vous envoie... ses domestiques* » (Matth., X, 16-25, de *Ecce ego* à *domesticos ejus*). Le Christ dit ailleurs, dans l'Evangile : « *En vérité... ne vous ravira votre joie* » (Jean, XVI, 20-22, de *Amen* à *tollet a vobis*). Et, dans l'évangile de saint Matthieu : « *Prenez garde... qui persévérera jusqu'à la fin* » (Matth., XXIV, 4-13, de *Videte ne* jusqu'à *salvus erit*). On lit dans l'*Apocalypse* : « *Le Diable va mettre... la couronne de vie* » (Apoc., II, 10, de *Ecce missurus* à *coronam vitae*). Dans l'évangile de saint Jean, le Christ dit à ses disciples : « *Ce que je vous commande... Celui*

3. ... Quod secundum sectam quam dicunt *haeresim*.

*qui m'a envoyé* (Jean, xv, 17-21, de *Haec mando* à *qui misit me*).

**Comment les saints ont souffert.**

Il est prouvé avec suffisamment de clarté, dans les saintes Ecritures — comme nous venons de le faire voir — que notre Seigneur Jésus-Christ a annoncé et dit lui-même à ses disciples qu'ils auraient à subir, dans les temps à venir, des tribulations, des persécutions et la mort même, à cause de son nom. Nous allons montrer maintenant comment ceux-ci ont supporté, à leur époque, ces maux si nombreux, ces persécutions, et jusqu'à la mort, à cause du nom de notre Seigneur Jésus-Christ, comme il le leur avait prédit lui-même dans les saintes Ecritures. Il déclare, en effet, dans l'évangile de Jean : « *Mais maintenant je retourne à vous... comme je ne suis point moi-même du monde* » (Jean, xvii, 13-16, de *Nunc autem* à *de mundo*). Et saint Jean s'exprime ainsi dans la première épître : « *Ne vous étonnez pas... demeure dans la mort* » (I Jean, iii, 13-14, de *Nolite mirari* à *diligimus fratres*). Et saint Pierre, dans la première épître : « *Mes bien-aimés, lorsque Dieu... dans les bonnes œuvres* » (I Pierre, iv, 12-19, de *Carissimi* à *in benefactis*). Dans les *Actes des apôtres,* Paul dit de lui-même : « *Pour moi, j'avais cru... dans les villes étrangères* » (Act., xxvi, 9-11, de *Ego quidem* à *civitates*). Saint Pierre nous dit dans la première épître : « *Car ce qui est agréable à Dieu... l'évêque de vos âmes* » (I Pierre, ii, 19-25, de *Haec est enim gratia* à *animarum vestrarum*). Il est encore écrit dans les *Actes des apôtres* : « *Au même temps... et de la Samarie* » (Act., viii, 1, de *Facta est* à *praeter apostolos*). Paul dit aux Romains : « *Qui donc nous séparera... notre Seigneur* » (Rom., viii, 35-39, de *Quis ergo* à *domino nostro*). On lit dans la première épître de saint Pierre : « ... *après avoir été pour un peu de temps... à découvert* » (I Pierre, i, 6-7, de *Modicum nunc* à

*Jhesu Christi*). Et Paul dit dans les *Actes des apôtres* : « *Mes frères... sur le visage* » (Act., XXIII, 1-2, de *Viri fratres* à *os ejus*). Il dit encore dans la première épître aux Corinthiens : « *Jusqu'à cette heure nous souffrons... mes très chers enfants* » (I Corinth., III, 13-14, de *usque in hanc horam* à *carissimos moneo*). Il est écrit dans la première épître de saint Pierre : « *Et qui vous nuira... point troublés* » (I Pierre, III, 13-14, de *Et quis est* à *conturbemini*). Paul, parlant de lui-même, dit aux Corinthiens, dans la première épître : « *Car je suis le moindre... l'Eglise de Dieu* » (I Corinth., XV, 9, de *Ego enim* à *ecclesiam dei*). Et, dans la seconde aux Corinthiens : « *Nous sommes pressés de toutes parts... dans notre chair mortelle* » (II Corinth., IV, 8-11, de *in omnibus* à *mortali*). Le même apôtre dit aux Ephésiens : « *Au reste, mes frères... avec une persévérance continuelle* » (Ephes., VI, 10-18, de *De cetero fratres* à *vigilantes*). Il dit encore aux Corinthiens dans la Seconde : « *Béni soit le Dieu... que vous faites pour nous* » (II Corinth., I, 3-11, de *Benedictus* à *pro nobis*). Paul dit aussi aux Galates : « *En effet, vous avez sans doute été... traditions de mes pères* » (Gal., I, 13-14, de *Audistis* à *traditionum*). Et de nouveau, il dit aux Corinthiens, dans la seconde épître : « *Mais pour tout autre avantage... sans que je brûle* » (II Corinth., XI, 21-29, de *in quo quis* à *non uror*). Il dit encore, dans la seconde épître aux Thessaloniciens : « *De sorte que nous-mêmes... les ministres de sa puissance* » (II Thessal., I, 4-7, de *ita ut* à *de coelo*). Il dit aussi, à son propre sujet, dans la première épître à Timothée : « *Je rends grâces... n'ayant pas la foi* » (I Tim., I, 12-13, de *Gratias ago* à *incredulitate*). Et le même apôtre écrit aux Thessaloniciens, dans la première : « *Car, mes frères... jusqu'à la fin* » (I Thessal., II, 14-16, de *vos autem* à *in finem*). Il leur dit encore : « *Et nous vous envoyâmes... ne devînt inutile* » (I Thessal., III, 2-5, de *misimus* à *labor vester*). Paul écrit dans la première épître aux Corinthiens : « *Si nous n'avions d'espérance...*

*de tous les hommes* » (I Cor., xv, 19, de *si in hac vita* à *hominibus*). Et il dit aux Philippiens : « *Ne vous laissez intimider... encore maintenant* » (Phil., I, 28-30, de *et in nullo* à *de me*). Voici, en conclusion, les paroles que Paul adresse à Timothée dans la seconde épître : « *Quant à vous, vous savez quelle est ma doctrine; quelle est ma manière de vie; quelle fin je me propose; quelle est ma foi, ma tolérance, ma charité et ma patience; les persécutions et les afflictions que j'ai eues à souffrir, et ce qui m'est arrivé à Antioche, à Icone, et à Lystre; vous savez, dis-je, quelles persécutions j'ai soutenues, et comment le Seigneur m'a tiré de tous ces maux.*

*Aussi tous ceux qui veulent vivre avec piété en Jésus-Christ seront persécutés* » (II Tim., III, 10-12).

Ce livre est fini : rendons-en grâces au Christ!

# LE RITUEL CATHARE

# LE RITUEL CATHARE

Deux rituels cathares sont parvenus jusqu'à nous : l'un, *dit « de Lyon »* (manuscrit du palais des Arts, Lyon), est rédigé en langue d'oc; l'autre, *celui de Florence* (incomplet), en latin. Le rituel de Lyon a été publié en 1887[1]. Nous avons généralement suivi le texte établi par son dernier éditeur, L. Clédat, et utilisé sa traduction, sauf sur quelques points où nous avons adopté de menues corrections proposées par le P. Dondaine, notamment en ce qui concerne la ponctuation.

Le fragment du Rituel latin de Florence figure dans le même manuscrit que le *Liber de duobus principiis,* et il a été édité, en 1939, à la suite de ce traité, par son « inventeur », le P. Dondaine[2].

---

1. *Le Nouveau Testament traduit au XIII^e^ siècle en langue provençale, suivi d'un rituel cathare*; reproduction photolithographique du manuscrit de Lyon, publiée... par L. Clédat... Paris, 1887. (La reproduction du rituel est aux pages 470 *a*-482 *b*; l'édition du texte aux pages VI-XXVI.

2. *Un traité néo-manichéen du XIII^e^ siècle : le Liber de duobus principiis, suivi d'un fragment de rituel cathare*, publié par A. Dondaine O. P., Rome, 1939. (Le rituel occupe les pages 151-165.)

M. D. Roché en a donné une traduction presque complète dans : *l'Eglise romaine et les Cathares albigeois* (Arques, Aude, 1957; pp. 175-202) : nous lui avons fait de très larges emprunts, ainsi qu'aux notes excellentes qui l'accompagnent.

Les deux rituels se ressemblent beaucoup et témoignent, par conséquent, d'une certaine fixité de la liturgie cathare au XIIIe siècle. Le rituel roman est moins développé que le rituel latin (cependant mutilé), mais les cérémonies décrites dans l'un et dans l'autre se correspondent parfaitement et sont à peu près identiques.

« Le culte public, écrit le P. Dondaine, était presque inexistant (chez les Cathares); quelques assemblées de prières dans des lieux non spécialement consacrés, où les fidèles, simples croyants et baptisés, participaient à la récitation en commun de l'Oraison dominicale, confessaient publiquement et d'une manière générale leurs fautes et en recevaient l'absolution par les ministres, entendaient les sermons et les instructions morales, prenaient part au repas rituel, en constituaient tous les éléments. C'est au cours de ces assemblées que s'insérait la cérémonie de la *consolation,* et alors la réunion prenait un éclat exceptionnel. » (Dondaine, *op. cit.,* p. 34).

Les Cathares ne connaissaient, en effet, que deux cérémonies essentielles qui constituaient les deux degrés successifs d'une sorte d'initiation : la *Tradition* (c'est-à-dire la transmission), *de l'Oraison dominicale* et le *Baptême spirituel* ou Consolation (*Consolamentum*). Par la première, les simples auditeurs devenaient « croyants » et membres de l'Eglise Cathare, par la seconde ils devenaient « parfaits chrétiens ».

Le croyant « recevait » le Pater en présence de l'assemblée des fidèles. Il était d'abord présenté à l'*Ordonné* (simple « bonhomme », diacre ou évêque, selon le cas) par une sorte de parrain (le doyen de la Communauté ou l' « Ancien »). Après avoir expliqué au récipiendaire la signification des rites qu'il allait accomplir, l'Ordonné lui remettait le livre des évangiles. Puis, le croyant faisait son *melioramentum* (demande de bénédiction et de pardon des fautes); et la cérémonie prenait fin. A partir de ce moment il avait le droit — mais aussi le devoir — de réciter l'oraison dominicale dans toutes les circonstances, assez nombreuses, prévues par le Rituel.

Comme on le voit, les obligations religieuses des croyants, pour simples qu'elles fussent et non sacramentelles, ne laissaient pas d'offrir un aliment suffisant à leur vraie spiritualité, pour peu qu'elle se manifestât. Sans doute, l'esprit du catharisme interdisait-il aux « bonshommes » de contraindre les consciences : ils savaient que nul ne pouvait être sauvé — ni même avoir seulement le désir de l'être — tant qu'il n'avait pas été préparé, par une longue évolution accomplie au cours de plusieurs vies successives, à aimer la vertu ou la sainteté. Mais ils ne cessaient d'éclairer l'âme des croyants, afin de leur donner l'occasion de faire la preuve, le cas échéant, qu'ils étaient parvenus à cet état. Les croyants pouvaient mener la vie qu'ils voulaient, mais s'ils venaient à être vertueux, ils se mettaient, de ce fait, sous la surveillance morale de la communauté des fidèles, laquelle décidait s'il convenait de leur transmettre, ou non, l'oraison, et à plus forte raison de leur donner, où non, le Consolamentum.

Il s'écoulait, d'ordinaire, un temps assez long entre la cérémonie de la *Traditio orationis* et celle du *Consolamentum* (ou Consolation). Le *Consolamentum* — ou baptême spirituel — était la cérémonie la plus importante du catharisme. « Elle débutait par une allocution analogue à celle du rite précédent, puis le ministre plaçait le livre des évangiles sur la tête du croyant et chacun des assistants déjà consolés venait lui imposer la main droite; le maître de cérémonie, « celui qui guide le service », dit le rituel roman, lisait le prologue de l'évangile de saint Jean dans le texte latin. On récitait plusieurs fois l'oraison dominicale accompagnée de formules d'adoration; avant de se séparer les assistants et le nouveau fidèle se donnaient le baiser de paix et recevaient une pénitence liturgique, le *servicium* » (Dondaine, *op. cit.*, p. 36).

Le *Consolamentum* avait pour effet de réunir l'*Ame* à son Esprit (impeccable), d'assurer au croyant le pardon de ses fautes passées, et de lui rendre sa vraie liberté — *non pas le « libre arbitre »*, mais le pouvoir de connaître le Mal et *de lui résister*. A la limite, elle le mettait dans l'impossibilité de faire le mal volontairement. Après avoir reçu le *Consolamentum*, le parfait chrétien était tenu de mener une vie absolument exemplaire : il ne devait pas commettre l'*homicide* — ni à la guerre ni en cas de légitime défense —, il ne devait pas se livrer à l' « *adultère* » — les Cathares désignaient ainsi *toute œuvre de chair* —, il ne devait pas *jurer*. « Il s'obligeait à l'abstinence totale de fromage, de lait, d'œufs, de la chair des oiseaux, des reptiles; et, en général, de toute alimentation carnée. Enfin, il fallait qu'il fût capable de supporter la faim, la soif, les scandales, la persécution et la mort plutôt que de se parjurer. Il devait, par humilité, une obéissance totale à l'Eglise et à ses ministres » (Dondaine, *op. cit.*, p. 48).

Le *Consolamentum* conférait donc au croyant une sorte de sainteté — ou plutôt faisait la preuve qu'il était devenu une saint. Mais, pour cette raison même, si, après l'avoir reçu, il retombait dans le péché — ce qui demeurait possible, étant donné la puissance de la tentation satanique dans le monde du Mélange — il devait expier très durement et très longtemps sa faute, parce qu'on estimait qu'il avait péché *en toute liberté* (entendue au sens cathare), mais aussi en toute malice (par consentement spirituel au Mal), à la fois contre son propre esprit et contre le Saint-Esprit. C'est pour éviter pareilles rechutes que l'on exigeait du profès qu'il se mît *en abstinence*, avant de recevoir le livre des évangiles. Cette abstinence — véritable état de jeûne — destinée à le préparer à l'abstinence perpétuelle imposée par le *Consolamentum*, durait parfois plus d'un an. Si la Consolation n'était pas donnée après la réception de l'oraison, elle était précédée d'un nouveau jeûne plus long encore.

Les Cathares croyaient qu'un ministre en état de péché ne pouvait pas transmettre le *Consolamentum* : une transmission automatique et indépendante de la valeur morale du ministre leur eût semblé ressortir à la magie. Mais, pratiquement, comme l'Ordonné demandait pardon de ses fautes à l'assemblée des fidèles, avant la célébration des rites, il était toujours en état de grâce. Il arrivait, cependant, que pour plus de sûreté, des Cathares se fissent consoler deux fois, s'il leur venait des doutes sur la bonne conduite de leur pasteur.

C'est pour éviter de retomber dans le mal, sans espoir d'un nouveau pardon, que beaucoup de fidèles attendaient le dernier moment — souvent celui qui précédait leur mort — pour se faire consoler. Dans ce cas, la cérémonie ne leur procurait pas nécessairement le salut; elle leur en donnait seulement l'espoir, si les fidèles priaient ardemment pour qu'il ait lieu. Le *Consolamentum* des mourants était donc, comme l'a bien vu M. D. Roché[3] — « un *Consolamentum* provisoire et conditionnel ». Et, bien entendu, si le malade guérissait, tout était à recommencer. C'est l'assemblée des fidèles qui jugeait alors de l'état de spiritualité où était parvenu le postulant, et s'il convenait de le consoler à nouveau, à titre définitif. Assez souvent, si ce dernier ne paraissait pas d'une vertu éprouvée, on différait la cérémonie. La *convinenza* était une sorte d'arrangement conclu dans des circonstances exceptionnelles : la guerre, par exemple — entre un croyant et un parfait chrétien, aux

3. D. Roché, *l'Eglise romaine et les Cathares albigeois*, Arques, 1957; p. 202, note 23.

termes duquel le croyant s'engageait à demander le *Consolamentum* — et le « parfait » à le lui donner sans lui poser les questions rituelles, si son état physique, une blessure grave, par exemple, le mettait hors d'état d'y répondre.

Les rites cathares n'ont rien de spécifiquement manichéen ou gnostique. Ils ressemblent à ceux qui se pratiquaient dans la primitive Eglise. Comme le note le P. Dondaine : « Les éléments conservés par le *Consolamentum* appartiennent très certainement au rite chrétien... la tradition du Pater et l'imposition des mains sont les témoins d'un âge où la Confirmation était rattachée au baptême... On ne peut pas nier leur tenue sobre et archaïque, à ce point qu'on est en droit d'y voir des vestiges parmi les plus anciens de la liturgie baptismale chrétienne »... (Dondaine, *op. cit.*, p. 41).

# I

# Le rituel occitan

## 1. Le service[1]

Nous sommes venus devant Dieu et devant vous et devant l'Ordre de la sainte Eglise, pour recevoir service et pardon et pénitence de tous nos péchés, que nous avons faits, ou dits, ou pensés, ou opérés depuis notre naissance jusqu'à maintenant, et demandons miséricorde à Dieu et à vous pour que vous priiez pour nous le père Saint qu'il nous pardonne.

Adorons Dieu et manifestons tous nos péchés et nos nombreuses graves offenses à l'égard du Père et du Fils, et de l'honoré Saint-Esprit, et des honorés saints Evangiles, et des honorés saints Apôtres, par l'oraison et par la foi, et par le salut de tous les loyaux glorieux chrétiens, et des bienheureux ancêtres qui dorment (dans leurs tombeaux), et des frères qui nous environnent, et devant vous, saint Seigneur, pour que vous nous pardonniez tout ce en

1. Acte de soumission à Dieu, accompagné de sentiments de contrition. — Le *servisi* est également une pénitence liturgique.

quoi nous avons péché. *Benedicite parcite nobis*[2].

Car nombreux sont nos péchés en lesquels nous offensons Dieu chaque jour, la nuit et le jour, en parole et en œuvre, et selon la pensée, avec volonté et sans volonté, et plus par notre volonté que les malins esprits apportent sur[3] nous, dans la chair dont nous sommes vêtus. *Benedicite parcite nobis.*

Tout comme la sainte parole de Dieu nous l'enseigne, les Saints apôtres et nos frères spirituels nous annoncent que nous rejetions tout désir de la chair et toute vilenie, et fassions la volonté de Dieu, le Parfait Bien accompli[4]; mais nous, serviteurs paresseux, non seulement nous ne faisons pas la volonté de Dieu comme il conviendrait, mais nous accomplissons les désirs de la chair et les soucis du monde, si bien que nous nuisons à nos esprits. *Benedicite parcite nobis.*

Nous allons avec les gens du monde et avec eux nous demeurons et parlons et mangeons, et péchons en beaucoup de choses, si bien que nous nuisons à nos frères et à nos esprits. *Benedicite parcite nobis.*

Du fait de nos langues nous tombons en paroles oiseuses, en vaines parleries, en rires, en moqueries et malices, en détraction[5] de frères et de sœurs, desquels frères et sœurs nous ne sommes pas dignes de juger ni de condamner les offenses : parmi les chrétiens nous sommes des pécheurs. *Benedicite parcite nobis.*

Le « service » que nous recevons, nous ne le gardons pas comme il conviendrait, ni le jeûne, ni l'oraison : nous trangressons nos jours, nous préva-

---

2. Bénissez-nous, pardonnez-nous. Amen.
3. *Denan nos* : devant nous.
4. *E fazam la volontat de Deu el perfeit ben cumplit* : et fassions la volonté de Dieu et le parfait Bien accompli ? — L. Clédat traduit : « en accomplissant le Bien parfait ».
5. *Retrazenent*, dommage.

riquons nos heures[6]; pendant que nous sommes en la sainte oraison, notre sens se détourne vers les désirs charnels, vers les soucis mondains, si bien que, à cette heure, à peine nous savons quelle chose nous offrons au père des justes. *Benedicite parcite nobis.*

O toi, saint et bon Seigneur, toutes ces choses qui nous arrivent, à notre sens et à notre pensée, nous te les confessons, saint Seigneur, et toute la multitude de nos péchés, nous la déposons en la miséricorde de Dieu et en la sainte oraison et dans le saint évangile; car nombreux sont nos péchés. *Benedicite parcite nobis.*

O Seigneur, juge et condamne les vices de la chair, n'aie pas pitié de la chair née de corruption, mais aie pitié de l'esprit mis en prison, et administre-nous des jours et des heures de demandes de grâces[7], et de jeûnes, des oraisons et des prédications, comme c'est la coutume des bons chrétiens, pour que nous ne soyons ni jugés ni condamnés au jour du jugement comme les félons. *Benedicite parcite nobis.*

---

6. Nous transgressons les commandements à observer quotidiennement; nous manquons aux obligations de chaque heure : « Il s'agit des jours et des heures fixés par l'Ancien pour les demandes de grâce avec génuflexions, les jeûnes, les oraisons et les prédications » (D. Roché, *l'Eglise romaine et les Cathares albigeois*, Arques, 1957; p. 180).

7. *Aministra a nos dias e oras e venias :* administre-nous jours et heures et *veniae* (= *inclinationes vel genuflexiones religiosorum :* inclinations ou génuflexions des religieux). « Le sens général paraît bien être que les croyants s'inclinent devant l'Ancien, le chef de leur Eglise, qui leur prescrit des jours et des heures auxquels il feront des jeûnes, diront des oraisons et entendront des prédications, afin d'obtenir grâce et pardon de Dieu. Nous devons donc traduire *veniae* par demandes de grâces et de pardon » (D. Roché, *op. cit.*, p. 180, note 4).

## 2. Tradition[8] de la sainte oraison

Si un « croyant » est en abstinence[9] et si les « chrétiens »[10] sont d'accord pour lui livrer l'oraison, qu'ils se lavent les mains, et les croyants s'il y en a, également. Et puis que le premier des « bons-hommes », celui qui est après l' « Ancien »[11], fasse trois révérences à l'Ancien et puis qu'il prépare une table[12], et qu'il fasse trois autres révérences; puis qu'il mette une nappe sur la table et fasse encore trois révérences; qu'il mette le livre sur la nappe et puis qu'il dise : *Benedicite parcite nobis*. Ensuite que le croyant fasse son *melhorier*[13]

---

8. Tradition = transmission rituelle.

9. L'*abstinence* est l'épreuve préparatoire à la réception (note de L. Clédat).

10. « On voit ici la distinction que faisaient les Cathares entre les simples fidèles qui étaient mis au courant des doctrines par les prédications et qu'on désignait du nom de *croyants*, et les *chrétiens* ou *bons-hommes* qui étaient reçu dans l'Ordre Cathare par la cérémonie de la *Consolation* (consolamentum) » (D. Roché; *op. cit.*, p. 180, note 5).

11. Ici, l'*Ancia,* l'ancien, est sûrement le ministre sacré (d'après A. Dondaine), c'est-à-dire, comme le pense également D. Roché, le chef de l'église (diacre, évêque ou « chrétien » éprouvé). Le « bonhomme » qui, dans le rituel occitan, « est après l'Ancien » (*que es apres l'ancia*), doit être le plus âgé, le *doyen* des bons hommes. Il est important de noter que, dans le *Rituel latin,* c'est ce dernier qui est appelé l'*ancien* (*ancianus*), tandis que l'*ancien* du rituel occitan est appelé *Ordinatus* (celui qui a reçu l'*Ordination* ou la *Consécration*).

12. Petite table mobile, crédence (A. Dondaine).

13. *Melhorier* signifie en langue d'oc : acte d'amélioration. Clédat y voyait une amende honorable ou acte de contrition accompagné d'une formule que l'on prononçait en faisant une génuflexion. Pour A. Dondaine, c'est un rite où le croyant et les fidèles demandaient la bénédiction du ministre. « Ordinairement, le *meliora-*

(ou : *melioramentum*) et prenne le livre de la main de l'ancien. Et l'ancien doit l'admonester et le prêcher avec des témoignages appropriés. Et si le croyant a nom Pierre (par exemple), qu'il lui dise ainsi :

« Pierre, vous devez comprendre que, quand vous êtes devant l'Eglise de Dieu, vous êtes devant le Père et le Fils et le Saint-Esprit. Car l'Eglise signifie assemblée, et là où sont les vrais chrétiens, là est le Père, le Fils et le Saint-Esprit, comme les divines Ecritures le démontrent. Car le Christ a dit dans l'évangile de saint Matthieu (XVIII, 20) : « En quelque lieu que soient deux ou trois personnes réunies en mon nom, je suis là au milieu d'elles. » Et dans l'évangile de saint Jean (XIV, 23), il a dit : « Si quelqu'un m'aime, il gardera ma parole, et mon Père l'aimera, et nous viendrons à lui et nous demeurerons avec lui. » Et saint Paul dit dans la seconde épître aux Corinthiens (VI, 16-18) : « Vous êtes le temple du Dieu vivant, comme Dieu l'a dit par Isaïe : car j'habiterai en eux, et j'irai, et je serai leur Dieu, et ils seront mon peuple. C'est pourquoi, sortez du milieu d'eux, et séparez-vous-en, dit le Seigneur. Et vous ne toucherez pas les choses impures, et je vous accueillerai. Je serai pour vous un Père, et vous serez pour moi des fils et des filles, dit le Seigneur Dieu tout-puissant. » Et en un autre endroit (2e aux Cor., XIII, 3), il dit : « Cherchez la preuve que Christ parle en moi. » Et dans la première épître à Timothée (III, 14 et 15) il dit :

---

*mentum* est appelé *adoration* par les écrivains catholiques contemporains... (*adoration* ayant ici un sens *liturgique* et non pas le sens *théologique* d'hommage rendu à la majesté divine, et d'idolâtrie, s'il s'adresse à une créature). Pour M. Déodat Roché, le *melhorier* est la *vénération* de l'Esprit-Saint par trois génuflexions ou révérences devant le ministre cathare, mais aussi une demande de bénédiction et de pardon des fautes, et, par suite, d'*amélioration*, de grâce sanctifiante par Dieu. »

« Je t'écris ces choses, espérant venir à toi bientôt. Mais si je tarde, sache de quelle manière il convient que tu te conduises en la maison de Dieu, laquelle est l'Eglise du Dieu vivant, colonne et fondement de la vérité. » Et le même dit aux Hébreux (III, 6) : « Mais Christ est comme un fils en sa maison, et nous, nous sommes sa maison. » Que l'esprit de Dieu soit avec les fidèles de Jésus-Christ, Christ le démontre ainsi dans l'évangile de saint Jean (XIV, 15-18) : « Si vous m'aimez, gardez mes commandements. Et je prierai le Père, et il vous donnera un autre consolateur qui soit avec vous éternellement, l'esprit de vérité que le monde ne peut recevoir, car il ne le voit ni ne le connaît, mais vous, vous le connaîtrez, car il demeurera avec vous, et il sera en vous. Je ne vous laisserai pas orphelins, je viendrai à vous. » Et dans l'évangile de saint Matthieu (XXVIII, 20) il dit : « Voici que je suis avec vous pour toujours jusqu'à la consommation du siècle. » Et saint Paul dit dans la première épître aux Corinthiens (III, 16, 17) : « Ne savez-vous pas que vous êtes le temple du Dieu vivant, et que l'esprit de Dieu est en vous ? Mais si quelqu'un corrompt le temple de Dieu, Dieu le détruira. Car le temple de Dieu est saint, et ce temple c'est vous. » Le Christ le démontre ainsi dans l'évangile de saint Matthieu (X, 20) : « Car ce n'est pas vous qui parlez, mais l'esprit de votre Père qui parle en vous. » Et saint Jean dit dans l'épître (I, ch. IV, 13) : « En cela nous savons que nous demeurons en lui, et lui en nous, parce qu'il nous a donné de son esprit. » Et saint Paul dit aux Galates (IV, 6) : « Parce que vous êtes fils de Dieu, Dieu a envoyé l'Esprit de son Fils en votre cœur, criant : Père, Père! » Par quoi il faut entendre qu'en vous présentant devant les fils de Jésus-Christ, vous confirmez la foi et la prédication de l'Eglise de Dieu, selon que les divines écritures le donnent à entendre. Car le peuple de Dieu s'est séparé anciennement de son Seigneur Dieu. Et il s'est départi du conseil et de la volonté de son saint Père, par suite de la tromperie des malins esprits et du fait de sa soumission à leur volonté. Et par ces raisons et par beaucoup d'autres, il est donné à entendre que le Père Saint veut avoir pitié de son peuple, et le recevoir dans la paix et dans sa concorde, par l'avènement de son fils Jésus-Christ. C'est la cause [14] pour laquelle vous êtes ici devant les disciples de Jésus-Christ, en ce lieu où habitent spirituellement le Père, le Fils et le Saint-Esprit, comme il est démontré ci-dessus, pour que vous puissiez [15] recevoir cette sainte oraison que le Seigneur Jésus-Christ a donnée à ses disciples, de façon que vos oraisons et vos prières soient exaucées de notre Père Saint. C'est pourquoi vous devez comprendre, si vous voulez recevoir cette sainte oraison (le *Pater Noster*) qu'il faut vous repentir de tous vos péchés et pardonner à tous les hommes. Car notre Seigneur Jésus-Christ dit (Ev. saint Matth., VI, 15) : « Si vous ne pardonnez pas aux hommes leurs péchés, votre Père céleste ne vous pardonnera pas vos propres péchés. » Derechef, il convient que vous vous proposiez en votre cœur de garder cette sainte oraison tout le temps de votre vie, si Dieu vous donne la grâce de la recevoir, selon la coutume de l'église de Dieu, avec chasteté et avec vérité, et avec toutes les autres bonnes vertus que Dieu voudra vous donner. C'est pourquoi nous prions le bon Seigneur qui a donné aux disciples de Jésus-Christ le pouvoir (*vertut*) de recevoir cette sainte oraison avec fermeté, qu'il vous donne lui-même, à vous aussi, la grâce de la recevoir avec fermeté, et à l'honneur de lui et de votre salut. *Parcite nobis.* »

Et puis que l'*Ancien* dise l'oraison et que le

---

14. Nous adoptons ici la correction de A. Dondaine qui ponctue autrement que Clédat. Clédat : ... *Christ, don es aquesta l'ocaiso. Quar...* Dondaine : ... *Christ. Don es aquesta l'ocaiso quar...*

15. *Deiatz* (de *dever*) : pour que vous ayez à y recevoir...

croyant la suive. Ensuite l'*Ancien* dira : « Nous vous livrons cette sainte oraison, pour que vous la receviez de Dieu, et de nous, et de l'église, et que vous ayez pouvoir de la dire à tous les moments de votre vie, de jour et de nuit, seul et en compagnie, et que jamais vous ne mangiez ni ne buviez sans dire d'abord cette oraison. Et si vous y manquiez, il faudrait que vous en fassiez pénitence. » Et le croyant doit dire : « Je la reçois de Dieu, de vous et de l'église. » Et puis qu'il fasse son *melhorier,* et qu'il rende grâces; et puis que les chrétiens fassent une *double*[16] avec *veniae* (demandes de grâce et de pardon), et le croyant après eux.

## 3. Réception de la Consolation

(*Consolamentum* » ou baptême spirituel.)

Et s'il doit être *consolé* sur-le-champ, qu'il fasse son *melhorier* (sa « vénération ») et qu'il prenne le livre de la main de l'ancien. Celui-ci doit l'admonester et le prêcher avec témoignages convenables et avec telles paroles qui conviennent à une « Consolation ». Qu'il lui parle ainsi :

« Pierre[17], vous voulez recevoir le baptême spirituel (*lo baptisme esperital*), par lequel est donné le Saint-Esprit en l'église de Dieu, avec la sainte

16. *Dobla* (double oraison). Faire une *double*, c'était répéter deux fois l'oraison dominicale (comme pénitence rituelle, analogue au *servicium,* d'après A. Dondaine). « Nous le trouvons démontré par un passage du rituel de la consolation : huit oraisons y sont prises pour *simples* et seize oraisons pour *doubles* » D. Roché, *L'Eglise romaine et les Cathares albigeois*, p. 190, note 10.)

17. Ms. : *En* Peire : *Sieur* Pierre. (Ce prénom est évidemment choisi comme exemple.)

oraison, avec l'imposition des mains des « bons hommes ». De ce baptême Notre-Seigneur Jésus-Christ dit, dans l'évangile de saint Matthieu (xxviii, 19-20), à ses disciples : « Allez et instruisez toutes les nations, baptisez-les au nom du Père et du Fils et du Saint-Esprit. Enseignez-leur à garder toutes les choses que je vous ai commandées. Et voici que je suis avec vous pour toujours jusqu'à la consommation du siècle. » Et dans l'évangile de saint Marc (xvi, 15), il dit : « Allez par tout le monde, prêchez l'évangile à toute créature. Qui croira et sera baptisé sera sauvé, mais qui ne croira pas sera condamné. » Il dit à Nicodème dans l'évangile de saint Jean (iii, 5) : « En vérité, en vérité, je te le dis : aucun homme n'entrera dans le royaume de Dieu, s'il ne renaît pas par l'eau et par le Saint-Esprit. » Et Jean-Baptiste a parlé de ce baptême quand il a dit (Ev. de saint Jean, i, 26-27, et Ev. de saint Matthieu, iii, 11) : « Il est vrai que je baptise d'eau; mais celui qui doit venir après moi est plus fort que moi : je ne suis pas digne de lier la courroie de ses souliers. Il vous baptisera du Saint-Esprit et de feu. » Et Jésus-Christ dit dans les Actes des apôtres (i, 5) : « Car Jean, certes, a baptisé d'eau, mais vous, vous serez baptisés du Saint-Esprit. » Jésus-Christ fit ce saint baptême de l'imposition des mains, selon ce que rapporte saint Luc, et il dit que ses amis le feraient, comme le rapporte saint Marc (xvi, 18) : « Ils imposeront les mains sur les malades, et les malades seront guéris. » Ananias (Act., ix, 17 et 18) fit ce baptême à saint Paul quand il fut converti. Et ensuite Paul et Barnabé le firent en beaucoup de lieux. Et saint Pierre et saint Jean le firent sur les Samaritains. Car saint Luc le dit ainsi dans les Actes des apôtres (viii, 14-17) : « Quand les apôtres qui étaient à Jérusalem eurent appris que ceux de Samarie avaient reçu la parole de Dieu, ils envoyèrent à eux Pierre et Jean. Lesquels y étant venus prièrent pour eux pour qu'ils reçussent le Saint-Esprit, car il n'était encore descendu en aucun d'eux. Alors ils posaient les mains sur eux, et ils recevaient le Saint-Esprit. »

Ce saint baptême par lequel le Saint-Esprit est donné, l'Eglise de Dieu l'a maintenu depuis les apôtres jusqu'à ce jour, et il est venu de « bons hommes » en « bons hommes » jusqu'ici, et elle le fera jusqu'à la fin du monde. Et vous devez entendre que pouvoir est donné à l'église de Dieu de lier et de délier, de pardonner les péchés et de les retenir, comme le Christ le dit, dans l'évangile de saint Jean (xx, 21-23) : Comme le Père m'a envoyé, je vous envoie aussi. Lorsqu'il eut dit ces choses, il souffla sur eux et leur dit : Recevez le Saint-Esprit; ceux à qui vous pardonnez les péchés, ils leur seront pardonnés, et ceux à qui vous les retiendrez, ils seront retenus. Et dans l'évangile de saint Matthieu, il dit à Simon Pierre (xvi, 18-19) : « Je te dis que tu es Pierre, et sur cette pierre je bâtirai mon église et les portes de l'enfer n'auront point de force contre elle. Je te donnerai les clefs du royaume des cieux, et quelque chose que tu lies sur terre, elle sera liée dans les cieux, et quelque chose que tu délies sur terre, elle sera déliée dans les cieux. » Il dit à ses disciples dans un autre endroit (Matth., xviii, 18-20) : En vérité, je vous le dis, quelque chose que vous liiez sur terre, elle sera liée dans les cieux, et quelque chose que vous déliiez sur terre, elle sera déliée dans les cieux. Et derechef je vous le dis en vérité : si deux de vous se réunissent sur terre, toute chose, quoi qu'ils demandent, leur sera accordée par mon Père qui est au ciel. Car où sont deux ou trois personnes réunies en mon nom, j'y suis au milieu d'elles. » Et dans un autre endroit (Matth., x, 8), il dit : « Guérissez les malades, ressuscitez les morts, purifiez les lépreux, chassez les démons. » Et dans l'évangile de saint Jean (xiv, 12), il dit : « Qui croit en moi fera les œuvres que je fais. » Et dans l'évangile de saint Marc (xvi, 17-18), il dit : « Mais ceux qui croiront, ces signes les suivront : en mon nom ils chasseront les démons, et ils parleront de nouvelles langues, et ils enlèveront les serpents, et s'ils boivent quelque breuvage mortel, cela ne leur fera pas de mal. Ils poseront les mains sur les malades et ils seront guéris. » Il dit encore dans l'évangile de saint Luc (x, 19) : « Voici que je vous ai donné le pouvoir de marcher sur les serpents et les scorpions, et sur toute la force de l'Ennemi[18], et rien ne vous nuira. »

Si vous voulez recevoir ce pouvoir et cette puissance, il convient que vous gardiez tous les commandements du Christ et du Nouveau Testament selon votre pouvoir. Et sachez qu'il a commandé que l'homme ne commette ni adultère, ni homicide, ni mensonge; qu'il ne jure aucun serment, qu'il ne prenne ni ne dérobe, qu'il ne fasse pas aux autres ce qu'il ne veut pas qui soit fait à soi-même, et que l'homme pardonne à qui lui fait du mal, et qu'il aime ses ennemis, et qu'il prie pour ses calomniateurs et pour ses accusateurs et les bénisse. Si on le frappe sur une joue, qu'il tende l'autre, et si on lui enlève la *gonelle* (sorte de tunique), qu'il laisse aussi le manteau; qu'il ne juge ni ne condamne, et beaucoup d'autres commandements qui sont commandés par le Seigneur à son Eglise. Il convient également que vous haïssiez ce monde et ses œuvres, ainsi que les choses qui sont de lui. Car saint Jean dit dans l'épître (première, II, 15-17) : « O mes très chers, ne veuillez pas aimer le monde, ni ces choses qui sont dans le monde. Si quelqu'un aime le monde, la Charité du Père n'est pas en lui. Car tout ce qui est dans le monde est convoitise de la chair, convoitise des yeux, et orgueil de la vie, laquelle n'est pas du Père, mais est du monde; et le monde passera, ainsi que sa convoitise, mais qui fait la volonté de Dieu demeure éternellement. » Et Christ dit aux nations (saint Jean, VII, 7) : « Le monde ne peut vous haïr, mais il me hait, parce que je porte témoignage de lui,

18. L'*Enemic*, l'Ennemi est le Démon.

que ses œuvres sont mauvaises. » Il est écrit dans le livre de Salomon (Eccl., I, 14) : « J'ai vu toutes ces choses qui se font sous le soleil, et voilà que toutes sont vanités et tourments d'esprit. » Et Jude, frère de Jacques dit pour notre enseignement dans l'épître (vers. 23) : Haïssez ce vêtement souillé qui est charnel. » Par ces témoignages et par beaucoup d'autres, il convient que vous observiez les commandements de Dieu, et que vous haïssiez ce monde. Et si vous le faites bien jusqu'à la fin, nous avons l'espérance que votre âme aura la vie éternelle. »

Que le croyant dise alors : « J'ai cette volonté, priez Dieu pour moi qu'il m'en donne la force. » Et puis que le premier[19] des « bonshommes » fasse, avec le croyant, sa vénération (son *melhoirier*) à l'Ancien, et qu'il dise : *Parcite nobis*. Bons chrétiens, nous vous prions pour l'amour de Dieu d'accorder à notre ami, ici présent, de ce bien que Dieu vous a donné. Ensuite le croyant doit faire sa vénération (*melhoirier*) et dire : *Parcite nobis*. Pour tous les péchés que j'ai pu faire, ou dire, ou penser, ou opérer, je demande pardon à Dieu, à l'Eglise et à vous tous. » Que les chrétiens disent alors : « Par Dieu et par nous et par l'église qu'ils vous soient pardonnés, et nous prions Dieu qu'il vous pardonne. » Après quoi ils doivent le consoler. Que l'Ancien prenne le livre (des évangiles) et le lui mette sur la tête, et les autres « bonshommes » chacun la main droite, et qu'ils disent les *parcias*[20] et trois *adoremus*[21], et puis : *Pater sancte, suscipe servum tuum in tua justitia, et mitte gratiam tuam*

---

19. Ms. : *la us dels bos homes*. Trad. Clédat : l'un des « bons hommes ».

20. Les *parcias* désignent la formule : *Benedicite parcite nobis*. Amen (Bénissez-nous, pardonnez-nous, Amen).

21. *Adoremus patrem et filium et spiritum sanctum* (Adorons le Père, le Fils et le Saint-Esprit).

*et spiritum sanctum tuum super eum*[22]. Qu'ils prient Dieu avec l'oraison, et celui qui guide[23] le service divin doit dire à voix basse la « sixaine »; et quand la sixaine sera dite, il doit dire trois *Adoremus* et l'oraison une fois à haute voix, et puis l'évangile (de Jean). Et quand l'évangile est dit, ils doivent dire trois *Adoremus* et la *gratia*[24] et les *parcias*. Ensuite ils doivent faire la paix (s'embrasser) entre eux et avec le livre. S'il y a des « croyants », qu'ils fassent la paix aussi, et que les « croyantes », s'il y en a, fassent la paix avec le livre et entre elles. Et puis qu'ils prient Dieu avec *double* (oraison) et avec *veniae* (demandes de grâce) et la cérémonie est terminée[25].

## 4. Diverses règles concernant l'oraison et la conduite à tenir en certaines circonstances

La mission de tenir « double » et de dire l'oraison ne doit pas être confiée à un homme séculier.

Si les chrétiens vont dans un lieu dangereux, qu'ils prient Dieu avec *gratia*. Et si quelqu'un va à cheval, qu'il tienne « double » (oraison). Et il doit dire l'oraison en entrant dans un navire ou dans une ville, ou en passant sur une planche ou sur

---

22. « Père Saint, accueille ton serviteur dans ta justice, et mets ta grâce et ton Esprit-Saint sur lui. » Quand il s'agit d'une femme, on dit : ... accueille ta servante (D. Roché, *op. cit.*, p. 199, note 19).

23. *Aquel que guisa lo menester.*

24. *Gratia domini nostri Jhesu Christi sit cum omnibus nobis* (Que la grâce de Notre-Seigneur Jésus-Christ soit avec nous tous).

25. *Et auran livrat* : et ils (lui) auront (ainsi) livré, non pas seulement l'oraison — comme l'écrit Clédat —, mais le *consolamentum*.

un pont dangereux. Si les chrétiens trouvent un homme avec qui il leur faille parler pendant qu'ils prient Dieu, s'ils ont déjà dit huit oraisons, elles peuvent être prises pour « simples » et s'ils ont dit seize oraisons, elles peuvent être prises pour « doubles ». Et s'ils trouvent quelque bien en chemin, qu'ils ne le touchent pas, s'ils ne savent pas qu'ils puissent le rendre (c'est-à-dire à qui ils pourraient le rendre). Mais s'ils voient que des gens soient passés avant eux, à qui la chose pût être rendue, qu'ils la prennent et la rendent s'ils peuvent. Et s'ils ne peuvent, qu'ils la remettent dans ce lieu. Et s'ils trouvent une bête ou un oiseau prise ou pris, qu'ils ne s'en inquiètent pas. Si le chrétien veut boire pendant qu'il est jour, qu'il ait prié Dieu deux fois ou plus après manger. Si après la « double » de la nuit, ils buvaient, qu'ils fassent une autre « double ». S'il y a des croyants, qu'ils se tiennent debout quand ils diront l'oraison pour boire. Si un chrétien prie Dieu avec des chrétiennes, qu'il dirige toujours l'oraison. Si un croyant, à qui eût été livrée l'oraison, était avec des chrétiennes, qu'il s'en aille autre part, et qu'il fasse par lui-même.

Si les chrétiens auxquels le ministère de l'église est confié reçoivent un message d'un croyant malade, il doivent y aller, et ils doivent demander en confidence comment il s'est conduit vis-à-vis de l'Eglise depuis qu'il a reçu la foi, s'il n'a pas quelque dette à l'égard de l'Eglise ou quelque tort dont elle pourrait l'accuser. Et s'il doit quelque chose et qu'il puisse le payer, il doit le faire. S'il ne veut pas le faire, il ne doit pas être reçu.Car, si l'on prie Dieu pour un homme faux et déloyal, cette prière ne peut profiter. Néanmoins, s'il ne peut pas payer, il ne doit pas être repoussé.

Et les chrétiens doivent lui enseigner l'abstinence et les coutumes de l'église. Puis ils doivent lui demander, pour le cas où il serait reçu, s'il est disposé, en son cœur, à les observer. Et il ne doit pas le promettre s'il ne s'y sent pas fermement résolu. Car saint Jean dit que la part des menteurs sera dans un étang de feu et de soufre (Apoc., XXI, 8). S'il dit qu'il se sent assez ferme pour souffrir tout cela (c'est-à-dire l'abstinence), et si les chrétiens sont d'accord pour le recevoir, ils doivent lui imposer l'abstinence de la façon suivante : ils doivent lui demander s'il aura à cœur de ne point mentir, de ne point jurer; s'il saura se garder d'enfreindre les autres défenses de Dieu, et s'il se sent disposé à observer les coutumes de l'église et les commandements de Dieu, et à tenir son cœur et ses biens, tels qu'il les a ou qu'il les aura dans l'avenir, au gré de Dieu et de l'Eglise et au service des chrétiens et des chrétiennes, toujours, désormais, tant qu'il le pourra. S'il dit que oui, ils doivent répondre : Nous vous imposons (*vos cargam*) cette abstinence pour que vous la receviez de Dieu et de nous et de l'Eglise, et que vous l'observiez tant que vous vivrez; si vous l'observez bien, avec les autres prescriptions que vous avez à suivre, nous avons l'espérance que votre âme en aura la vie (éternelle) ». Et il doit répondre : « Je la reçois de Dieu et de vous et de l'Eglise. »

Ensuite ils doivent lui demander s'il veut recevoir l'oraison. S'il dit que oui, qu'ils le revêtent d'une chemise et de braies, si faire se peut, et qu'ils le fassent se tenir sur son séant, s'il peut lever[26] les mains. Et qu'ils mettent une nappe, ou un drap, devant lui sur le lit. Et sur ce drap qu'ils mettent le livre, et qu'ils disent une fois *Benedicite* et trois fois *Adoremus patrem et filium et spiritum sanctum.* Le malade doit prendre le livre de la main de l'Ancien. S'il peut attendre, celui qui exerce le ministère doit l'admonester et le prêcher avec témoignages convenables. Ensuite il doit lui demander, à propos de la promesse qu'il a faite, s'il a la résolution de l'observer et de la tenir comme il l'a

26. Ms. : *Lavar*, on peut traduire : ... *s'il peut, et se laver les mains.*

convenu. S'il dit que oui, qu'ils (les chrétiens) la lui fassent confirmer. Et puis ils doivent lui lire[27] l'oraison et il doit la suivre. L'ancien lui dira alors : « C'est ici l'oraison que Jésus-Christ a apportée en ce monde, et il l'a enseignée aux « bonshommes ». Ne mangez ni ne buvez rien sans avoir d'abord dit cette oraison. Et si vous y apportiez de la négligence, il faudrait que vous en fassiez pénitence. » Et lui, doit dire : « Je la reçois de Dieu, de vous et de l'Eglise. » Alors, qu'ils le saluent comme on prend congé d'une femme[28]. Et puis ils doivent prier Dieu avec « double » et *veniae,* et remettre le livre devant lui. Le malade doit dire trois fois : *Adoremus patrem et filium et spiritum sanctum.* Ensuite, il prendra le livre de la main de l'ancien, et l'ancien l'admonestera avec témoignages et avec telles paroles qui conviennent à la Consolation (*Consolamentum*). L'ancien doit lui demander s'il a au cœur l'intention de tenir et d'observer sa promesse, telle qu'il l'a faite, et il la lui fera confirmer.

Puis l'ancien doit prendre le livre, et le malade s'incliner et dire : « *Parcite nobis.* Pour tous les péchés que j'ai faits ou dits ou pensés, je demande pardon à Dieu, à l'église et à vous tous. » Les chrétiens doivent dire : « Par Dieu et par nous et par l'Eglise qu'ils vous soient pardonnés, et nous prions Dieu qu'il vous les pardonne. » Alors ils doivent le « consoler » en lui mettant les mains et le livre sur la tête, et dire : *Benedicite parcite nobis, amen; fiat nobis secundum verbum tuum. Pater et filius et spiritus sanctus parcat vobis omnia peccata vestra. Adoremus patrem et filium et spiritum sanctum* trois fois, et puis : *Pater sancte, suscipe servum tuum in tua justitia, et mitte gratiam tuam et spiritum sanctum tuum super eum.* Et si c'est une

---

27. *Passar la oracio* : trad. Clédat : Et puis ils doivent lui passer l'oraison... Trad. de M. D. Roché : ensuite, ils doivent lui lire l'oraison d'un bout à l'autre.
28. *E puis pregan comjatz aissi com a femna.*

femme, ils doivent dire : *Pater sancte, suscipe ancillam tuam in tua justitia, et mitte gratiam tuam et spiritum sanctum tuum super eam.* Et puis qu'ils prient Dieu avec l'oraison, et ils doivent dire à voix basse la « sixaine ». Et quand la sixaine sera dite, ils doivent dire trois fois : *Adoremus patrem et filium et spiritum sanctum,* et l'oraison une fois à haute voix. Et puis qu'ils le saluent comme un homme. Ensuite ils « feront la paix » entre eux et avec le livre. Et s'il y a des « croyants » ou des « croyantes », qu'ils fassent la paix, et les chrétiens doivent demander le salut et le rendre.

Si le malade meurt et leur laisse ou leur donne quelque chose, ils ne doivent pas le retenir pour eux ni s'en emparer, mais ils doivent le déposer à la disposition de l'Ordre. Si le malade survit, les chrétiens doivent le présenter à l'Ordre et prier pour qu'il se fasse consoler de nouveau[29] le plus tôt qu'il pourra; mais lui, qu'il suive, sur ce point, sa volonté.

---

29. Comme le fait remarquer fort justement M. Déodat Roché : « La prescription finale du Rituel démontre qu'il y avait une différence *essentielle* entre la réception d'un initié dans l'Ordre ou Société des Cathares, et la « Consolation » *provisoire* d'un mourant » (*op. cit.*, p. 202, note 23).

## II

# Le rituel latin

## 1. Tradition de la sainte oraison

***Prédication de l'Ordonné*** (le début manque).

« ... ceux qui sont doux et humbles se réjouiront de plus en plus dans le Seigneur, et les pauvres trouveront dans le saint d'Israël un ravissement de joie parce que celui qui les opprimait a été détruit, que le Moqueur n'est plus, et qu'on a retranché de dessus la terre ceux qui veillaient pour faire le mal, ceux qui faisaient pécher les hommes par leurs paroles, qui tendaient des pièges à ceux qui les reprenaient dans l'assemblée » (Isaïe., XXIX, 19-21).

***Compassion de Dieu pour son peuple.***

Et ainsi, par ces témoignages et par beaucoup d'autres, il est donné à entendre que le Père Saint veut avoir pitié de son peuple, et le recevoir dans sa paix et dans sa concorde par l'avènement de son fils Jésus-Christ. C'est là la cause pour laquelle vous êtes ici, au milieu des disciples de Jésus-Christ, où le Père, le Fils et le Saint-Esprit habitent spirituellement, comme il vous a été dit plus haut, afin que vous puissiez recevoir cette sainte oraison que

Notre-Seigneur a donnée lui-même à ses disciples, de sorte que vos demandes et vos prières soient exaucées par notre Père très saint, comme le dit David : « Que ma prière s'élève vers vous comme la fumée de l'encens » (Ps. CXL, 2).

***Réception de la sainte oraison*** (le *Pater* ou Oraison dominicale).

C'est pourquoi vous devez comprendre comment vous devez recevoir cette oraison sainte, c'est-à-dire le *Pater noster*. Certes, elle est brève, mais elle contient de grandes choses. Il faut donc que celui qui doit dire le « Notre Père » l'honore par de bonnes œuvres. *Fils* veut dire : *Amour du Père*. C'est pourquoi celui qui désire hériter comme fils doit se séparer absolument des œuvres mauvaises. « *Notre Père* » : Ces deux mots sont au vocatif. C'est comme si l'on disait : O Père de ceux seulement qui doivent être sauvés. « *Qui êtes aux cieux* » : c'est-à-dire : « vous qui habitez dans les saints ou même dans les vertus célestes[1]. On a cru devoir dire aussi, peut-être : « *Notre Père qui êtes aux cieux* », pour le distinguer du père du Diable, qui est menteur et père des méchants, c'est-à-dire de ceux qui ne peuvent absolument pas bénéficier de la compassion (divine), laquelle les sauverait. C'est pourquoi, donc, nous disons : Notre Père. « *Que votre nom soit sanctifié* » : par le nom de Dieu on entend la loi du Christ. C'est comme si l'on disait : « que votre loi soit affermie dans votre peuple ». *Que votre règne arrive* : par *règne de Dieu* il faut entendre le Christ. Dans l'évangile, le Christ dit, en effet : « Voici qu'à présent le royaume de Dieu est au milieu de vous » (Luc, XVII, 21). Mais par *règne de Dieu* on peut entendre aussi « le peuple de Dieu

1. Les hiérarchies spirituelles : anges, archanges, Principes ou Esprits des commencements, etc. (D. Roché, *L'Eglise romaine et les Cathares albigeois*, p. 185).

qui doit être sauvé ». C'est comme si l'on disait : Seigneur, mène ton peuple hors de la terre de l'ennemi. C'est pourquoi le prophète Joël s'exprime ainsi : « Les prêtres et les ministres du Seigneur, prosternés entre le vestibule et l'autel, fondront en larmes et diront : Pardonnez, Seigneur, pardonnez à votre peuple et ne laissez point tomber votre héritage dans l'opprobre en l'exposant aux insultes des nations. (Souffrirez-vous que les étrangers) disent de nous : où est leur Dieu ? » (Joël, II, 17). C'est pour ce motif que, tous les jours, les chrétiens prient leur Père très pieux pour le salut du peuple de Dieu. *Que votre volonté soit faite sur la terre comme dans le ciel* : cela signifie : que votre volonté soit accomplie en ce peuple qui s'est attaché à la nature terrestre[2], comme elle est accomplie dans le royaume d'en-haut ou en Christ, qui a dit : « Je ne suis pas venu pour faire ma volonté, mais la volonté de Celui qui m'a envoyé, la volonté de mon Père » (Jean, VI, 38). *Notre Pain supersubstantiel*[3] : par « pain supersubstantiel » on entend la loi du Christ qui a été donnée à tous les peuples[4]. Il faut donc croire que c'est de ce pain que veut parler Isaïe, lorsqu'il dit : « En ce temps-là sept femmes prendront un homme et elles lui diront : nous nous

2. Ce « peuple » est à « recréer » selon la « création » du second degré, de Jean de Lugio, laquelle consiste « à ajouter quelque vertu aux essences de ceux qui ont été créés mauvais, afin de les incliner aux bonnes œuvres ».

3. « La forme *Panem nostrum supersubstantialem* ne doit pas surprendre : on la trouve dans certains manuscrits de la *Vulgate* : c'est le texte commenté par saint Thomas d'Aquin dans son Exposition de l'évangile de saint Matthieu » (A. Dondaine, *Liber de Duobus principiis*, p. 48).

4. Ms. : Addition : *Donnez-nous aujourd'hui* : c'est-à-dire : Père Saint, donnez-nous vos forces pour que nous puissions, en ce temps de grâce, accomplir votre loi et suivre les préceptes de votre Fils qui est le Pain vivant.

nourrirons nous-mêmes et nous nous entretiendrons nous-mêmes d'habits : (agréez) seulement que nous portions votre nom » (Is., IV, 1). David dit aussi : « J'ai été frappé comme l'herbe (par l'ardeur du soleil) et mon cœur s'est desséché parce que j'ai oublié de manger mon pain » (Ps. CI, 5). Il est écrit dans le livre de la Sagesse : « Mais vous avez donné, au contraire, à votre peuple la nourriture des anges, vous leur avez fait pleuvoir du ciel un pain préparé sans aucun travail, qui renfermait en soi tout ce qu'il y a de délicieux et tout ce qui peut être agréable au goût. Car la substance de votre créature faisait voir combien est grande votre douceur envers vos enfants, puisque s'accommodant à la volonté de chacun d'eux elle se changeait en tout ce qui lui plaisait » (Sag., XVI, 20-21). Et par Isaïe le Seigneur a dit lui-même : « Faites part de votre pain à celui qui a faim, et faites entrer dans votre maison les pauvres qui ne savent où se retirer. Lorsque vous verrez un homme nu, revêtez-le et ne méprisez point votre propre chair » (Is. LVIII, 7). C'est de ce pain, croit-on, que Jérémie a dit dans ses Lamentations : « Les petits ont demandé du pain, et il n'y avait personne pour leur en donner » (Lam., IV, 4). Et le Christ, dans l'évangile de Jean, dit aux Juifs : « En vérité, en vérité, je vous le dis, Moïse ne vous a point donné le pain du ciel, mais c'est mon Père qui vous donne le véritable pain du ciel. Car le pain de Dieu est celui qui vient du ciel et qui donne la vie au monde » (Jean, VI, 32-33). Et, de nouveau, « Je suis le pain vivant » (c'est-à-dire : c'est moi qui ai mission de vie); « qui vient à moi n'aura jamais faim; qui croit en moi n'aura jamais soif » (Jean, VI, 35). Et encore : « En vérité, en vérité je vous le dis : celui qui croit en moi a la vie éternelle. Je suis le pain de vie. Vos pères ont mangé la manne dans le désert et ils sont morts. Mais voici le pain qui est descendu du ciel. Si quelqu'un mange de ce pain — c'est-à-dire : si quelqu'un observe mes préceptes — il vivra éternellement, et le pain qui je lui donnerai, c'est ma chair (que je dois donner) pour la vie du monde » (Jean, VI, 47-56) — c'est-à-dire : du peuple. « Les Juifs disputaient donc entre eux, en disant : Comment celui-ci peut-il nous donner sa chair à manger ? » Cela signifie : la question était débattue, parmi le peuple juif, de savoir comment le Christ pouvait leur donner ses préceptes à observer : ils ignoraient, en effet, la Divinité du Fils de Dieu. Alors Jésus leur dit : « En vérité, en vérité je vous le dis, si vous ne mangez la chair du fils de l'homme » — c'est-à-dire : si vous n'observez pas les préceptes du Fils de Dieu — « et si vous ne buvez son sang » — c'est-à-dire : si vous ne recevez pas le sens spirituel du Nouveau Testament —, « vous n'aurez pas la vie en vous. Celui qui mange ma chair et qui boit mon sang, a la vie éternelle; et je le ressusciterai au dernier jour. Car ma chair est véritablement viande et mon sang est véritablement breuvage » (Jean, VI, 53-56). Ailleurs le Christ dit encore : « Ma nourriture est de faire la volonté de mon Père, qui m'a envoyé pour que j'accomplisse son œuvre » (Jean, IV, 34); et aussi : « Celui qui mange ma chair et qui boit mon sang demeure en moi, et je demeure en lui » (Jean, VI, 56). Assurément les prêtres trompeurs ne mangent pas la chair de Notre-Seigneur Jésus-Christ, ni ne boivent vraiment son sang, parce qu'ils ne demeurent pas en Notre-Seigneur. C'est pourquoi le bienheureux Jean dit dans la première épître : « Mais si quelqu'un met en pratique sa parole, l'amour de Dieu est parfait en lui; c'est par là que nous connaissons que nous sommes en Dieu. Celui qui dit qu'il demeure en Jésus-Christ doit marcher lui-même comme Jésus-Christ a marché » (I Jean, II, 5-6).

C'est encore de ce Pain qu'il est écrit, selon notre foi, dans l'évangile de saint Matthieu : « Pendant qu'ils soupaient, Jésus prit du pain » — c'est-à-dire : les préceptes spirituels de la Loi et des prophètes — « et il le bénit »— c'est-à-dire : les loua et les confirma —, « le rompit », — c'est-à-dire : les expliqua spirituellement — « et le donna à ses disciples », — c'est-à-dire les leur enseigna pour qu'ils les observassent spirituellement. « Et il leur dit : Prenez, — c'est-à-dire : enseignez-les; mangez », — c'est-à-dire : prêchez-les à tous. C'est pourquoi il a été dit au bienheureux Jean l'Evangéliste : « Prenez le livre et dévorez-le... etc... alors (l'ange) me dit : il faut que vous prophétisiez encore devant les nations, devant les hommes de diverses langues, et devant plusieurs rois » (Apoc., x, 9, 11). « Ceci est mon corps » : le Seigneur dit ici en parlant du pain : ceci est mon corps. Plus haut, il avait dit : « Et le pain que je lui donnerai, c'est ma chair (que je dois donner) pour la vie du monde » (Matt., XXVI, 26 — Jean, VI, 51). Ce sont, en réalité, les commandements de la Loi et des Prophètes entendus dans leur sens spirituel que nous croyons, selon notre foi, qu'Il a désignés par ces mots : « Ceci est mon corps » ou « ma chair », comme pour dire : *C'est en eux que je suis, c'est en eux que j'habite.* C'est pourquoi l'Apôtre dit dans la Première aux Corinthiens : « Le calice de bénédiction que nous bénissons, n'est-il pas la communication du sang du Christ ? Et le pain que nous rompons, n'est-il pas la participation au corps du Seigneur ? Parce que ce pain est unique, étant plusieurs nous ne sommes qu'un seul corps, car nous participons tous à ce même pain et à ce même calice » (I Cor., x, 16-17). Et cela signifie : *nous participons au même sens spirituel de la loi, des prophètes et du Nouveau Testament.* Autre témoignage : « Car c'est du Seigneur que j'ai appris ce que je vous ai aussi enseigné, qui est que le Seigneur Jésus, la nuit même qu'il devait être livré à mort, prit du pain; et qu'ayant rendu grâces, il le rompit et dit : « Prenez et mangez, ceci est mon corps, qui va être donné pour vous » — Cela veut dire : *Ces préceptes spirituels des anciennes Ecritures sont mon corps : c'est pour vous qu'ils seront livrés* (transmis) au *peuple* — « Faites ceci en mémoire de moi. De même, après avoir soupé, il prit la coupe et dit : cette coupe est la nouvelle alliance (scellée) par mon sang; faites ceci en mémoire de moi, toutes les fois que vous la boirez » (I Cor., XI, 23-25). *C'est du « pain » supersubstantiel qu'il s'agit ici.*

Viennent ensuite les mots : *Donnez-nous aujourd'hui* : c'est-à-dire en ce temps de grâce ou : pendant que nous sommes dans cette vie temporelle, donnez-nous votre force (*virtutem*) afin que nous puissions accomplir la loi de votre fils Jésus-Christ [5].

*Et remettez-nous nos dettes :* c'est-à-dire : ne nous imputez pas les péchés que nous avons commis dans le passé, à nous qui voulons désormais observer les commandements de votre Fils.

*Comme nous les remettons à nos débiteurs :* c'est-à-dire : comme nous les remettons à ceux qui nous persécutent et qui nous font du mal.

*Et ne nous induisez pas en tentation :* c'est-à-dire : ne permettez pas plus longtemps que nous soyons induits en tentation, maintenant que nous désirons suivre votre loi. Il y a, en vérité, une *tentation charnelle* et une *tentation diabolique*. La tentation diabolique est celle qui procède du cœur, par suggestion du Diable, comme l'erreur, les pensées d'iniquité, la haine et autres choses semblables. La tentation charnelle est celle qui résulte de la nature humaine, comme la faim, la soif, le froid et toutes choses du même genre : nous ne pouvons pas l'éviter. C'est pourquoi l'Apôtre dit dans la première épître aux Corinthiens : « Qu'aucune tentation ne

---

5. Sur cette terre les « âmes » sont soumises au temps, qui s'oppose à l'Eternité et qui est du Démon (l'être toujours *changeant*). Elles ne peuvent opérer leur salut d'elles-mêmes, par liberté; elles ne peuvent que « demander » la grâce, et que Dieu combatte en elles le Mal. La vie temporelle est donc exactement *le temps de la Grâce.*

Ces quelques lignes — auxquelles on ne saurait refuser la « profondeur » philosophique — figuraient plus haut, dans le manuscrit, et y ont été rayées (voir note précédente, 4), sans doute pour faire place au long développement sur le *Pain supersubstantiel.*

vous saisisse à moins qu'elle ne soit humaine[6]. Dieu est fidèle et il ne souffrira pas que vous soyez tentés au-delà de vos forces; mais en permettant la tentation, il vous donnera d'en sortir, même avec avantage, en sorte que vous aurez la force de soutenir ces épreuves » (I Cor., x, 13).

*Mais délivrez-nous du mal,* c'est-à-dire : du Diable, qui est le tentateur des fidèles, et de ses œuvres.

*Car à vous appartiennent le règne* — on dit que ce mot (et les suivants) se trouve dans les livres grecs[7] ou hébreux — : Cela revient à dire : la raison pour laquelle vous devez faire pour nous ce que nous vous demandons, c'est que nous sommes votre peuple.

*Et la puissance :* il faut entendre : Vous avez le pouvoir de nous sauver.

*Et la gloire :* c'est-à-dire : à vous louange et honneur, quand vous faites cela pour votre peuple.

*Dans les siècles :* c'est-à-dire : dans les créatures célestes[8].

*Amen* signifie : sans défaillance (*sine defectu*[9]).

---

6. Le catholicisme romain interprète un peu différemment ce passage : « Vous n'avez eu *encore* que des tentations humaines (*et ordinaires*). »

7. « Les derniers mots : *Quoniam tuum est regnum et virtus et gloria in saecula* appartiennent au texte grec... Les Latins eux-mêmes n'ignoraient pas ce texte » (A. Dondaine, *op. cit.*, p. 48). Les Cathares suivaient la *tradition grecque* sur ce point, notre auteur commente la formule « grecque », alors que son exemplaire de l'évangile de saint Matthieu ne contenait pas — sa remarque le prouve — les mots en question.

8. « *Secula* traduit le terme du texte grec : Aiônas. Il ne s'agit pas ici du temps terrestre, mais des siècles dans le sens de Eons, sphères spirituelles des hiérarchies célestes : anges, archanges, principes... comme pour les gnostiques et les manichéens » (D. Roché, *op. cit.*, p. 189).

9. *Amen* : ainsi soit-il. Notre auteur interprète ce mot comme signifiant : *sans défaillance*, sans *changement* ni *diminution* : il évoque pour lui la Plénitude de l'Eternité.

C'est pourquoi (après avoir entendu ces explications et ces témoignages) vous devez comprendre, si vous voulez recevoir cette oraison, qu'il importe que vous vous repentiez de tous vos péchés et que vous pardonniez à tous les hommes. Le Christ n'a-t-il pas dit dans l'évangile (Matth., VI, 15); Marc, XI, 30) : « Si vous ne pardonnez pas aux hommes (les fautes qu'ils auront faites), votre Père céleste ne vous pardonnera point non plus vos péchés » ? Et il importe aussi que vous vous proposiez, en votre cœur, de retenir cette sainte oraison tout le temps de votre vie, si Dieu vous donne la grâce de la recevoir, selon la coutume de l'Eglise de Dieu, avec soumission et chasteté, et avec toutes les autres bonnes vertus que Dieu voudra vous donner. C'est pour cette raison que nous prions le Bon Seigneur qui a donné aux disciples de Jésus-Christ le pouvoir de recevoir cette oraison avec constance, qu'il vous donne aussi la force de la recevoir avec la même fermeté, à son honneur et pour votre salut. *Parcite nobis.*

Alors, que l'*Ordonné*[10] prenne le livre des mains du croyant et dise : « Jean (en supposant qu'il s'appelle ainsi), avez-vous la volonté de recevoir cette sainte oraison comme on vous a rappelé (qu'il fallait la recevoir), et de la retenir tout le temps de votre vie avec chasteté, véracité et humilité, et avec toutes les autres bonnes vertus que Dieu aura voulu vous donner ? » Le croyant doit répondre : « Oui, j'en ai la volonté. Priez le Père Saint qu'il me donne lui-même sa force. » L'*Ordonné* dira alors : « Que Dieu vous fasse la grâce de la recevoir à son honneur et pour votre salut. »

### *Le ministère. Rôle de l' « Ordonné ».*

Alors, que l'ordonné dise au croyant : « Dites l'oraison avec moi, mot pour mot, et dites le *perdo-*

---

10. Celui qui a reçu l'Ordination ou la Consécration.

*num*[11] comme l'aura dit celui (qui est à côté de moi) et le croyant devra le dire comme l'aura dit celui qui est à côté de l'Ordonné[12]. Alors l'Ordonné se mettra à dire le *perdonum*. Ensuite il dira l'oraison comme il est d'usage : cette oraison étant achevée, ainsi que la *gratia*, le croyant devra dire en faisant une révérence (avec génuflexion) devant l'Ordonné : *Benedicite parcite nobis, amen. Fiat nobis, Domine secundum verbum tuum.* » Bénissez-nous, pardonnez-nous, amen. Qu'il nous soit fait, Seigneur, selon ta parole!). L'Ordonné doit dire alors : « *Pater et filius et spiritus sanctus dimittat vobis omnia peccata vestra.* (Que le Père, le Fils et le Saint-Esprit aient pitié de tous vos péchés) et le croyant se lèvera. L'Ordonné lui dira : « Par Dieu, par nous, par l'Eglise, par son Ordre saint, ses préceptes et ses disciples saints, ayez le pouvoir de dire cette oraison avant de manger ou de boire, de jour ou de nuit, seul ou en compagnie d'autres personnes, comme c'est la coutume dans l'Eglise de Jésus-Christ. Vous ne devez ni manger ni boire sans avoir dit cette prière. S'il vous arrive d'y manquer, — ce que vous ferez savoir à l'Ordonné de l'Eglise, aussitôt que vous le pourrez —, vous en subirez la pénitence qu'il voudra vous donner. Que le Seigneur vrai Dieu vous donne la grâce de l'observer (la pratique de l'oraison) à son honneur et pour votre salut. » Le croyant fera alors trois révérences en

---

11. « *Perdonum* paraît bien être, comme *venia*, une demande de grâce et de pardon » (D. Roché). « Le *perdonum* est la confession générale des fautes unie au *melioramentum* » (A. Dondaine). Il semble que le *Perdonum* du rituel latin corresponde au *melhorier* du rituel occitan.

12. Passage corrompu : A. Dondaine le rétablit ainsi : « Et perdonum dicite sicut dixerit ille. » Et dicat sicut dixerit ille (scilicet *ancianus*) qui est justa ordinatum. Rappelons que dans le rituel latin l'*Ordonné* remplit toujours la fonction de l'*ancien* du rituel occitan, et l'*ancien* celle du « bonhomme ».

disant : *Benedicite, Benedicte, Benedicite, parcite nobis. Dominus deus tribuat vobis bonam mercedem de illo bono quod fecistis mihi amore dei.* (Que le Seigneur Dieu vous donne bonne récompense de ce bien que vous m'avez fait pour l'amour de Dieu!)

Alors, si le croyant ne doit pas être *consolé* (ce jour-là), il convient qu'il reçoive le *service*[13] et qu'il aille « *faire la paix*[14] ».

## 2. Réception du *Consolamentum*

Si le croyant doit être *consolé* tout de suite après qu'il a reçu l'oraison, il doit venir avec l'*Ancien* de sa résidence (*de hospicio illius*). Ils doivent faire trois révérences devant l'Ordonné et prier pour le bien de ce croyant. Cela fait, l'Ordonné, les chrétiens et les chrétiennes doivent prier Dieu par sept oraisons pour que l'Ordonné soit écouté (exaucé ?). Après quoi l'Ordonné doit dire : « Frères et sœurs, si j'ai dit ou fait quelque chose contre Dieu et mon salut, priez le Seigneur Dieu pour moi afin qu'il me pardonne. » Et l' « ancien », qui se tient à côté de l'Ordonné, dira : « Que le Père saint, juste, véridique et miséricordieux, qui a le pouvoir, dans le ciel et sur la terre, de remettre les péchés, vous remette et vous pardonne tous vos péchés en ce monde et vous fasse miséricorde dans le monde futur. » L'Ordonné doit dire à ce moment : « *Amen. Fiat nobis, domine, secundum verbum tuum.* Chrétiens et chrétiennes feront alors trois révérences en disant : « *Benedicite, benedicite, benedicite, parcite nobis.* Si nous avons dit ou fait quelque chose

---

13. Ici, pénitence liturgique.
14. *Ire ad pacem* : trad. de D. Roché : « et qu'il aille en paix ».

contre Dieu et notre salut, priez le Dieu de miséricorde qu'il nous pardonne. *Benedicite, parcite nobis.* » Et que l'Ordonné réponde : « Père saint, juste, véridique et miséricordieux, *et cetera...* comme il a été dit ci-dessus.

***De la réception du livre.***

Cela fait, que l'Ordonné dispose devant lui un plateau (en forme de disque). Le croyant se présentera à l'Ordonné et recevra le livre de ses mains, en faisant trois révérences, comme nous avons dit plus haut qu'il l'avait fait pour l'oraison. L'Ordonné devra dire ensuite : « Jean (par exemple), avez-vous la volonté de recevoir le baptême spirituel de Jésus-Christ et le pardon de vos péchés, grâce à l'intercession des bons chrétiens, avec l'imposition des mains, et de le conserver tout le temps de votre vie avec chasteté, humilité, et avec toutes les autres bonnes vertus que Dieu aura voulu vous accorder ? » Le croyant répondra : Oui, j'en ai la volonté. Priez Dieu qu'il me donne lui-même sa force. » L'Ordonné doit lui dire alors : « Que Dieu vous donne la grâce, la Consolation pour son honneur et pour votre salut ! »

***Prédication de l'Ordonné.***

Alors l'Ordonné se mettra à prêcher en ces termes, s'il plaît au croyant :

« O Jean, vous devez comprendre qu'en ce moment, vous venez pour la seconde fois[15] devant Dieu, devant le Christ et le Saint-Esprit puisque vous êtes devant l'Eglise de Dieu, et cela vous a été démontré ci-dessus par les Ecritures. Vous devez comprendre que vous êtes ici pour recevoir le pardon de vos péchés, grâce aux prières des bons chré-

15. Le croyant s'est présenté une première fois devant l'Eglise de Dieu pour « recevoir » l'Oraison.

tiens, et par l'imposition des mains. C'est là le baptême spirituel de Jésus-Christ et le baptême du Saint-Esprit, comme l'a dit Jean-Baptiste : « Pour moi, je vous baptise dans l'eau (pour vous porter) à la pénitence; mais celui qui va venir après moi est plus puissant que moi, et je ne suis pas digne de porter ses souliers; c'est lui qui vous baptisera dans le Saint-Esprit et dans le feu » (Matth., III, 11). Et cela signifie que le Christ lui-même vous lavera et vous purifiera en entendement spirituel et en bonnes œuvres. Par ce baptême il faut entendre la renaissance spirituelle dont le Christ a parlé à Nicodème : « Si un homme ne renaît de l'eau et de l'Esprit-Saint, il ne peut entrer dans le royaume de Dieu » (Jean, III, 5). Baptême veut donc dire : lavage et superbaptême (*supertinctio*). D'où il faut comprendre que le Christ n'est pas venu pour laver les souillures de la chair, mais pour purifier de leurs ordures les âmes de Dieu créées par Dieu), qui ont été souillées par le contact des esprits malins. Comme le Seigneur le dit par le prophète Baruch à Israël : « Ecoutez, Israël, les ordonnances de la vie; prêtez l'oreille pour apprendre ce que c'est que la prudence. D'où vient, ô Israël, que vous êtes présentement dans le pays de vos ennemis, que vous languissez dans une terre étrangère, que vous vous souillez avec les morts, et que vous êtes regardé comme ceux qui descendent sous la terre ? C'est parce que vous avez quitté la source de la sagesse. Car si vous eussiez marché dans la voie de Dieu, vous seriez assurément demeuré dans une éternelle paix » (Bar., III, 9). David dit également : « O Dieu, les nations sont entrées dans votre héritage; elles ont souillé votre saint temple; elles ont réduit Jérusalem à être comme une cabane qui sert à garder les fruits » (Ps. LXXVIII, 1). Le peuple de Dieu a donc été pollué par la société des mauvais esprits. C'est pourquoi il a plu au Père très saint de laver son peuple de la souillure des péchés par le baptême de son saint Fils Jésus-Christ, comme le bienheureux Apôtre l'a dit aux Ephésiens : « Et vous, maris, aimez vos femmes comme Jésus-Christ a aimé l'Eglise et qu'il s'est livré lui-même à la mort pour elle; afin de la sanctifier, en la purifiant par l'eau où elle est lavée, et par la parole de vie; pour la faire paraître devant lui pleine de gloire, sans tache, sans rides, sans aucun défaut; et afin de la rendre sainte et irrépréhensible » (Ephés., v, 25-27).

Et ainsi, par la venue de Notre-Seigneur Jésus-Christ, par la puissance de notre Père très saint, les disciples de Jésus-Christ furent purifiés par le baptême, des souillures de leurs péchés. Ils reçurent du Seigneur — comme Il les avait reçus lui-même de son Père très saint — la vertu et le pouvoir de purifier à leur tour d'autres pécheurs par le baptême de Jésus-Christ. On trouve, en effet, dans l'évangile du bienheureux Jean, que le Seigneur Jésus-Christ a dit à ses disciples, après sa résurrection : « Comme mon Père m'a envoyé, je vous envoie aussi de même. Ayant dit cela, il souffla sur eux, et leur dit : « Recevez le Saint-Esprit. Les péchés seront remis à ceux à qui vous les remettrez, et ils seront retenus à ceux à qui vous les retiendrez » (Jean, xx, 21-23). Dans l'évangile de Matthieu le Christ dit à ses disciples : « Je vous le dis en vérité, tout ce que vous lierez sur la terre sera lié aussi dans le ciel, et tout ce que vous délierez sur la terre sera aussi délié dans le ciel. Je vous le dis encore, que si deux d'entre vous s'unissent ensemble sur la terre, quelque chose qu'ils demandent, elle leur sera accordée par mon Père qui est dans les cieux (Matth., xviii, 18-19). Et encore : « Que dit-on du Fils de l'homme ? Ils lui répondent : les uns disent que vous êtes Jean-Baptiste, les autres, Elie; les autres, Jérémie ou quelqu'un des prophètes. Jésus leur dit : et vous, qui dites-vous que je suis ? Simon Pierre, prenant la parole, lui dit : vous êtes le Christ, le Fils du Dieu vivant. Jésus lui répondit : Vous êtes bienheureux, Simon, fils de Jean, parce que ce n'est point la chair et le sang qui vous ont révélé ceci, mais mon Père qui est dans le ciel. Et moi je vous dis que vous êtes Pierre, c'est sur cette pierre que je bâtirai mon église; et les portes de l'enfer ne prévaudront point contre elle. Je vous donnerai aussi les clefs du royaume des cieux (« à vous, Pierre, » signifie : « à vous tous »), et tout ce que vous lierez sur la terre sera aussi lié dans le ciel; et tout ce que vous délierez sur la terre sera aussi délié dans le ciel. » (Matth., XVI, 13-19). Il dit encore à ses disciples : « Allez par tout le monde, prêchez l'évangile à toute créature. Celui qui croira et qui sera baptisé, sera sauvé; mais celui qui ne croira pas, sera condamné. Voici les miracles que feront ceux qui auront reçu la foi : ils chasseront les démons en mon nom; ils parleront de nouvelles langues; ils manieront les serpents; s'ils boivent quelque breuvage mortel, il ne leur fera point de mal; et par l'imposition de leurs mains, ils guériront les malades » (Marc, XVI, 15-18). Il dit ailleurs : « Or, les onze disciples s'en allèrent en Galilée, sur la montagne où Jésus leur avait commandé de se trouver. En le voyant là, ils l'adorèrent; quelques-uns néanmoins eurent quelque doute. Mais Jésus, s'approchant, leur parla ainsi : Toute puissance m'a été donnée dans le ciel et sur la terre. Allez donc et instruisez tous les peuples, les baptisant au nom du Père, et du Fils, et du Saint-Esprit; et leur apprenant à observer toutes les choses que je vous ai commandées. Et assurez-vous que je serai moi-même avec vous jusqu'à la consommation des siècles » (Matth., XVIII, 16-20).

Aucun homme sensé ne pourra donc croire que l'Eglise de Jésus-Christ fasse ce baptême de l'imposition des mains sans autorités scripturaires évidentes, ni présumer que l'Eglise de Dieu fasse cette consécration (*ordinamentum*) par suite d'une conjecture hardie des disciples ou par humaine divination, ou par quelque inspiration inconnue et invisible des esprits[16]. C'est réellement (*visibiliter*) que

---

16. « Ou par une inspiration insolite d'esprits invisibles » (D. Roché).

les disciples de Jésus-Christ suivirent le Seigneur et demeurèrent avec lui, et qu'ils reçurent de lui le pouvoir de baptiser et de remettre les péchés comme le font maintenant les vrais chrétiens qui, en tant qu'héritiers des disciples, ont reçu par degrés (*gradatim*) pouvoir de l'Eglise de Dieu de faire réellement (*visibiliter*) ce baptême par imposition des mains, et de remettre les péchés. On apprend, par là, avec évidence, par les Ecritures du Nouveau Testament, que les disciples de Jésus-Christ, après son Ascension, pratiquèrent réellement ce ministère : cela ressort très clairement des Ecritures. Il est écrit, en effet, dans les *Actes des Apôtres* : « Les apôtres, ayant appris que les habitants de Samarie avaient reçu la parole de Dieu, ils leur envoyèrent Pierre et Jean; qui, étant arrivés, prièrent pour eux, afin qu'ils reçussent le Saint-Esprit. Car il n'était point encore descendu sur aucun d'eux mais ils avaient seulement été baptisés au nom du Seigneur Jésus. Alors ils leur imposaient les mains, et ils recevaient le Saint-Esprit » (Act., VIII, 14-17). Il est dit encore : « Pendant qu'Apollo était à Corinthe, Paul ayant parcouru les hautes provinces de l'Asie, vint à Ephèse, où ayant trouvé quelques disciples, il leur dit : Avez-vous reçu le Saint-Esprit depuis que vous avez embrassé la foi (depuis que vous êtes devenus « croyants » (*credentes*) ? Ils lui répondirent : Nous n'avons pas même ouï dire qu'il y ait un Saint-Esprit — Quel baptême, leur dit-il, avez-vous donc reçu ? — Ils lui répondirent : le baptême de Jean. Alors Paul leur dit : Il est vrai que Jean a baptisé (le peuple) du baptême de la pénitence, en disant au peuple qu'il devait croire en celui qui allait venir après lui, c'est-à-dire Jésus. Ce qu'ayant entendu, ils furent baptisés au nom du Seigneur Jésus. Après que Paul leur eut imposé les mains, le Saint-Esprit descendit sur eux; et ils parlaient diverses langues, et prophétisaient. Ils étaient en tout environ douze hommes » (Act., XIX, 1-7). Dans les mêmes Actes, le Christ dit à Ananie : Levez-vous et vous en allez dans la rue

16

qu'on appelle la Droite, et cherchez dans la maison de Judas un nommé Saul de Tarse, car il y est en prières. (Et au même temps Saul avait une vision où il) voyait un homme appelé Ananie, qui entrait et lui imposait les mains afin qu'il recouvrât la vue, etc... Ananie s'en alla donc, et étant entré en la maison (où était Saul), il lui imposa les mains, et lui dit : Saul, mon frère, le Seigneur Jésus qui vous a apparu dans le chemin par où vous veniez, m'a envoyé, afin que vous recouvriez la vue, et que vous soyez rempli du Saint-Esprit. Aussitôt il tomba de ses yeux comme des écailles et il recouvra la vue; et s'étant levé, il fut baptisé. Ayant ensuite mangé, il reprit des forces » (Act., XIX, 11-19). Et ailleurs encore : « Or, il se rencontra que le père de Publius était au lit, malade d'une fièvre et d'une dysenterie. Paul l'alla donc voir, et ayant fait sa prière, il lui imposa les mains et le guérit » (Act., XXVIII, 8). L'Apôtre dit à Timothée : « C'est pourquoi je vous avertis de rallumer la grâce de Dieu, que vous avez reçue par l'imposition de mes mains » (I Tim., V, 22). Et de nouveau : « Ne vous pressez pas d'imposer les mains à personne, et ne vous rendez point participant des péchés d'autrui. » Et le même apôtre, dans l'*épître aux Hébreux* parle « de la doctrine qui regarde les (diverses espèces de) baptêmes, et aussi de l'imposition des mains » (Hébr., VI, 2).

C'est de ce baptême que nous croyons que le bienheureux Pierre a parlé aussi dans sa *première épître,* lorsqu'il dit : « ... Au temps de Noé, tandis qu'on bâtissait l'arche, en laquelle peu de personnes — à savoir : huit seulement — furent sauvées à la faveur de l'eau. Figure à laquelle répond maintenant le baptême qui ne consiste pas à purifier la chair de ses souillures (extérieures), mais où on s'engage à conserver sa conscience pure pour Dieu, et qui nous sauve par la résurrection de Jésus-Christ » (I Pierre, III, 20). Mais ici il faut s'arrêter un peu à considérer que ceux qui furent sauvés dans l'arche de Noé, selon ce que raconte l'*Ancien Testament,* ne furent pas bien sauvés (*bene sal-*

*vati*), à ce qu'il semble, puisqu'on y trouve ensuite que Noé sortit de l'arche de ce Dieu avec fils, femmes et animaux, qu'il planta une vigne, but du vin pur, s'enivra et montra, en tombant, sa turpitude. Il maudit son fils Chanaan, qui avait été l'un des sauvés de l'arche, en lui disant : « Que Chanaan soit maudit! Qu'il soit à l'égard de ses frères l'esclave des esclaves! » (Gen., IX, 25). On apprend aussi, par l'*Ancien Testament*, que ceux qui sortirent de cette arche, et leurs héritiers, commirent de nombreux péchés et les crimes les plus ignobles; et qu'ensuite ils subirent la plus grande pénurie et d'excessifs outrages, de sorte qu'ils se tuaient les uns les autres. On doit penser, d'après tout cela, que le bienheureux Pierre n'a point voulu parler du Noé de l'*Ancien Testament* ni de son arche, mais bien de l'*Arche* du Testament que fit le Seigneur pour le salut de son peuple, et dont l'Apôtre a parlé en ces termes, s'adressant aux Hébreux : « C'est par la foi que Noé, ayant été divinement averti de ce qu'on ne voyait point encore, et étant pénétré de crainte, bâtit l'arche pour sauver sa famille, et qu'en la bâtissant il condamna le monde et devint héritier de la justice (qui naît) de cette foi » (Hébr., XI, 7). Jésus, fils de Syrach, nous dit également : « Noé a été trouvé juste et parfait, et il est devenu, au temps de la colère, la réconciliation des hommes. C'est pourquoi Dieu s'est réservé sur la terre quelques hommes, lorsque le déluge est arrivé. Il a été le dépositaire de l'alliance faite avec le monde, afin qu'à l'avenir toute chair ne pût plus être exterminée par le déluge » (Eccli., XLIV, 17-19). Et c'est de ce Noé que nous devons croire que le bienheureux Pierre s'est souvenu dans la *seconde épître* : « Dieu n'a point épargné l'ancien monde, mais n'a sauvé que sept personnes avec Noé, prédicateur de la justice, en faisant fondre les eaux du déluge sur le monde des méchants » (II Pierre, II, 5). Ce qui se trouve exprimé ici, c'est que le Père Saint a donné la loi et l'Ancien Testament à son peuple; que tous ceux qui entrèrent dans cette arche, c'est-à-dire ceux qui observèrent ce Testament, furent sauvés; et que, de même seront sauvés tous ceux qui entrent dans l'arche du Nouveau Testament et demeurent en elle.

D'après cela, on comprend que le bienheureux Pierre ait pu dire : « Mais maintenant un baptême semblable de forme nous sauve » (I Pierre, III, 21). Il voulait exprimer l'idée suivante : Comme ceux-ci furent sauvés par cette ordination (*per ordinamentum illud*), de même les chrétiens ne peuvent être sauvés que par le baptême de Jésus-Christ, semblable de forme. Ce que dit le prophète David s'accorde avec cette interprétation : « Cependant Dieu qui est notre roi depuis tant de siècles a opéré notre salut au milieu de la terre » (Ps. LXXIII, 12) ; ainsi que ce que dit Isaïe (en réalité : Jérémie) : « La moisson s'est passée, l'été est fini et nous n'avons point été sauvés » (Jér., VIII, 20). L'Apôtre, parlant du Christ, dit de même aux Hébreux : « Car il était bien convenable que Dieu, pour qui et par qui sont toutes choses, et qui voulait conduire à la gloire ses enfants en si grand nombre, élevât par ses souffrances au comble de l'honneur Celui qui devait être l'artisan de leur salut. » (Hébr., II, 10). Et Pierre : « Ce n'est pas la purification des souillures du corps qui nous sauve, mais l'engagement de conserver notre conscience pour Dieu » (I Pierre, III, 21); ce qui revient à dire : « Nous ne pouvons pas être sauvés sans ce baptême : ce n'est pas l'opération de l'Eglise qui nous sauve, mais l'engagement de conserver notre conscience pure, engagement qui se fait devant Dieu par l'intermédiaire des ministres du Christ. Paul s'exprime ainsi dans la *première épître aux Corinthiens* : « Mais je vais vous montrer une voie beaucoup plus excellente. Quand je parlerais toutes les langues des hommes et des anges mêmes, si je n'ai point la charité, je ne suis que comme un airain sonnant et une cymbale retentissante. Et quand j'aurais le don de prophétie, que je pénétrerais tous les mystères et que je posséderais toutes les sciences; quand j'aurais encore toute la foi possible, jusqu'à transporter les montagnes : si je n'ai point la charité, je ne suis rien. Et quand je distribuerais tout mon bien pour nourrir les pauvres, et que je livrerais mon corps pour être brûlé, si je n'ai point la charité, tout cela ne me sert de rien » (I Cor., XII, 31 à XIII, 3). Entendez : tout cela ne me sert de rien, si je n'ai point le baptême de l'esprit de charité. De tous ces témoignages il faut conclure que les vrais chrétiens, instruits par la première Eglise, exercent (légitimement) et réellement ce ministère de l'imposition des mains, sans lequel il est de foi parmi nous que nul ne peut être sauvé.

***Réception du baptême spirituel.***

C'est pourquoi vous devez comprendre la raison pour laquelle vous êtes venu devant l'Eglise de Jésus-Christ : c'est à l'occasion de la réception de ce saint baptême de l'imposition des mains et pour recevoir le pardon de vos péchés, mais aussi pour prendre l'engagement d'une bonne conscience qui aille vers Dieu par l'intermédiaire des bons chrétiens. C'est pourquoi vous devez comprendre ainsi que de même que vous êtes temporellement devant l'Eglise de Dieu, où habitent spirituellement le Père, le Fils et le Saint-Esprit, de même vous devez être spirituellement, avec votre âme, devant Dieu, devant le Christ et le Saint-Esprit, préparé à recevoir cette sainte ordination (*ordinamentum*) de Jésus-Christ. Et de même que vous avez reçu en vos mains le livre où sont écrits les préceptes, les conseils et les avertissements du Christ, de même vous devez recevoir la Loi du Christ dans les œuvres de votre âme, pour l'observer tout le temps de votre vie, comme il est écrit : « Vous aimerez le Seigneur votre Dieu de tout votre cœur, de toute votre âme, de toutes vos forces, et de tout votre esprit; et votre prochain comme vous-même » (Luc, x, 27).

Vous devez comprendre aussi qu'il faut que vous

aimiez Dieu avec vérité, douceur, humilité, miséricorde, chasteté, et avec toutes les bonnes vertus, car il est écrit : « La chasteté rapproche l'homme de Dieu mais la corruption l'en éloigne. » Et encore : « Chasteté et virginité sont très voisines de l'état angélique[17]. » Salomon dit aussi : « La pureté rapproche beaucoup de Dieu. » (Sag., VI, 20).

De même vous devez comprendre qu'il est nécessaire que vous soyez fidèle et loyal dans les choses temporelles et dans les spirituelles, parce que si vous n'étiez pas fidèle dans les temporelles, nous ne croirions pas que vous puissiez l'être dans les spirituelles; nous ne croirions pas que vous puissiez être sauvé. Car l'Apôtre a dit : « ... les ravisseurs (du bien d'autrui) ne seront point héritiers du royaume de Dieu » (I Cor., VI, 10). Il faut encore que vous fassiez ce vœu et cette promesse à Dieu que jamais vous ne commettrez d'homicide ni d'adultère, ni de vol d'une manière publique ou privée, que vous ne jugerez volontairement en aucune occasion, ni pour la vie ni pour la mort, car David a dit : « Je m'acquitterai de mes vœux envers le Seigneur devant tout son peuple. C'est une chose précieuse devant les yeux du Seigneur que la mort de ses saints » (Ps, CXV, 14-15). Vous devrez faire encore ce vœu à Dieu que jamais, sciemment et volontairement, vous ne mangerez du fromage, du lait, des œufs, ni de la chair d'oiseau, de reptile ou de bête, prohibée par l'Eglise de Dieu.

De même, il faudra que, pour la justice du Christ, vous supportiez la faim, la soif, les scandales, la persécution et la mort; et que vous supportiez tout cela pour l'amour de Dieu et pour votre salut.

De même, que vous obéissiez à Dieu et à l'Eglise,

---

17. Cette idée se trouve chez maints auteurs. Cf., surtout, saint Bernard : « Continentia facit hominem proximum Deo. Ibi habitat Deus, ubi permanet continentia. Castitas jungit hominem coelo » (*Liber de modo bene vivendi ad sororem*, pl. 184, c. 1239). Voir à ce sujet : A. Dondaine, *op. cit.*, p. 162, notes.

selon votre pouvoir, selon la volonté de Dieu et de son Eglise, et que vous n'abandonniez jamais ce don, si Dieu vous accorde la grâce de le recevoir, pour quelque autre chose qui puisse vous advenir. Car l'Apôtre le dit aux Hébreux : « Quant à nous, nous n'avons garde de nous retirer, ce qui serait notre ruine, mais nous demeurons fermes dans la foi, pour le salut de nos âmes » (Hébr., x, 39); et il dit encore dans la seconde épître à Timothée : « Quiconque est enrôlé au service de Dieu, évite l'embarras des affaires de la vie, afin de plaire à celui qui l'a enrôlé » (II Tim., II, 4). On lit aussi dans l'évangile de Luc : « Quiconque ayant mis la main à la charrue, regarde derrière soi, n'est point propre au royaume de Dieu » (Luc, IX, 62). Jésus, fils de Syrach, nous dit : « Si celui qui se lave après avoir touché un mort, le touche de nouveau, de quoi lui sert-il de s'être lavé ? De même si un homme jeûne après avoir commis des péchés, et les commet de nouveau, que gagne-t-il de s'être affligé et humilié ? et qui exaucera sa prière ? » (Eccl., XXXIV, 30-31). Et le bienheureux Pierre dans sa seconde épître : « Que si après s'être retirés des corruptions du monde par la connaissance de Jésus-Christ, notre Seigneur et notre Sauveur, ils se laissent vaincre en s'y engageant de nouveau, leur dernier état est pire que le premier. Car il aurait mieux valu pour eux qu'ils n'eussent point connu la voie de la justice, que de retourner en arrière après l'avoir connue, et d'abandonner la loi sainte qui leur a été donnée. Mais ce qu'on dit d'ordinaire par un proverbe véritable leur est arrivé : le chien retourne à ce qu'il avait vomi, et le pourceau (après avoir été) lavé, va dans la boue pour s'y vautrer de nouveau » (II Pierre, II, 20-22).

C'est pourquoi vous devez comprendre que, si vous venez à recevoir ce don de Dieu, il importera que vous le conserviez tout le temps de votre vie avec pureté de cœur et d'esprit.

Cependant, que personne n'aille croire que, par ce baptême que vous entendez recevoir, vous deviez mépriser l'autre baptême[18] et votre premier état de chrétien, et tout ce que vous avez pu faire ou dire de bon jusqu'à maintenant, mais vous devez comprendre qu'il vous faut recevoir cette sainte ordination du Christ pour suppléer à ce qui vous manquait pour faire votre salut.

Enfin, que le Seigneur vrai Dieu vous accorde la grâce de recevoir ce bien pour son honneur et pour votre salut. *Parcite nobis.*

### *L'office de la Consolation.*

L'Ordonné prendra alors le livre des mains du croyant et lui dira : « Jean (à supposer qu'il s'appelle ainsi), avez-vous la volonté de recevoir ce saint baptême de Jésus-Christ, dans la forme où l'on vous a rappelé qu'il était donné, et de le garder tout le temps de votre vie, avec pureté de cœur et d'esprit, et de ne point manquer à cet engagement pour quelque motif que ce soit ? » Et Jean doit répondre : « Oui, j'en ai la volonté; priez pour moi le Dieu bon afin qu'il me donne sa grâce. » L'Ordonné doit lui dire ensuite : « Que le Seigneur vrai Dieu vous accorde la grâce de recevoir ce don pour son honneur et pour votre bien. » Que le croyant se lève alors, fasse une révérence devant l'Ordonné, et répète ce qu'aura dit l'*Ancien* placé près de l'Ordonné, à savoir : « Je suis venu devant Dieu, devant vous, devant l'Eglise et devant votre Saint Ordre pour recevoir miséricorde et pardon de tous mes péchés, qui ont été commis et perpétrés en moi depuis telle date[19] jusqu'à aujourd'hui. Priez Dieu

18. On remarquera « que le futur baptisé n'est pas invité à renoncer à son premier baptême (celui de l'Eglise catholique), alors que d'autres documents nous parlent de la renonciation (*abrenuntiatio*) à ce sacrement » (A. Dondaine, *op. cit.*, p. 49).

19. Le croyant devait préciser cette date, quand il s'agissait d'un nouveau *consolamentum* remplaçant celui

pour moi afin qu'il me pardonne. *Benedicite Parcite nobis*. L'Ordonné devra lui répondre : « Au nom de Dieu, en notre nom, au nom de l'Eglise, de son saint Ordre, de ses saints préceptes et de ses disciples, recevez pardon et miséricorde pour tous les péchés que vous avez commis et perpétrés depuis telle date jusqu'à ce jour. Que le Seigneur Dieu de miséricorde vous pardonne et vous conduise à la vie éternelle! » Le croyant doit dire : « Amen, qu'il nous soit fait, Seigneur, selon ta parole. » Puis, s'étant levé, il placera les mains sur la table, devant l'Ordonné. L'Ordonné lui posera alors le livre des évangiles sur la tête, et tous les autres chrétiens et membres de l'Ordre, présents à la cérémonie, imposeront sur lui leurs mains droites. L'Ordonné dira à ce moment : « Au nom du Père et du Fils et du Saint-Esprit »; et celui qui se tient près de lui dira : « Amen », et tous les autres aussi, à haute voix. L'Ordonné prononcera ensuite les paroles suivantes : « *Benedicite Parcite nobis, amen. Fiat nobis, Domine, secundum verbum tuum, pater et filius et spiritus sanctus dimittat vobis et parcat omnia peccata vestra. Adoremus patrem et filium et spiritum sanctum, adoremus patrem et filium et spiritum sanctum, adoremus patrem et filium et spiritum sanctum : Pater sancte, justus et verax et misericors, dimitte servo tuo, recipe eum in tua justitia. — Pater noster qui es in caelis, sanctificetur nomen tuum* », et cetera (*sic*)... Après quoi, l'Ordonné doit dire cinq oraisons à haute voix (*vociferando*) et trois fois : « *Adoremus* »; encore une oraison et trois fois : « *Adoremus patrem et filium et spiritum sanctum*. Puis il lira l'évangile (de saint Jean) : « *in principio erat verbum* » et cetera... Cette lecture terminée, il dira trois fois : *Adoremus patrem et filium et spiritum sanctum*, et une fois

---

qu'il avait déjà reçu à titre provisoire, au cours d'une maladie grave, ou dont il avait perdu le bénéfice spirituel en retombant dans le péché.

l'oraison. Enfin, qu'il dise trois fois *Adoremus* et qu'il formule à haute voix la *gratia*[20].

Le chrétien baisera le livre et fera trois révérences, en disant : « *Benedicite, benedicite, benedicite, parcite nobis; deus reddat vobis bonam mercedem de illo bono quod mihi fecistis amore dei.* »

Alors les membres de l'Ordre, les Chrétiens et les Chrétiennes recevront le *servicium* selon la coutume de l'Eglise.

Tous les bons chrétiens prient[21] Dieu pour celui qui a écrit ces traités (*rationes*).

---

20. *Et levet gratiam.*

21. *Rogant.* On attendrait plutôt le subjonctif : Que tous les bons chrétiens prient...

# Bibliographie sommaire


## I. *Textes d'origine cathare.*

1. *Liber de duobus principiis* (Un traité néo-manichéen du XIIIe siècle : le Liber de duobus principiis, suivi d'un fragment de Rituel cathare, publié par A. Dondaine, O. P.; Istituto storico Domenicano, S. Sabina, Roma, 1939).
2. *Le Nouveau Testament* (Le Nouveau Testament traduit au XIIIe siècle en langue provençale, suivi d'un Rituel cathare. Reproduction photolithographique du manuscrit de Lyon, publiée avec une nouvelle édition du Rituel, par L. Clédat... Paris, Ernest Leroux, 1887).
3. *Rituel cathare en occitan* (Voir ci-dessus, n° 2). — Réédition partielle et corrigée sur quelques points, par A. Dondaine (*Un traité néo-manichéen...* pp. 37-43).
4. *Rituel cathare en latin* (Voir n° 1 : *Un traité néo-manichéen...*).
5. *La Cène secrète.* Doellinger : *Beitrage zur Sektengeschichte im Mittelalter,* Munich, 1890; t. II, pp. 85 et suivantes.
6. *La Vision d'Isaïe.* Les Cathares de la région d'Ax-les-Thermes (Ariège) connaissaient sans aucun doute ce petit ouvrage pénétré d'influences gnostiques (et manichéennes ?). *Ascensio Isaiae,* A. Dillman, Leipzig, Brockhaus, 1877. — Traduction : E. Tisserant, Paris, Letouzey, 1909).

7. *Boecis* (poème sur Boèce, fragment; René Lavaud et J. Machicot, Institut d'études occitanes, Toulouse, 1950. Quelques traces — contestées — de Catharisme).
8. *Le roman de Barlaam et Josaphat. Die provenzalische Prosaredaktion des geistlichen Romans von Barlaam und Josaphat* nebst einem Anhang über einige deutsche Drücke des XVII Iahrhunderts herausgegeben von Ferdinand Heuckenkamp, Halle, 1912. Traduction française : R. Nelli, *le roman spirituel de Barlaam et Josaphat,* in : *La Tour Saint Jacques,* n° 15 (mai-juin 1958) et 16 (décembre 1958). — Traces incontestables d'une influence cathare.
9. Documents sur le Catharisme. Doellinger, Beitrage zur Sektengeschichte im Mittelalter... T. II.

## II. *Sources de l'histoire du catharisme.*

1. Raynier Sacconi : *Summa de Catharis et Leonistis seu pauperibus de Lugduno* (XIII^e^ siècle), réédité par A. Dondaine, un traité néo-manichéen du XIII^e^ siècle : le Liber de duobus principiis, suivi d'un fragment de Rituel Cathare; Istituto storico Domenicano, S. Sabina, Roma, 1939.
2. *De heresi Catharorum in Lombardia* (A. Dondaine, O. P., la hiérarchie cathare en Italie; Arch. Fratr. Praedicatorum, vol. XIX, 1949. Istituto storico Domenicano, S. Sabina, Roma, pp. 280-312.
3. *Tractatus de hereticis* (A. Dondaine, la hiérarchie cathare en Italie; Arch. Fratr. Praedicatorum, vol. XIX, 1950; pp. 308-324.
4. Doellinger, I. von, *Beitrage zur Sektengeschichte des Mittelalters*; Munich, 1890, 2 vol. in-8°.

### III. *Études sur le catharisme.*

1. Hahn, *Geschichte der Ketzer im Mittelalter, besonders im 11, 12 und 13 Jahrhundert;* 3 vol. Stuttgart, 1845-1850.
2. Schmidt, C., *Histoire et doctrine de la secte des Cathares ou Albigeois,* Paris-Genève; 2 vol., 1848.
3. Molinier, Ch., *Un traité inédit du XIII*e *siècle contre les hérétiques Cathares;* Bordeaux, 1883.
4. Tocco, *l'eresia nel medio evo,* Florence, 1884.
5. Alphandéry, P., *Les idées morales chez les hétérodoxes latins au début du XIII*e *siècle* (Bibl. de l'Ecole des Hautes études — sciences religieuses, t. XVI, Paris, 1903).
6. Broeckx, Ed., *Le Catharisme. Etudes sur les doctrines, la vie religieuse et morale, l'activité littéraire et les vicissitudes de la secte cathare avant la croisade; Hoogstraten,* 1916.
7. Volpe, *Movimenti religiosi e sette ereticali nella società medievale italiana* (Secoli XI-XIV), Florence, 1922.
8. Guiraud, J., *Histoire de l'Inquisition au moyen âge,* T. I, *origine de l'Inquisition dans le midi de la France; Cathares et Vaudois;* Paris, 1933; T. II : *L'Inquisition au XIII*e *siècle en France, en Espagne et en Italie;* Paris, 1938.
9. De Stefano, *Riformatori ed eretici nel medio evo,* Palerme, 1938.
10. Roché, D., *Le Catharisme,* Inst. d'études occitanes; Toulouse, 1938.
11. Dondaine, A., O. P., *Nouvelles sources de l'histoire doctrinale du néo-manichéisme au moyen âge;* Rev. de la Société phil. et théol., 1939.
12. Esposito, *Sur quelques écrits concernant les hérésies et les hérétiques aux XII*e *et XIII*e *siècles;* Revue historique eccl., 1940.

13. Alfaric, P., *Le Catharisme;* Le mois d'ethnographie française, Paris, novembre 1948.
14. Grégoire, H., *Cathares d'Asie Mineure, d'Italie et de France;* Mémorial Louis Petit; mélanges d'histoire et d'archéologie byzantines, Bucarest, 1948.
15. Nelli, R., *Les deux tentations chez les Cathares du XIII^e^ siècle;* cahiers d'études Cathares, Arques, 1949.
16. Runciman, St., *The medieval manichee;* trad. franç. : *Le manichéisme médiéval. L'hérésie dualiste dans le Christianisme;* Payot, Paris, 1949.
17. Söderberg, H., *La religion des Cathares, étude sur le Gnosticisme de la basse antiquité et du moyen âge;* Uppsala, 1949.
18. Morghen, *Medio evo cristiano;* Laterga, Bari, 1951. Roché, D., *Etudes manichéennes et cathares,* Toulouse, Inst. d'études occitanes, Paris, librairie Véga, 1952.
19. Sommariva, L., *Studi recenti sulle eresie medievali* (1939-1952), rivista storica italiana, anno LXIV, fasc. II; Naples, 1952.
20. *Recherches sur le Catharisme,* Annales de l'Institut d'études occitanes, n° 12, août-novembre 1952 (Benedetto Croce, Sommariva, R. Nelli, Ch. Bru).
21. Borst, Arno, *Die Katharer;* Stuttgart, 1953.
22. Niel, F., *Albigeois et Cathares,* Collection Que sais-je ? P.U.F., Paris 1955.
23. Latreille, A., Delaruelle (E.), Palanque (J.-R.), *Histoire du Catholicisme en France,* T. I. *Des origines à la chrétienté médiévale.* Edit. Spes; Paris, 1957.
24. Roché, D., *L'Eglise romaine et les Cathares Albigeois,* édition des Cahiers d'études cathares, Arques, 1957.
25. *Cahiers d'Etudes Cathares,* revue trimestrielle, Arques, Aude : 33 numéros parus.

## TABLE DES MATIÈRES




IMPRIMERIE AUBIN. — LIGUGÉ (VIENNE).

D. L., 3-1959. — Éditeur, n° 870. — Imprimeur, n° 2.102